HERIDAS ABIERTAS

GILLIAN FLYNN

HERIDAS ABIERTAS

Traducción de
Ana Alcaina

Título de la edición original: *Sharp Objects*

Primera edición en esta colección: septiembre, 2007

© 2006 by Gillian Flynn
© de la traducción: Ana Alcaina, 2007
© Círculo de Lectores, S.A. (Sociedad Unipersonal), 2007
   Licencia editorial por cortesía de Círculo de Lectores, S.A.
© de la presente edición, 2007, Ediciones El Andén, S.L.
   Avenida Diagonal 520, 4º1ª, 08006 Barcelona

Publicado en los EE.UU. por Shaye Areheart Books, un sello de Crown
Publishing Group, una división de Random House, Inc., New York
www.crownpublishing.com

Printed in Spain
ISBN: 978-84-96929-05-0
Depósito legal: B-38291-2007

Fotocomposición: gama, sl
Arístides Maillol, 9-11 - 08028 Barcelona

Impreso por LIBERDÚPLEX, S.L.U.
Ctra. BV 2249 Km 7.4 Polígono Torrentfondo
08791 Sant Llorenç d'Hortons (Barcelona)

TEA 929050

A mis padres,
Matt y Judith Flynn

1

Llevaba un suéter nuevo, de color rojo ardiente, espantoso. Era 12 de mayo, pero la temperatura había bajado hasta los cinco o seis grados, y después de pasarme cuatro días tiritando en mangas de camisa, decidí comprarme algo de abrigo en una tienda de segunda mano en lugar de hurgar entre las cajas de ropa de invierno. Primavera en Chicago.

Estaba sentada en la redacción, en mi cubículo con las paredes forradas de arpillera, la mirada fija en el ordenador. Mi artículo de aquel día trataba sobre la vertiente torpe del mal: habían encontrado a cuatro niños, de edades comprendidas entre los dos y los seis años, encerrados en una habitación del South Side con un par de bocadillos de atún y un litro de leche. Llevaban allí encerrados tres días, moviéndose nerviosos de un lado a otro como polluelos en un corral, picoteando entre las migajas de comida y las heces de la moqueta. La madre los dejó ahí; se fue a fumar una pipa de agua, y se colocó de tal manera, que llegó a olvidarse de ellos. A veces eso es lo que pasa, sin más, nada de marcas de cigarrillos ni huesos rotos: un simple descuido irreparable. Había visto a la madre después de que la detuvieran: Tammy Davis, de veintidós años, una mujer rubia y rolliza con colorete rosa en las mejillas en forma de dos círculos perfectos del tamaño de vasos de chupito. Me la imaginé sentada en un sofá desvencijado, chupando con los labios aquel metal, una brusca exhalación de humo. Y luego, enseguida, todo empezaba a flotar a su alrededor, los niños iban quedando cada vez más atrás mientras ella retrocedía como un relámpago a los años de instituto, cuando los chicos aún la miraban y ella era la más guapa, una chica de trece años con brillo en los labios que mascaba canela en rama antes de besar a alguien.

Una barriga y un olor, a tabaco y a café recalentado. Mi jefe, el respetado y fatigado director del periódico, Frank Curry, se balanceaba sobre sus agrietados Hush Puppies, los dientes anegados en saliva marrón de tabaco.

–Oye, ¿cuánto te falta para acabar el artículo?

Encima de mi mesa había una chincheta con la punta boca arriba. Mi jefe la presionó levemente con la uña amarillenta del pulgar.

–Ya casi está.

Llevaba escritas tres líneas de texto. Necesitaba diez.

–Vale, pues machaca a esa hija de puta, envíalo y ven a mi despacho.

–Puedo ir ahora, si quieres.

–Machaca a esa hija de puta, envíalo y luego ven a mi despacho.

–Vale. Diez minutos.

Quería que me devolviera la chincheta.

Echó a andar para salir de mi cubículo. La corbata se le balanceaba cerca de la entrepierna.

–¿Preaker?

–¿Sí, Curry?

–Machaca a esa hija de puta.

Frank Curry cree que soy una blanda. Tal vez sea porque soy mujer. Tal vez sea porque soy una blanda.

El despacho de Curry está en la tercera planta. Estoy segura de que le entra una mezcla de pánico y cabreo cada vez que mira por la ventana y ve el tronco de un árbol, porque los buenos directores de periódico no ven la corteza de los árboles, sino las hojas de la copa... eso en el hipotético caso de que lleguen a ver algún árbol desde una vigésima o trigésima planta. Sin embargo, en el *Daily Post*, el cuarto periódico de mayor tirada de Chicago, relegado a las afueras, hay espacio para la expansión. Con tres plantas basta, de momento, tres plantas que se extienden en horizontal de forma implacable, como una mancha, inadvertida entre las tiendas de alfombras y de lámparas. Un promotor inmobiliario creó nuestro municipio en fases muy

10

bien organizadas en tres años, entre 1961 y 1964, y luego lo bautizó con el nombre de su hija, que había sufrido un grave accidente ecuestre un mes antes de la finalización de las obras de construcción. «Aurora Springs», decretó, deteniéndose para hacerse una foto junto al flamante cartel de entrada a la ciudad. A continuación cogió a su familia y se marchó. La hija, que ya ha cumplido la cincuentena y está bien excepto por algún que otro hormigueo ocasional en los brazos, vive en Florida y vuelve cada pocos años para sacarse una foto junto a su cartel homónimo, igual que hiciera papá.

Escribí la historia durante la última visita de la mujer. A Curry no le gustó nada, no le gustan los artículos realistas sobre la vida misma. Se trincó una botella entera de Chambord mientras lo leía, y dejó en el despacho un fuerte olor a frambuesas. Curry se emborracha sin llamar demasiado la atención, pero lo hace a menudo. Sin embargo, ésa no es la razón por la que disfruta de unas agradables vistas de los árboles a ras de suelo: eso es simple y pura mala suerte.

Entré y cerré la puerta de su despacho, que no se parece en nada a cómo me había imaginado siempre que sería el despacho de mi jefe. Me habría encantado ver unas paredes revestidas de madera de roble y un ventanal de cristal en la puerta –con la palabra «Jefe» inscrita en él– para que los periodistas novatos pudiesen ver cómo discutíamos acaloradamente sobre los derechos de la Primera Enmienda. El de Curry es un despacho anodino e institucional, como el resto del edificio; podías ir allí a hablar de periodismo o a hacerte una citología, a nadie le importaba una mierda.

–Háblame de Wind Gap.

Curry tenía la punta de un bolígrafo apoyada en la barbilla entrecana. Me imaginé el minúsculo punto azul que le dejaría entre la barba rala.

–Está en el extremo inferior de Missouri, en el talón de la bota. A tiro de piedra de Tennessee y Arkansas –le expliqué, tratando de soltarlo lo más deprisa posible. A Curry le encantaba interrogar a los redactores sobre cualquier tema que se le antojase pertinente: la cifra de asesinatos en Chicago el año anterior, la tasa demográfica del condado de Cook o, por vete a saber qué razón, la historia de mi ciudad natal, un tema que, personalmente, prefería obviar–. Se fundó antes de la guerra de Secesión –continué–. Está cerca del Mississippi, así que fue ciudad portuaria en su momento. En la actualidad su industria principal es la producción de derivados del cerdo. Tiene una población de unos dos mil habitantes: burgueses y escoria.

–¿Y a cuál de los dos grupos perteneces tú?

–Yo soy escoria... de origen burgués.

Sonreí, y él frunció el ceño.

–¿Y qué cojones está pasando allí?

Me quedé en silencio, enumerando las distintas desgracias que podían haber asolado Wind Gap. Es una de esas ciudades miserables propensas al sufrimiento: un choque frontal de autobuses o un tornado; una explosión en un silo o un crío de dos años en el fondo de un pozo. Además, también estaba un poco enfadada, pues hasta ese momento había albergado la esperanza –como ocurría siempre que Curry me llamaba a su despacho– de que fuera a felicitarme por un artículo reciente, a ascenderme a un puesto mejor... qué se yo, a darme un sobre con un aumento de sueldo del uno por ciento; pero no estaba preparada para hablar de los sucesos de actualidad en Wind Gap.

–Tu madre todavía vive allí, ¿verdad, Preaker?

–Mi madre y mi padrastro.

Y una hermanastra que había nacido cuando yo estaba en la universidad; su existencia me parecía tan sumamente irreal que a menudo me olvidaba de su nombre. Amma. Y luego Marian, desaparecida para siempre.

–Bueno, ¿y? ¿Hablas con ellos alguna vez?

No desde Navidad, una llamada fría y cortés tras la ingesta de tres bourbons. Temía que mi madre pudiese olerlo a través del hilo telefónico.

–No últimamente.

–Joder, Preaker, a ver si lees el teletipo alguna vez. Hubo un asesinato... ¿cuándo fue?, ¿en agosto? ¿Una niña estrangulada?

Asentí como si supiese a qué se refería, pero no era así. Mi madre era la única persona de Wind Gap con quien había

12

mantenido un contacto limitado, y no me había dicho nada. Curioso.

–Pues ahora ha desaparecido otra. Tiene toda la pinta de tratarse de un asesino en serie. Bueno, vete allí abajo y consígueme la historia. Y que sea rapidito. Tienes que estar allí mañana por la mañana.

Ni hablar.

–Ya tenemos historias de terror aquí mismo, Curry.

–Sí, y también tres periódicos competidores con el doble de presupuesto y de personal. –Se pasó la mano por el pelo, que le quedó revuelto y como deshilachado–. Estoy harto de que nos den con las noticias en las narices. Es nuestra oportunidad de encontrar algo realmente gordo. Una bomba.

Curry cree que si damos con la noticia adecuada, con el bombazo informativo de la temporada, eso nos convertirá de la noche a la mañana en el periódico de referencia de Chicago, y que ganaremos credibilidad en el ámbito nacional. El año pasado otro periódico envió a un reportero a su ciudad natal, en el estado de Texas, después de que un grupo de adolescentes se ahogase durante las inundaciones de primavera. Escribió un reportaje elegíaco, pero bien documentado, sobre la furia del agua y el dolor, cubriendo todos y cada uno de los aspectos del caso, desde el equipo de baloncesto de los chicos, que perdió a tres de sus mejores jugadores, hasta la empresa local de pompas fúnebres, de una inexperiencia exasperante en el embalsamamiento de cadáveres ahogados. El reportaje ganó un Pulitzer.

Pese a todo, yo no quería ir. Tanto era así, por lo visto, que me había agarrado a los brazos del sillón con todas mis fuerzas, como si Curry fuese a arrancarme de allí haciendo palanca. Se sentó y me miró unos segundos con sus ojos lacrimosos de color avellana. Se aclaró la garganta, miró la foto de su mujer y sonrió como si fuese un médico a punto de dar malas noticias. A Curry le encantaba ladrar, encajaba con su imagen de la vieja escuela de lo que debía ser un director de periódico, pero también era una de las personas más decentes que conocía.

–Escucha, hija, si no puedes hacer esto, no puedes hacerlo. Pero creo que podría ser bueno para ti, podría obligarte a sacar mucha mierda fuera, a ponerte de nuevo en pie. Es una buena historia, maldita sea; la necesitamos. Tú la necesitas.

Curry siempre me había apoyado. Creía que iba a ser su mejor reportera, decía que tenía un cerebro portentoso. En los dos años que llevaba en aquel trabajo, yo había defraudado sistemáticamente sus expectativas. A veces de forma inexplicable. Y ahora lo tenía ahí delante, al otro lado de la mesa, suplicándome que le insuflase un poco de fe. Asentí con un ademán que esperaba que transmitiese confianza y seguridad.

–Iré a hacer las maletas.

Mis manos dejaron marcas de sudor en el sillón.

No tenía animales de compañía de los que preocuparme, ni tampoco plantas que dejar a cargo de algún vecino. Metí en una bolsa de viaje ropa suficiente para cinco días, como garantía para mí misma de que estaría de vuelta antes de que terminase la semana. Cuando eché un último vistazo al apartamento antes de salir, éste se reveló en su verdadera esencia ante mis ojos: parecía el piso de una estudiante universitaria, barato, transitorio y, sobre todo, falto de inspiración. Me prometí que invertiría en un sofá decente cuando volviese, como recompensa por la sensacional historia que estaba segura de conseguir.

Encima de la mesa, junto a la puerta, había una foto mía de cuando era casi una adolescente abrazando con fuerza a Marian, que debía de tener unos siete años. Las dos nos estamos riendo. Ella abre mucho los ojos por la sorpresa, mientras que yo los tengo completamente cerrados. La aprieto mucho contra mí, y las piernas cortas y escuálidas le cuelgan por delante de mis rodillas. No me acuerdo del momento en sí ni de qué nos estamos riendo. Con los años, se ha convertido en un plácido misterio. Creo que me gusta no saberlo.

Siempre me baño. No me gusta la ducha: no soporto el chorro directo del agua, es como si me diese un calambre en la piel, como si alguien hubiese accionado un interruptor eléctrico.

14

Así que tapé la rejilla del desagüe de la ducha con una toalla delgada del motel, apunté con el dispersor hacia la pared y me senté en los tres dedos de agua que se acumularon en el suelo. Restos de vello púbico de algún huésped anterior apareció flotando en el agua.

Salí de la ducha. No había más toallas, así que corrí hasta la cama y me sequé con la manta barata y de textura esponjosa. Luego me bebí un vaso de bourbon caliente y maldije la máquina de hielo.

Wind Gap está a unas once horas al sur de Chicago. Curry había tenido el detalle de darme dinero para pasar la noche en un motel y para el desayuno de la mañana, siempre que comiese en una gasolinera; pero cuando llegara a la ciudad, me quedaría en casa de mi madre. Eso lo había decidido él por mí. Yo sabía cómo iba a reaccionar ella cuando me viese aparecer en el umbral de su puerta: en un primer momento, se aturullaría por la impresión y se llevaría la mano al pelo, y me daría un abrazo torpe que me dejaría ligeramente desplazada a un lado. Comentaría lo desordenada que tenía la casa, lo cual no sería cierto, y luego trataría de averiguar la duración de mi estancia con una pregunta envuelta en amabilidad y sutileza. «¿Por cuánto tiempo tendremos el placer de disfrutar de tu compañía, cariño?», diría, cuando en realidad querría decir: «¿Cuándo te vas?».

Es la cortesía lo que me resulta más insoportable de todo.

Sabía que tenía que ordenar mis notas, prepararme algunas preguntas, pero en vez de eso bebí un poco más de bourbon, luego me tragué una aspirina y apagué la luz. Acunada por el húmedo ronroneo del aire acondicionado y por el rumor rítmico y eléctrico de algún videojuego en la habitación contigua, me quedé dormida. Sólo estaba a unos cincuenta kilómetros de mi ciudad natal, pero necesitaba una última noche lejos de allí.

Por la mañana, devoré un donut de gelatina de hacía varios días y tomé la carretera hacia el sur; la temperatura estaba subiendo rápidamente y la exuberante vegetación del bosque era imponente a ambos lados de la carretera. Esa parte de Missouri es inquietantemente llana: kilómetros y kilómetros de árboles poco o nada majestuosos, que sólo se ven interrumpidos por la delgada franja de autopista por la que circulaba. La misma escena se repetía cada dos minutos.

Wind Gap no puede verse de lejos, porque su edificio más alto sólo tiene tres plantas, pero después de conducir veinte minutos, supe que me estaba acercando. Primero apareció una gasolinera, delante de la cual se encontraba un grupo de adolescentes desaliñados, descamisados y aburridos. Cerca de una camioneta vieja había un crío en pañales que tiraba puñados de arena al aire mientras su madre llenaba el depósito. La mujer llevaba el pelo teñido de rubio platino, pero las raíces castañas le llegaban casi hasta las orejas. Al pasar yo en el coche, les gritó algo a los chicos, pero no pude oír lo que decía. Poco después, el bosque empezó a hacerse menos denso. Pasé junto a un intento de centro comercial, con cabinas de bronceado, una armería y una tienda de tejidos. A continuación vi una calle sin salida de casas viejas, que debían de haber formado parte de una urbanización que nunca llegó a construirse. Y por último, la ciudad propiamente dicha.

Sin saber muy bien por qué, contuve la respiración al pasar junto al letrero que me daba la bienvenida a Wind Gap, igual que hacen los niños cuando pasan en coche junto a los cementerios. Hacía ocho años que no había estado allí, pero el paisaje despertó todos los recuerdos. Si seguía aquella carretera hacia abajo, encontraría la casa de mi profesora de piano de primaria, una antigua monja cuyo aliento olía a huevos. Aquel otro camino llevaba al parquecito donde me había fumado mi primer cigarrillo un día sudoroso de verano. Si enfilaba aquella avenida, llegaría a Woodberry, y al hospital.

Decidí ir directamente a la comisaría. Quedaba al final de Main Street que, haciendo honor a su nombre, era la calle principal de Wind Gap. En Main Street hay un salón de belleza y una ferretería, una tienda de oportunidades que se llama Oportunidades y una biblioteca con doce estanterías. También hay una tienda de ropa, Candy's Casuals, en la que se pueden comprar sudaderas, suéteres de cuello alto y jerséis con estampados de patitos y de escuelas. La mayoría de las buenas mujeres de Wind Gap son maestras o madres, o trabajan en sitios como Candy's Casuals. Dentro de unos años a lo mejor abre algún Starbucks, cosa que traerá a la ciudad lo que ésta desea con toda su alma: la quintaesencia de la modernidad, envasada y aprobada de antemano. Por ahora, sin embargo, sólo hay un restaurante de mala muerte regentado por una familia de cuyo nombre no me acuerdo.

Main Street estaba vacía. No había coches ni gente. Un perro correteaba por la acera sin que lo llamase ningún dueño. Todas las farolas estaban empapeladas con cintas amarillas y fotocopias borrosas de la foto de una niña. Aparqué el coche y arranqué uno de los letreros, pegado en una señal de stop, torcido, a la altura de los ojos de un niño. El letrero estaba hecho a mano, con la palabra «DESAPARECIDA» escrita en lo alto en negrita y con letras acaso pintadas con rotulador. En la foto aparecía una niña de ojos oscuros y sonrisa animal, y una melena con una cantidad desproporcionada de pelo con respecto a la cabeza. La clase de niña que cualquier maestra describiría como «del montón». Me cayó bien.

Natalie Jane Keene
Edad: 10 años
Desaparecida desde el 11 de mayo
Se la vio por última vez en el parque
Jacob J. Garrett; llevaba unos *shorts* vaqueros y una
camiseta a rayas rojas
Llamar al 555-7377

Deseé que al entrar en la comisaría me dijesen que Natalie Jane ya había aparecido, que no había sufrido ningún daño. Que, por lo visto, se había perdido o se había torcido un tobillo en el bosque, o que se había escapado de casa y luego se lo había pensado mejor. Me subiría otra vez al coche y volvería a Chicago, y no haría falta que hablase con nadie.

Resultó que las calles estaban desiertas porque la mitad de la gente había salido en busca de la niña, y estaban peinando la zona norte del bosque. La recepcionista de la comisaría me dijo que esperase, que el comisario jefe de policía Bill Vickery volvería de almorzar enseguida. La sala de espera era tan falsamente acogedora como la de la consulta de un dentista; me senté en una silla y empecé a hojear un ejemplar de *Redbook*. Un ambientador enchufado a una toma en la pared despedía un olor a plástico que se suponía que debía recordarme a la brisa campestre. Media hora más tarde ya había hojeado tres revistas y empezaba a marearme por el olor. Cuando al final entró Vickery, la recepcionista señaló hacia mí con la cabeza y susurró con un desprecio evidente:

–La prensa.

Vickery, un tipo delgado de unos cincuenta y pocos años, ya llevaba el uniforme chorreando de sudor. Tenía la camisa pegada al pecho y los pantalones le formaban una arruga detrás, donde debería haber habido un trasero.

–¿La prensa? –Me miró por encima de unas amenazadoras lentes bifocales–. ¿Qué prensa?

–Comisario Vickery, soy Camille Preaker, del *Daily Post* de Chicago.

–¿Chicago? ¿Por qué ha venido hasta aquí desde Chicago?

–Me gustaría hablar con usted sobre las niñas, sobre Natalie Keene y la niña que fue asesinada el año pasado.

–Joder. ¿Cómo se han enterado de eso en Chicago? Joder...

Miró a la recepcionista y luego volvió a mirarme a mí, como si las dos nos hubiésemos conchabado. Luego me hizo señas para que lo siguiera.

–Ruth, no me pases ninguna llamada.

La recepcionista puso los ojos en blanco.

Bill Vickery me guió por un pasillo con las paredes forradas de madera y salpicadas de marcos baratos con fotos de truchas y caballos, y luego me condujo a su despacho, que carecía de ventanas y que era, de hecho, un cuadrado diminuto repleto de archivadores metálicos. Se sentó y se encendió un cigarrillo. No me ofreció uno.

–No quiero que esto salga a la luz, jovencita. No tengo ninguna intención de dar publicidad a este asunto.

–Me temo, comisario Vickery, que no tiene elección. Hay niñas amenazadas. El público tiene derecho a saber que hay alguien por ahí amenazando las vidas de sus hijos.

Era la frase que había estado ensayando todo el camino: así la culpa recaía sobre los dioses.

–¿Y a usted qué le importa? No son sus hijas; son niñas de aquí, de Wind Gap. –Se levantó, volvió a sentarse y puso en orden unos papeles–. Puedo decir sin temor a equivocarme que Chicago nunca antes había mostrado ningún interés por los niños de Wind Gap.

La voz se le quebró al final de la frase. Vickery aspiró el humo del cigarrillo, dio unas vueltas al grueso anillo de oro que llevaba en el meñique y parpadeó rápidamente. De pronto me pregunté si no se iría a echar a llorar.

–Tiene razón, seguramente no, pero escúcheme: no va a ser una historia sensacionalista. Si le sirve de algo, yo nací en Wind Gap. –«¿Lo ves, Curry? Hago todo lo que puedo.»

Volvió a mirarme y me escudriñó el rostro.

–¿Cómo se llama?

–Camille Preaker.

–¿Y cómo es que no la conozco?

–Porque nunca me he metido en líos, señor.

Le dediqué una leve sonrisa.

–¿El apellido de su familia es Preaker?

–Mi madre se divorció de su apellido de soltera hace unos veinticinco años. Adora y Alan Crellin.

–Ah, sí. A ellos sí los conozco. –A ellos todo el mundo los conocía. El dinero no era algo demasiado habitual en Wind Gap, no el dinero a espuertas–. Pero sigo sin quererla aquí, señorita Preaker. Si escribe ese artículo, de ahora en adelante la gente sólo nos conocerá por... esto.

–A lo mejor un poco de publicidad serviría de ayuda –le sugerí–. Ha servido en otros casos.

Vickery permaneció callado un segundo, con la mirada perdida en la bolsa de papel marrón de su almuerzo, hecha una bola en un extremo de la mesa. Olía a salchicha ahumada. Masculló algo sobre JonBenet[1] y dijo «mierda».

---

1. JonBenet Patricia Ramsey (1990-1996), reina de la belleza de seis años de edad, fue hallada muerta en el sótano de la casa de sus padres en Boulder, Colorado. *(N. de la T.)*

–No, gracias, señorita Preaker. Y sin comentarios. No tengo ningún comentario sobre ninguna de las investigaciones que estamos llevando a cabo en estos momentos. Puede citar mis palabras.

–Escuche, tengo derecho a estar aquí. No nos pongamos las cosas difíciles: usted me proporciona alguna información, la que sea, y luego yo me apartaré de su camino. No quiero dificultarle su trabajo, pero necesito hacer el mío.

Era otra frasecita que había ido acuñando por el camino, más a menos a la altura de Saint Louis.

Me marché de la comisaría con la fotocopia de un mapa de Wind Gap en el que el comisario Vickery había señalado con una equis diminuta el lugar donde había sido encontrado el cuerpo de la niña asesinada el año anterior.

Ann Nash, de nueve años, había sido hallada muerta el 27 de agosto en Falls Creek, un riachuelo ruidoso y lleno de hoyos que recorría el bosque de North Woods. Desde la noche del 26 de agosto, cuando se había denunciado su desaparición, una partida de búsqueda había estado peinando el bosque, pero habían sido unos cazadores los que se tropezaron con el cadáver poco después de las cinco de la madrugada. Alguien la había estrangulado hacia la medianoche con una cuerda de tender, con la que le había rodeado el cuello dos veces. Luego la había arrojado al canal, por el que apenas fluía agua a causa de la pertinaz sequía estival. La cuerda se había quedado enganchada en una roca inmensa y el cuerpo de la niña había pasado la noche a la intemperie, flotando a merced de la corriente del perezoso arroyo. El funeral se celebró con el ataúd cerrado. Ésa fue toda la información que Vickery estuvo dispuesto a darme, y necesité una hora entera de preguntas para sonsacársela.

Usé el teléfono público de la biblioteca para marcar el número que aparecía en el letrero de la farola. Una voz de mujer mayor lo identificó como la Línea de Ayuda para Natalie Keene, pero pude oír de fondo el traqueteo de un lavaplatos. La mujer me informó de que, por lo que ella sabía, la búsqueda aún continuaba en la zona de North Woods. Aquellos que quisieran ayudar debían dirigirse a la carretera de acceso principal y llevar su propia agua, pues se esperaban temperaturas récord para ese día.

En el lugar de la búsqueda, había cuatro chicas rubias sentadas hieráticamente encima de un mantel de *picnic* extendido bajo el sol. Señalaron hacia una de las pistas forestales y me dijeron que caminase hasta que encontrase al grupo.

–¿Y usted qué hace aquí? –preguntó la más guapa.

Su cara arrebolada tenía la redondez típica de una cría que acaba de entrar en la adolescencia, y se recogía el pelo con cintas, pero sus pechos, que exhibía orgullosamente irguiendo la espalda, eran los de una mujer hecha y derecha. Una mujer hecha y derecha con mucha suerte. Sonreía como si me conociese, algo imposible puesto que la última vez que yo había estado en Wind Gap ella debía de ir todavía al parvulario. Pese a todo, me resultaba familiar. Tal vez fuera la hija de una de mis antiguas compañeras de clase; la edad se correspondía con alguien que se hubiese quedado preñada justo después de acabar el instituto. Lo cual no era demasiado improbable.

–Sólo he venido a ayudar –contesté.

–Ya, claro –repuso ella con una mueca, y me despidió centrando todo su interés en quitarse la laca de una de las uñas de sus pies.

Me alejé del crujir de la cálida gravilla para adentrarme en el bosque, donde el calor era aún más sofocante. La humedad del aire era selvática. Los arbustos de vara de oro y zumaque me rozaban los tobillos, y las esponjosas semillas de álamo de Virginia flotaban por todas partes, se me colaban en la boca y se me adherían a los brazos. De pronto me acordé de que, de niña, las llamábamos vestidos de hada.

Oí las voces lejanas de la gente llamando a gritos a Natalie, las tres sílabas alternando agudos y graves, como en una canción. Después de diez minutos de esforzada caminata los vi: medio centenar de personas que avanzaban en largas filas, apartando los arbustos con palos.

–¡Hola! ¿Alguna novedad? –preguntó un hombre de oronda barriga cerca de donde yo había aparecido.

Abandoné el camino y me abrí paso entre los árboles hasta que lo alcancé.

–¿Puedo ayudar? –Todavía no estaba lista para desenvainar mi cuaderno de notas.

–Puede andar a mi lado si quiere –dijo–. Nunca está de más la ayuda de otra persona, así hay menos terreno que cubrir.

Caminamos en silencio unos minutos, con algunas pausas ocasionales de mi compañero, que se detenía a aclararse la garganta con un carraspeo áspero y húmedo.

–A veces pienso que lo que tendríamos que hacer es quemar este bosque –soltó de improviso–. Es como si nunca pasara nada bueno en él. ¿Es usted amiga de los Keene?

–La verdad es que soy periodista. Del *Daily Post* de Chicago.

–Mmm... Vaya, vaya, ¿qué te parece? ¿Y va a escribir sobre esto?

Un aullido súbito resonó entre los árboles, un grito femenino:

–¡Natalie!

Me empezaron a sudar las manos a medida que nos acercábamos al lugar de donde procedía el grito. Vi avanzar hacia nosotros unas figuras tambaleantes. Una adolescente con el pelo rubio platino pasó junto a nosotros en dirección al sendero, con el rostro encendido y corriendo con todas sus fuerzas. Se tambaleaba como un borracho histérico, mientras gritaba el nombre de Natalie al cielo. Un hombre mayor, su padre quizá, le dio alcance, la abrazó y empezó a alejarla del bosque.

–¿La han encontrado? –preguntó mi amigo.

Un movimiento colectivo de negación.

–Se habrá asustado, supongo –explicó otro hombre–. Demasiado para ella. Aunque las niñas no deberían estar aquí, la verdad, tal y como están las cosas...

El hombre me lanzó una mirada elocuente, se quitó la gorra de béisbol para enjugarse la frente y luego se puso de nuevo a apartar la hierba.

–Una tarea muy triste –dijo mi compañero–. Un momento muy triste.

Avanzamos despacio. Aparté de un puntapié una lata de cerveza oxidada, luego otra. Un pájaro solitario pasó volando

22

a la altura de los ojos y luego remontó y se lanzó hacia las copas de los árboles. Un saltamontes aterrizó de golpe en mi muñeca. Magia que daba escalofríos.

–¿Le importa si le pregunto cuáles son sus impresiones sobre todo esto?

Saqué mi libreta y alisé la hoja en blanco.

–No sé qué interés tiene lo que pueda decirle yo.

–Sólo dígame qué es lo que piensa. Dos niñas en una ciudad pequeña...

–Bueno, pero no se sabe si ambos casos están relacionados, ¿no? A menos que usted sepa algo que yo no sé. Por lo que sabemos de momento, Natalie aparecerá sana y salva. No han pasado ni siquiera dos días.

–¿Circula alguna teoría sobre Ann? –quise saber.

–Que algún pirado, algún loco debió de hacerlo. Un tipo está de paso por la ciudad, se olvida de tomarse las pastillas y empieza a oír voces. Algo así.

–¿Y por qué lo dice?

Se detuvo, extrajo un paquete de tabaco de mascar del bolsillo trasero de los pantalones, se echó un puñado en las encías y se puso a masticarlo hasta que le sacó la primera gota de jugo. Empecé a sentir un cosquilleo en la boca, por simpatía.

–¿Y por qué otra razón le arrancaría alguien los dientes a una niña muerta?

–¿Le arrancó los dientes?

–Todos menos la parte posterior de una muela de leche.

Al cabo de otra hora sin resultados y sin obtener demasiada información más, dejé a mi compañero, Ronald Kamens («escriba la inicial de mi segundo nombre también, haga el favor: J.»), y caminé en dirección sur hacia el lugar donde habían hallado el cuerpo de Ann el año anterior. Pasaron quince minutos hasta que el sonido del nombre de Natalie se extinguió del todo. Al cabo de diez minutos más de caminata, oí el ruido de Falls Creek, el reclamo cristalino del agua.

Sería una tarea trabajosa transportar a una niña por aquel bosque: las ramas y la hojarasca sofocan el camino y las raíces de los árboles sobresalen del suelo. Si Ann era una auténtica niña de Wind Gap, una ciudad que exige feminidad en grado sumo a su sexo débil, seguramente llevaba el pelo largo hasta la cintura. Se le habría enredado en los arbustos del camino. No dejaba de confundirme todo el rato creyendo que las telarañas eran cabellos brillantes prendidos de las ramas.

La hierba todavía era rala en el lugar donde el cuerpo había sido descubierto; la habían removido con un rastrillo en busca de posibles pistas. Había unas cuantas colillas recientes que los curiosos habían dejado allí. Chiquillos aburridos que se asustaban mutuamente con visiones de un loco que aparecía con unos dientes sangrientos en la mano.

En el arroyo, una hilera de piedras había contribuido a enganchar la cuerda de tender alrededor del cuello de Ann y la había retenido allí, atada a ellas, flotando a merced de la corriente como los condenados a muerte durante media noche. Ahora sólo había agua limpia y lisa que fluía sobre el lecho de arena. El señor Ronald J. Kamens se había mostrado muy orgulloso al relatarme que los vecinos habían sacado las piedras del arroyo, las habían cargado en la parte de atrás de una camioneta y, una vez en las afueras de la ciudad, las habían destrozado hasta pulverizarlas. Había sido un conmovedor acto de fe, como si con aquella destrucción pudiesen conjurar futuros males y desgracias. Por lo visto, no había funcionado.

Me senté a la orilla del arroyo y coloqué las palmas de las manos sobre el fondo pedregoso. Me llevé una piedra lisa y cálida a la mejilla y la apreté contra ella. Me pregunté si Ann habría ido allí alguna vez cuando estaba viva. A lo mejor la nueva generación de chicos y chicas de Wind Gap había encontrado formas más interesantes de matar el tiempo en verano. Cuando yo era niña, nadábamos en un lugar río abajo, justo donde unas enormes rocas planas formaban remansos cerrados y hacíamos pie. Los cangrejos pasaban rozándonos los pies y nosotros nos abalanzábamos sobre ellos, y chillábamos si llegábamos a tocar alguno. Nadie llevaba bañador, eso había que planearlo con demasiada antelación. En vez de eso volvíamos a casa pedaleando en bicicleta con los pantalones cortos y las camisetas chorreando, sacudiendo la cabeza como perros empapados.

A veces los chicos mayores, pertrechados con escopetas y cervezas robadas, atravesaban chapoteando la charca en su camino para cazar ardillas voladoras y liebres. De los cinturones les colgaban pedazos ensangrentados de carne. Aquellos chicos, chulitos, siempre cabreados y apestando a sudor, agresivamente ajenos a nuestra existencia, siempre me imponían. Existen diferentes clases de caza, ahora lo sé. El caballero aficionado a la caza mayor con aspiraciones a Teddy Roosevelt, que se retira tras un día en el campo con un *gin-tonic* recién hecho, no es la clase de cazador con la que crecí. Los chicos que yo conocía, y que empezaron jóvenes, eran cazadores ávidos de sangre: iban detrás de esa sacudida mortal del animal que recibe un disparo, el animal que vuela con la agilidad sedosa del agua y que, un segundo después, cae derribado por la bala.

Cuando aún estaba en primaria, tendría unos doce años, entré en la cabaña de caza de un chico vecino, un cobertizo de tablones de madera donde desollaba y descuartizaba a los animales. Tiras de carne húmeda y rosada pendían de varios cordeles, esperando a secarse para convertirse en cecina. El óxido del suelo eran manchas de sangre, y las paredes estaban recubiertas de fotografías de mujeres desnudas. Algunas de las mujeres se abrían completamente de piernas, mientras que otras aparecían sujetas por detrás mientras las penetraban. En una de ellas había una mujer atada, con los ojos vidriosos y los pechos colgando y arracimados como uvas mientras un hombre se la metía por detrás. Los olía a todos en aquel aire espeso y sanguinolento.

Cuando volví a casa esa noche, me metí el dedo por debajo de las bragas y me masturbé por primera vez, jadeando y asqueada.

2

«Happy Hour.» Abandoné la búsqueda y me fui al Footh's, el anodino bar country de la ciudad, antes de dirigirme al 1665 de Grove Street, el domicilio de Betsy y Robert Nash, padres de Ashleigh, de doce años, Tiffanie, de once, la desaparecida Ann, por siempre nueve, y Bobby júnior, de seis.

Tres niñas hasta tener, por fin, un hijo varón. Mientras tomaba un sorbo de bourbon y partía cacahuetes, pensé en la desesperación creciente que debían de haber sentido los Nash cada vez que les nacía una criatura sin pene. Tuvieron a la primera, Ashleigh, que aunque no era un niño, era un bebé tierno y sano. Además, siempre habían querido tener dos de todos modos. A Ashleigh le pusieron un nombre fuera de lo común, escrito de forma extravagante, y le llenaron el ropero de vestidos cursis y recargados. Cruzaron los dedos y volvieron a intentarlo, pero nació una Tiffanie. Esa vez se pusieron más nerviosos, y el momento de la bienvenida a casa fue menos triunfante. Cuando la señora Nash volvió a quedarse preñada, su marido compró un diminuto guante de béisbol para darle al bulto de su vientre un empujoncito en la dirección correcta. No es difícil imaginar el justificado disgusto que sintieron cuando llegó Ann. La castigaron con el nombre de alguna mujer de la familia y ni siquiera le pusieron la «e» extra al final para aderezarlo un poco.

Menos mal que llegó Bobby. Tres años después de la decepción que supuso Ann –¿fue el chico un accidente o un último impulso de brío?–, Bobby se llamó como su padre, fue objeto de adoración absoluta y las niñas se dieron cuenta de lo superfluas que eran. Sobre todo Ann. Nadie necesita una tercera niña. Ahora, en cambio, sí que le prestaban atención.

Me tomé el segundo bourbon de un solo trago, estiré un poco los hombros agarrotados, me di unas palmaditas en las mejillas, me subí en mi enorme Buick azul y deseé haberme tomado una tercera copa. No soy de la clase de reporteras que disfrutan metiéndose en la vida privada de la gente. Seguramente ésa es la razón por la que soy una periodista de segunda fila. Al menos soy periodista.

Todavía me acordaba del camino para ir a Grove Street: estaba dos manzanas detrás de mi instituto, un lugar con capacidad para que estudiasen todos los jóvenes en cien kilómetros a la redonda. El instituto de enseñanza secundaria Millard Calhoon se había fundado en 1930, en el último estertor de energía de Wind Gap antes de caer en la Gran Depresión. Le pusieron el nombre del primer alcalde de Wind Gap, un héroe de la guerra de Secesión; por parte de los confederados, pero eso no tenía la menor importancia: era un héroe al fin y al cabo. En el primer año de la guerra civil, el señor Calhoon la emprendió a tiros con una tropa entera de yanquis en Lexington, y él solito salvó esa pequeña ciudad de Missouri (o eso dice la placa que hay en el vestíbulo del instituto). Atravesó volando corrales y casas de vallas blancas, apartando cortésmente a un lado a las azoradas damas para que los yanquis no les hiciesen daño. Hoy se puede ir a Lexington y visitar la casa Calhoon, un buen exponente de la arquitectura de la época donde todavía se ven las marcas de las balas del Norte en los tablones. Las balas sureñas del señor Calhoon, se supone, fueron enterradas con los hombres a los que mataron.

El propio Calhoon murió en 1929, justo cuando se acercaba el centenario de su nacimiento. Estaba sentado en una glorieta, ya desaparecida, en la plaza de la ciudad, que ha sido pavimentada, agasajado por una banda de música cuando, de repente, se inclinó hacia su esposa de cincuenta y dos años y le dijo: «Hay demasiado ruido». Luego sufrió un infarto de miocardio, se cayó hacia delante en la silla y aplastó con sus mejores galas de héroe de guerra los pastelitos del té, decorados con barras y estrellas en su honor.

Siento un cariño especial por Calhoon. Es cierto que a veces hay demasiado ruido.

La casa de los Nash cumplió todas mis expectativas: una pieza de arquitectura genérica de finales de los setenta, como todas las casas de la parte oeste de la ciudad. Era una de esas acogedoras casas unifamiliares de una sola planta que exhiben el garaje como su punto central. Cuando llegué, un niño rubio y sucio estaba en el camino de entrada a la casa, sentado en un triciclo demasiado pequeño para él y gruñendo por el esfuerzo de pedalear con el vehículo de plástico. Las ruedas se limitaban a dar vueltas en el mismo sitio bajo el peso del niño.

–¿Quieres que te empuje? –dije cuando me bajé del coche.

En general no se me dan bien los niños, pero me pareció que no perdía nada intentándolo. Me miró en silencio durante un segundo y se metió un dedo en la boca. La camiseta se le deslizó hacia arriba cuando su barrigota redonda se asomó para saludarme. Bobby júnior parecía tonto y asustadizo. Sí, los Nash habían tenido un hijo varón, pero un hijo decepcionante.

Me acerqué a él. El niño se bajó de un salto del triciclo, que siguió aferrándose a él durante varios pasos, atascado en su cuerpo, hasta que cayó a un lado y golpeó el suelo.

–¡Papá!

Se fue corriendo y chillando a la casa como si acabara de pellizcarlo.

Cuando llegué a la puerta principal, apareció un hombre. Concentré la vista en algo que había a su espalda, una fuente en miniatura que gorgoteaba en el vestíbulo. Era una fuente con tres niveles en forma de conchas, con la estatua de un niño pequeño en lo alto. Incluso desde el otro lado de la puerta de mosquitera, el agua olía a rancio.

–¿En qué puedo ayudarla?

–¿Es usted Robert Nash?

Pareció ponerse en guardia de repente. Seguramente era la primera pregunta que le había hecho la policía cuando le habían comunicado que su hija estaba muerta.

–Sí, soy Bob Nash.

–Siento molestarle en su propia casa. Me llamo Camille Preaker, soy de Wind Gap.

–Mmm...

–Pero ahora trabajo en el *Daily Post* de Chicago. Estamos cubriendo la historia... Estamos aquí por Natalie Keene, y por el asesinato de su hija.

Estaba preparada para que me gritase, para que me cerrase la puerta en las narices, para que me insultase o incluso me diese un puñetazo. Bob Nash se metió las manos en los bolsillos delanteros de los pantalones y apoyó el peso de su cuerpo en los talones.

–Podemos hablar en el dormitorio.

Me sujetó la puerta para que pasara y me adentré en el desorden de la sala de estar, llena de cestos de la colada repletos de sábanas arrugadas y camisetas diminutas. A continuación, pasé junto a un cuarto de baño cuyo eje decorativo era un rollo de papel higiénico vacío en el suelo, y recorrí un pasillo enmasillado con fotos desvaídas bajo un plastificado mugriento: unas niñas rubias apiñadas en actitud de adoración en torno a un bebé varón; un joven Nash rodeando firmemente el hombro de la flamante novia, cada miembro de la pareja sujetando el mango del mismo cuchillo para cortar la tarta nupcial. Cuando llegué al dormitorio –edredón y cortinas a juego, un tocador ordenado– supe por qué Nash había elegido aquel lugar para nuestra entrevista: era la única parte de la casa donde reinaba cierto grado de civilización, como un reducto en el interior de una selva salvaje.

Nash se sentó en un lado de la cama y yo en el otro. No había sillas. Podíamos haber sido intérpretes en una peli porno amateur, sólo que cada uno llevaba en la mano un vaso de refresco artificial de cereza que Nash había preparado. Era un hombre que cuidaba su aspecto: un bigote recortado, pelo rubio que empezaba a ralear y que se peinaba con gomina, y un polo de color verde brillante metido por dentro de la cintura de los vaqueros. Di por sentado que era él quien se encargaba de mantener ordenada aquella habitación, pues exhibía la pulcritud exenta de adornos de un soltero que ponía mucho esmero en el orden.

No le hizo falta calentamiento previo para la entrevista, y se lo agradecí enormemente: es como tener que decirle cosas bonitas a tu pareja de esa noche cuando los dos sabéis que estáis a punto de iros a la cama.

–Ann había estado montando en bicicleta todo el verano –empezó a explicar, sin que tuviera que animarlo a hablar–. Todo el verano dando vueltas alrededor de la manzana una y otra vez. Mi esposa y yo no la dejábamos ir más lejos; sólo tenía nueve años. Somos unos padres muy protectores. Pero entonces, justo antes del principio de curso, mi esposa dijo basta. Ann había estado lloriqueando y protestando sin parar, así que mi esposa le dijo que de acuerdo, que podía ir en bici a casa de su amiga Emily. Nunca llegó allí. Eran las ocho de la noche cuando nos dimos cuenta.

–¿A qué hora se había ido?

–Hacia la siete. Así que en algún punto intermedio, en esas diez manzanas, la cogieron. Mi esposa nunca se lo perdonará. Nunca.

–¿Qué quiere decir con eso de que «la cogieron»?

–Ellos, él... quien fuese. El cabrón. El hijo de puta asesino de niños. Mientras mi familia y yo dormimos, mientras usted va por ahí en su coche haciendo su reportaje, ahí fuera hay alguien que busca críos para matarlos. Porque tanto usted como yo sabemos que la pequeña de los Keene no se ha perdido sin más.

Apuró el resto del refresco de un trago y se limpió la boca. Las frases eran buenas, aunque un tanto trilladas. Solía encontrarme con aquello de forma habitual, y en proporción directa con la cantidad de televisión que veía el sujeto en cuestión. No hacía mucho había entrevistado a una mujer cuya hija de veintidós años acababa de ser asesinada a manos de su novio, y me había dicho una frase sacada directamente del episodio de una serie de abogados que daba la casualidad que yo misma había visto la noche anterior: «Me gustaría decir que lo compadezco, pero ahora temo que no podré volver a compadecer a nadie nunca más».

–Y dígame, señor Nash, ¿no sospecha de nadie que pudiera haber querido hacerle daño a usted o a su familia haciéndole daño a Ann?

–Escuche, yo vendo sillas para ganarme la vida, sillas ergonómicas... por teléfono. Trabajo en una oficina en Hayti, con otros dos compañeros. No veo a nadie. Mi esposa trabaja media jornada como administrativa en la escuela de primaria. Detrás de esta historia no hay ningún melodrama. Simplemente, alguien decidió matar a nuestra hijita. –Dijo la última frase en tono apesadumbrado, como si se hubiese resignado a la idea.

Bob Nash se acercó a la puerta corredera de cristal del dormitorio, que daba a una pequeña terraza. La abrió, pero se quedó dentro.

–A lo mejor lo hizo un homosexual –dijo.

La elección de la palabra era en realidad un eufemismo en aquellos pagos.

–¿Por qué dice eso?

–No la violó. Todo el mundo dice que eso es raro en un crimen como ése. Yo digo que es lo único bueno de todo esto. Prefiero que la matara a que la violara.

–¿No había ningún indicio de abusos? –pregunté en un murmullo que esperaba que sonase delicado.

–Ninguno. Ni moretones, ni cortes, ningún signo de ninguna clase de... tortura. Sólo la estranguló. Le arrancó los dientes. Y no quería decir lo que he dicho antes, eso de que es mejor que la matara a que la violara. Eso ha sido una estupidez. Pero ya sabe lo que quiero decir.

No le contesté, y dejé que la grabadora siguiese runruneando, captando mi respiración, el sonido de los cubitos de hielo de Nash y los rebotes de un partido de voleibol que jugaban en la casa contigua, aprovechando las últimas horas de luz.

–¿Papá?

Una niña rubia y muy guapa, con el pelo recogido en una cola de caballo que le llegaba a la cintura, se asomó por la rendija de la puerta del dormitorio.

–Ahora no, cariño.

–Tengo hambre.

–Puedes prepararte algo –sugirió Nash–. Hay gofres en el congelador. Que Bobby también coma.

La niña se quedó unos segundos más mirando la moqueta y luego cerró la puerta sin hacer ruido. Me pregunté dónde estaría su madre.

–¿Estaba usted en casa cuando Ann se fue esa última vez?

Ladeó la cabeza y aspiró aire a través de los dientes.

32

–No. Volví a casa desde la oficina, de Hayti. Hay una hora de camino. Yo no le hice daño a mi hija.

–No he querido decir eso –mentí–. Me preguntaba si llegó a verla esa noche.

–La vi esa mañana –dijo–. No recuerdo si hablamos o no. Seguramente no. Cuatro críos por la mañana pueden ser demasiado, ¿sabe?

Nash removió el hielo, que se había casi derretido. Se pasó los dedos por el bigote hirsuto.

–Nadie ha sido de gran ayuda de momento –siguió hablando–. Vickery está hasta arriba de trabajo. Han asignado a un agente importante de Kansas City. Es un crío, y un engreído además. Está contando los días que le quedan para poder largarse. ¿Quiere una foto de Ann?

Pronunció aquella última frase con un marcado acento sureño. A mí también me pasa si no voy con cuidado. Se sacó de la cartera una foto escolar de una niña con una sonrisa radiante y torcida, y el pelo castaño claro cortado a trasquilones por encima de la altura de la barbilla.

–Mi esposa quería ponerle rulos en la cabeza la noche antes de las fotos escolares, pero Ann decidió cortarse el pelo y ya está. Tenía mucho carácter. Bruta como un niño. En realidad, me sorprende que la escogieran a ella. Ashleigh siempre ha sido la guapa, ¿sabe? La que la gente suele mirar. –Observó la foto una vez más–. Ann debió de hacerle sudar la gota gorda.

Cuando ya me iba, Nash me dio la dirección de la amiga a la que Ann iba a visitar la noche en que la secuestraron. Fui allí conduciendo despacio a lo largo de unas cuantas manzanas perfectamente regulares. El lado oeste era la parte más nueva de la ciudad. Se notaba porque el césped era de un verde más brillante, extendido en pedazos pagados por adelantado hacía sólo treinta veranos. No era como la hierba oscura, rígida y picuda que crecía delante de la casa de mi madre. Los silbidos salían mejor con esa hierba: se partía una brizna por la mitad, se soplaba y salía un sonido agudo hasta que te empezaban a doler los labios.

Ann Nash sólo habría tardado cinco minutos en llegar a casa de su amiga; se podían añadir otros diez por si había decidido seguir una ruta más larga, desentumecer las piernas a la primera ocasión de verdad de montar en bici ese verano. A los nueve años ya se es demasiado mayor para estar pedaleando siempre alrededor de la misma manzana. ¿Qué habría pasado con la bici?

Pasé despacio junto a la casa de Emily Stone. Mientras la noche se teñía de azul, vislumbré a una chica que corría por delante de una ventana iluminada. Estaba segura de que los padres de Emily decían a sus amigos cosas como: «Ahora la abrazamos un poquito más fuerte todas las noches». Estaba segura de que Emily se preguntaba adónde se habían llevado a Ann para matarla.

Yo me lo pregunté. El esfuerzo de arrancar veintitantos dientes, no importa lo joven que sea el individuo ni si el cuerpo está ya sin vida, es una tarea dura. Tenían que haberlo hecho en un sitio especial, en algún lugar seguro para que la persona pudiese tomarse unos minutos de respiro de vez en cuando.

Miré la fotografía de Ann, cuyas esquinas se doblaban hacia dentro como para protegerla. El corte de pelo desafiante y aquella sonrisa me recordaron a Natalie. También me había caído bien aquella chica. Guardé la foto en la guantera del coche. A continuación me remangué la camisa y escribí su nombre completo, Ann Marie Nash, con bolígrafo azul en la parte interna de mi antebrazo.

No me metí en el camino de entrada de ninguna casa para cambiar de sentido, que era lo que necesitaba. Me figuré que allí la gente ya estaba lo bastante nerviosa sin necesidad de ver coches desconocidos dando vueltas, así que en vez de hacer eso giré a la izquierda al final de la manzana y tomé el camino más largo para ir a casa de mi madre. Estuve sopesando la posibilidad de llamarla primero por teléfono pero decidí no hacerlo a tres manzanas de la casa. Era demasiado tarde para llamar, un intento demasiado torpe de ser cortés: una vez atravesada la frontera del estado, no se llama por teléfono para preguntar si puede uno alojarse en casa de alguien.

La gigantesca casa de mi madre está en el punto más meridional de Wind Gap, en el sector donde vive la gente más adinerada, si es que se puede considerar todo un sector a tres manzanas cuadradas aproximadamente. Mi madre vive –y durante una época, yo también– en una recargada casa victoriana con su terraza de balaustrada, una galería que da la vuelta a toda la casa, un porche de verano en la parte de atrás y una cúpula que lo corona todo. Está llena de rincones y recovecos, curiosamente intricados. Los victorianos, sobre todo los victorianos del sur, necesitaban muchísimo espacio para mantenerse alejados los unos de los otros, para esquivar la tuberculosis y la gripe, para escapar del deseo voraz y para protegerse de las emociones contagiosas poniendo paredes de por medio. Siempre es bueno disponer de un poco más de espacio.

La casa está en la cima de una colina con una cuesta muy pronunciada. En primera, puedes llegar a lo alto del viejo camino de entrada, donde un porche cubierto evita que los coches se mojen cuando llueve. O se puede aparcar al pie de la colina y subir andando los sesenta y tres escalones hasta lo alto, agarrándose a la barandilla de la izquierda, apenas del grosor de un habano. Cuando era niña, siempre subía andando y bajaba corriendo por la rampa del camino. En su momento supuse que la barandilla estaba en el lado izquierdo al subir porque yo soy zurda, y a alguien se le había ocurrido que eso podría resultarme cómodo. Es extraño pensar que alguna vez se me pasara por la cabeza semejante suposición.

Aparqué al pie de la colina para no entorpecer el paso. Para cuando llegué arriba, estaba completamente empapada en sudor, por lo que me recogí el pelo en un moño, me pasé la mano por la nuca y me sacudí la camisa un par de veces. Manchas vulgares en las axilas de mi blusa de color azul celeste. Olía, como diría mi madre, «a gloria».

Llamé al timbre, que había sido el maullido de un gato cuando yo era muy joven, pero que en ese momento sonaba más apagado y cortante, como el pitido que se oye en los cuentos de audio para niños cuando llega el momento de pasar la página. Eran las nueve y cuarto, lo bastante tarde para que se hubieran ido ya a la cama.

35

–¿Quién es, por favor? –se oyó la voz aflautada de mi madre al otro lado de la puerta.

–Hola, mamá. Soy Camille. –Intenté mantener un tono sereno.

–Camille... –Abrió la puerta y se quedó de pie en el umbral; no parecía sorprendida, y tampoco me dio un abrazo, ni siquiera el torpe abrazo que yo había imaginado–. ¿Ha pasado algo malo?

–No, mamá, no pasa nada. Estoy en la ciudad por trabajo.

–Trabajo. ¿Trabajo? Bueno, caramba, lo siento, cariño, pasa, pasa. Me temo que la casa no está para recibir visitas.

La casa estaba perfecta, incluyendo las docenas de tulipanes cortados en los jarrones de la entrada. El aire estaba tan cargado de polen que me lloraron los ojos. Por supuesto, mi madre no me preguntó qué clase de trabajo podía haberme llevado nada menos que hasta Wind Gap. Rara vez hacía preguntas de ninguna clase. O bien se trataba de un celo exagerado por la intimidad del prójimo o simplemente nada le importaba demasiado. No voy a decir por cuál de las dos opciones me inclinaba yo.

–¿Quieres algo de beber, Camille? Alan y yo nos estábamos tomando un *amaretto sour*. –Señaló la copa que llevaba en la mano–. Le he puesto un poquito de Sprite, para mitigar el dulzor. Pero también tengo zumo de mango, vino y té, o agua. También tengo agua de soda. ¿Dónde te hospedas?

–Pues ya que lo preguntas... Esperaba poder quedarme aquí. Sólo serán unos días.

Una rápida pausa mientras sus largas uñas, de un rosa transparente, hacían un ruidito seco contra el cristal.

–Bueno, eso no será ningún problema, estoy segura. Pero podrías haber llamado para decírmelo. Así te habría preparado la cena o algo. Ven a saludar a Alan. Estamos en el porche de atrás.

Echó a andar por el pasillo –luminosos salones blancos y salas de estar y de lectura florecían por todas partes– y me quedé mirándola. Era la primera vez que nos veíamos desde hacía casi un año. Yo llevaba el pelo distinto, me lo había teñido de castaño a rojo, pero no pareció darse cuenta. Ella, en cambio, estaba exactamente igual; no parecía mucho mayor de lo que yo soy ahora, a pesar de que está a punto de cumplir los cincuenta. Un cutis pálido y brillante, con el pelo largo y rubio y ojos azul claro. Era como la muñeca favorita de una niña, con la que no se juega. Llevaba un vestido rosa y largo de algodón, con zapatillas blancas. Removía el *amaretto sour* sin derramar ni una sola gota.

–Alan, ha venido Camille.

Desapareció en la cocina de la parte posterior, la más pequeña de dos, y oí cómo vaciaba una bandeja metálica de cubitos de hielo.

–¿Quién?

Me asomé por la esquina y esbocé una sonrisa.

–Camille. Siento mucho presentarme así, de improviso.

Se diría que una preciosidad como mi madre había nacido para estar con una ex estrella del fútbol; habría hecho muy buena pareja con un gigante musculoso y con bigote. Alan era, si es que eso era posible, más delgado que mi madre, con unos pómulos que le sobresalían extraordinariamente de la cara, a una altura tan elevada y de forma tan prominente que los ojos parecían dos almendras rasgadas. Me daban ganas de ponerle un suero intravenoso cuando lo veía. Siempre iba muy peripuesto, incluso para tomarse una copa con mi madre. En ese momento estaba sentado, con las piernas de palillo asomándole bajo los *shorts* de safari blancos, con un suéter azul pastel encima de una camisa de tela Oxford recién planchada. No sudaba en absoluto. Alan es lo opuesto a la humedad.

–Camille, es un placer. Un verdadero placer –murmuró en su monótona cantinela–. Desplazarte hasta aquí, tan lejos, hasta Wind Gap nada menos. Creía que tenías una moratoria en cualquier cosa al sur de Illinois.

–La verdad es que he venido por trabajo.

–Por trabajo.

Sonrió. Era lo más parecido a una pregunta que me iba a hacer.

Mi madre reapareció; se había recogido el pelo con un lazo de color azul claro, como Wendy Darling en versión adulta. Me puso una copa helada de burbujeante *amaretto* en la mano, me dio un par palmaditas en el hombro y fue a sentarse lejos de donde yo estaba, junto a Alan.

–Es por lo de esas niñas, Ann Nash y Natalie Keene –expliqué–. Estoy escribiendo un reportaje sobre el caso para el periódico.

–Vaya, Camille... –me hizo callar mi madre, apartando la mirada.

Cuando mi madre está molesta, tiene un modo muy peculiar de exteriorizarlo: se tira de las pestañas. A veces se le caen. Durante unos años especialmente difíciles, cuando yo era niña, se quedó sin una sola pestaña, y sus ojos eran de un rosa pegajoso, vulnerables como los de un conejo de laboratorio. En invierno, derramaban hilillos de lágrimas cada vez que salía a algún sitio, lo cual no ocurría muy a menudo.

–Es el reportaje que me han asignado.

–Por Dios, menudo reportaje... –dijo, con los dedos suspendidos junto a los ojos. Se rascó la piel justo debajo y luego se llevó la mano al regazo–. ¿Es que esos padres no lo están pasando ya lo bastante mal para que encima vengas tú a anotarlo todo y contárselo al mundo entero? ¡«En Wind Gap asesinan a sus niños»! ¿Es eso lo que quieres que piense la gente?

–Una niña ha sido asesinada y otra ha desaparecido. Y sí, mi trabajo es hacer que la gente lo sepa.

–Yo conocía a esas niñas, Camille. Lo estoy pasando muy mal, como puedes imaginar. Niñas asesinadas. ¿Quién puede hacer una cosa así?

Di un sorbo a mi copa. Unos gránulos de azúcar se me pegaron a la lengua. No estaba preparada para hablar con mi madre. La piel me zumbaba.

–No me quedaré muchos días. De verdad.

Alan se arregló los puños del suéter y pasó la mano por una arruga de los *shorts*. Su contribución a nuestras conversaciones generalmente se materializaba en forma de pequeños ajustes: un cuello de la camisa metido por dentro o una pierna cruzada hacia el otro lado.

–Es que no puedo permitir que se hable de eso a mi alrededor –dijo mi madre–. De unas pobres niñas heridas. No me digas lo que estás haciendo, no me cuentes nada de lo que sepas. Yo, por mi parte, fingiré que has venido aquí a pasar las vacaciones de verano.

Siguió el trazo cruzado del entramado de la silla de Alan con la yema del dedo.

–¿Cómo está Amma? –pregunté para cambiar de tema.

–¿Amma? –Mi madre pareció asustarse, como si se acabara de acordar de repente de que había olvidado a su hija en alguna parte–. Está bien, arriba, durmiendo. ¿Por qué lo preguntas?

Supe por los pasos que oí arriba –correteando arriba y abajo por la segunda planta, de la sala de juegos al ala de costura y luego a la ventana del pasillo con las mejores vistas para espiar el porche de la parte de atrás– que Amma, desde luego, no estaba dormida, pero me molestó que quisiera evitarme.

–Sólo quería ser educada, mamá. También sabemos hacer eso en el norte.

Sonreí para que viese que sólo trataba de bromear, pero enterró la cara en su copa. Cuando volvió a levantarla, la tenía de color rosado y con una expresión decidida.

–Quédate todo el tiempo que quieras, Camille, de verdad –dijo–. Pero tendrás que ser amable con tu hermana. Esas niñas eran sus compañeras de colegio.

–Me muero de ganas de conocerla mejor –murmuré–. Y querría darle el pésame por haber sufrido semejante pérdida.

No supe resistirme a pronunciar esas últimas palabras, pero mi madre no percibió el dejo de amargura.

–Dormirás en la habitación que hay junto a la sala de estar. Tu antiguo dormitorio. Tiene bañera. Compraré fruta fresca y pasta de dientes. Y bistecs. ¿Comes bistec?

Cuatro horas de sueño entumecido, como si estuviera dentro de una bañera con los oídos semisumergidos; me incorporaba de golpe en la cama cada veinte minutos, con el corazón latiendo tan rápido que me preguntaba si no eran los latidos los que me despertaban. Soñé que estaba haciendo las maletas para irme de viaje y luego me daba cuenta de que había escogido la ropa equivocada, jerséis para unas vacaciones de verano. Soñé que había entregado a Curry un reportaje equivocado antes de irme: en lugar de la historia de la desgraciada de Tammy Davis y sus cuatro hijos encerrados, habíamos publicado un artículo de lo más ñoño sobre el cuidado de la piel.

Soñé que mi madre estaba cortando una manzana a rodajas para ponerlas sobre unos trozos gruesos de carne, y que me los daba, despacio y con ternura, porque yo me estaba muriendo.

Justo después de las cinco de la mañana me destapé. Me lavé el nombre de Ann del brazo, pero por algún motivo, entre el momento de vestirme, cepillarme el pelo y ponerme un poco de pintalabios, había escrito el nombre de Natalie Keene en su lugar. Decidí no borrarlo para que hubiera suerte. Fuera, el sol acababa de salir, pero la manija de la puerta de mi coche ya estaba caliente. Tenía la cara entumecida por la falta de sueño y abrí mucho los ojos y la boca, como cuando grita la protagonista de una película de serie B. Estaba previsto que la partida de búsqueda se reuniese a las seis de la mañana para continuar con el trabajo en el bosque. Yo quería conseguir unas palabras de Vickery antes de que empezase el día, por lo que mantener vigilada la comisaría de policía me pareció una apuesta segura.

Main Street parecía desierta al principio, pero en cuanto salí del coche vi a dos personas unas manzanas más abajo. Se trataba de una escena que no tenía ningún sentido: había una anciana sentada en mitad de la acera, con las piernas separadas, mirando fijamente el lateral de un edificio, y un hombre junto a ella. La mujer negaba frenéticamente con la cabeza, como una niña rechazando comida. Pataleaba y estiraba las piernas en unos ángulos que sin duda debían de dolerle. ¿Una mala caída? Un ataque al corazón, tal vez. Me acerqué con paso enérgico hacia ellos y oí su intercambio de murmullos entrecortados.

El hombre, con el pelo blanco y una cara muy estropeada, levantó la cabeza y me miró con ojos lechosos.

—Que venga la policía —dijo. La voz que salió de sus labios era arrugada—. Y llame a una ambulancia.

—¿Qué pasa? —exclamé, pero en ese momento lo vi.

Incrustado en el espacio de poco menos de medio metro

que separaba la ferretería del salón de belleza, había un cuerpo diminuto, encarado hacia la acera. Era como si se hubiera sentado allí a esperarnos, con sus ojillos marrones abiertos como platos. Reconocí los rizos salvajes, pero la sonrisa había desaparecido. Los labios de Natalie Keene se hundían alrededor de sus encías formando un pequeño círculo. Parecía una muñequita de plástico, de esas que son como recién nacidos con un agujerito en la boca para darles el biberón. Ahora Natalie no tenía dientes.

La sangre no tardó en subirme a la cara, y una oleada de sudor me empapó la piel. Me flaquearon las piernas y los brazos y por un segundo creí que me iba a desplomar en el suelo junto a la mujer, que en ese momento rezaba en silencio. Retrocedí unos pasos, me apoyé en un coche aparcado y me llevé los dedos al cuello, instando a mi pulso acelerado a que se calmase. Mis ojos recogieron imágenes en una sucesión de destellos inconexos: la mugrienta punta de goma del bastón del anciano, un lunar rosado en la nuca de la mujer, la tirita en la rodilla de Natalie Keene... Sentí la quemazón de su nombre bajo la manga de mi camisa.

Luego se oyeron más voces, y el comisario Vickery se acercó corriendo acompañado por un hombre.

–Mierda –masculló Vickery al ver a Natalie–. ¡Mierda! ¡Joder!

Apoyó la cara contra el muro de ladrillo del salón de belleza y tomó aliento. El otro hombre, más o menos de mi edad, se agachó junto a Natalie. Una línea de color púrpura amoratado rodeaba el cuello de la niña, y el hombre apretó con los dedos justo por encima para comprobar el pulso. Una maniobra dilatoria mientras recobraba la compostura: era obvio que estaba muerta. El agente importante de Kansas City, supuse, el tipo engreído.

Sin embargo, consiguió convencer a la mujer para que interrumpiese sus rezos y explicase con calma su relato del descubrimiento del cadáver. Ambos eran marido y mujer, los propietarios del restaurante cuyo nombre no recordaba el día anterior. Broussard. Se dirigían al establecimiento para abrir para el desayuno cuando la habían encontrado. Llevarían allí unos cinco minutos cuando yo aparecí.

Llegó un agente de uniforme y se tapó la cara con las manos cuando vio por qué habían reclamado su presencia.

–Voy a tener que pedirles que acompañen al oficial a la comisaría para prestar declaración –explicó Kansas City–. Bill...

Su voz estaba impregnada de una severidad paternal. Vickery estaba arrodillado junto al cuerpo, inmóvil. Movía los labios como si también él estuviera rezando. Hubo que repetir su nombre dos veces para que contestase.

–Ya te oigo, Richard. Compórtate como un ser humano por un momento.

Bill Vickery rodeó a la señora Broussard con los brazos y le murmuró algo al oído hasta que ella le dio unas palmaditas en la mano.

Permanecí sentada en una habitación de color yema de huevo durante dos horas, mientras el agente transcribía mi declaración. Pasé todo el rato pensando en el momento en que practicarían la autopsia a Natalie, y en cómo me gustaría entrar y ponerle una tirita limpia en la rodilla.

3

Mi madre asistió al funeral vestida de azul. El negro era desolador y cualquier otro color era indecente. También había ido de azul al entierro de Marian, y la propia Marian también había ido vestida de azul. Le sorprendió mucho que no me acordara de eso. Yo recordaba que habían enterrado a Marian con un vestido rosa claro. Pero no era ninguna sorpresa: mi madre y yo no solemos ponernos de acuerdo en nada que tenga que ver con mi hermana muerta.

La mañana del entierro, Adora entraba y salía taconeando de las habitaciones, echándose un poco de perfume en una y abrochándose un pendiente en otra. Yo la observaba mientras tomaba un café negro y caliente que me quemaba la lengua.

–No los conozco demasiado bien –comentó–. La verdad es que eran muy reservados, pero pienso que toda la comunidad debería ofrecerles su apoyo. Natalie era un encanto. La gente se portó tan bien conmigo cuando...

Bajó la mirada con aire nostálgico. Pudo haber sido un gesto genuino, incluso.

Llevaba cinco días en Wind Gap y Amma seguía siendo una presencia invisible; mi madre no la mencionaba. Yo tampoco había conseguido hasta entonces ni una sola palabra de los Keene, ni me habían dado permiso para asistir al funeral, pero Curry quería la cobertura del entierro a toda costa, más que cualquier otra cosa en el mundo, y yo quería demostrarle que podía ocuparme de aquello. Supuse que los Keene nunca se enterarían. Al fin y al cabo, nadie lee nunca nuestro periódico.

Saludos en murmullos y abrazos perfumados en la parroquia de Nuestra Señora de las Penas, unas cuantas mujeres que me saludaron educadamente con la cabeza después de abrazar a mi madre y susurrarse unas a otras cosas como «Qué valiente ha sido Adora viniendo», y apartarse para hacerle sitio. Nuestra Señora de las Penas es una parroquia católica de los setenta muy luminosa y brillante, de color oro envejecido y enjoyada como un anillo de una tienda de baratijas. Wind Gap es un minúsculo reducto de catolicismo en una zona de baptistas sureños recalcitrantes, y es que la ciudad fue fundada por una panda de irlandeses. Todos los McMahon y los Malone aterrizaron en Nueva York durante la hambruna de la patata, fueron explotados generosamente y luego, si eran listos, se dirigían al oeste. Los franceses ya eran los reyes en Saint Louis, por lo que se fueron al sur y fundaron sus propias ciudades. Sin embargo, los expulsaron sin contemplaciones años más tarde, durante la integración de los estados sudistas en la Unión. Missouri, un lugar siempre conflictivo, estaba intentando deshacerse de sus raíces sureñas y reinventarse a sí mismo para convertirse en un estado no esclavista, como es debido, así que echaron a los vergonzantes irlandeses junto con otros indeseables. Pero éstos dejaron tras de sí su religión.

Faltaban diez minutos para el funeral y se estaba formando una cola para acceder a la iglesia. Examiné a los ocupantes de los bancos atestados del interior. Allí pasaba algo raro: no había un solo niño dentro de la iglesia. No había chicos con pantalones oscuros jugando con camiones de juguete entre las piernas de sus madres, ni niñas meciendo en sus brazos muñecas de trapo. No había un solo rostro menor de quince años. No sabía si era por respeto a los padres o como una especie de defensa impelida por el miedo: una reacción instintiva para evitar que escogiesen a los propios hijos como futura presa. Me imaginé a centenares de hijos e hijas de Wind Gap escondidos en habitaciones oscuras, chupándose el dorso de la mano mientras veían la televisión y trataban de pasar inadvertidos.

Sin niños que atender, los asistentes al funeral parecían estáticos, como recortables de cartón que guardaran el sitio a las personas de carne y hueso. En la parte del fondo vi a Bobby Nash vestido con un traje oscuro. Seguía sin haber rastro de la esposa. Me saludó con la cabeza y luego frunció el ceño.

Los tubos del órgano exhalaron los tonos apagados del *No temáis*, y los familiares de Natalie Keene, que hasta entonces habían estado llorando, abrazándose y mortificándose cerca de la puerta como un único corazón gigantesco y enfermo, empezaron a desfilar todos juntos. Sólo hacían falta dos hombres para transportar el ataúd, de un blanco reluciente. De haber habido más, se habrían tropezado unos con otros.

La madre y el padre de Natalie encabezaban el cortejo fúnebre. Ella era casi ocho centímetros más alta que él, una mujer grande, de aspecto afable y con el pelo rubio rojizo peinado hacia atrás y sujeto con una diadema. Tenía una cara limpia y abierta, de esas que animarían a un extraño a pedirle indicaciones para llegar a algún sitio o a preguntarle la hora. El señor Keene era menudo y delgado, con una cara redonda de niño que parecía aún más redonda por unos lentes de montura metálica semejantes a las dos ruedas de una bicicleta de oro. Detrás de ellos caminaba un chico muy guapo de unos dieciocho o diecinueve años, con la cabeza morena inclinada sobre el pecho, sollozando.

—El hermano de Natalie —susurró una mujer a mis espaldas.

Unas lágrimas resbalaron por las mejillas de mi madre y cayeron con cadencia sonora en el bolso de piel que sujetaba en el regazo. La mujer sentada junto a ella le dio unas palmaditas en la mano. Saqué el bloc de notas del bolsillo de mi chaqueta y empecé a hacer anotaciones, hasta que mi madre apoyó su mano en la mía y me susurró:

—Eso es una falta de respeto, me estás avergonzando. Para o tendré que echarte.

Dejé de escribir, pero no guardé el cuaderno, sintiéndome rabiosamente desafiante. Pese a todo, no pude evitar sonrojarme.

El cortejo fúnebre pasó por nuestro lado. El ataúd parecía ridículamente pequeño. Me imaginé a Natalie en el interior y volví a verle las piernas: un vello aterciopelado, rodillas huesudas, la tirita... Me estremecí del dolor, una sola vez, con ímpetu, como el punto que se teclea al final de una frase.

Mientras el sacerdote murmuraba las plegarias del principio de la misa con sus mejores vestiduras, y nosotros nos levantábamos y nos sentábamos y nos volvíamos a levantar, repartieron tarjetas de oración. En la parte delantera, la Virgen María sonreía con el corazón rojo intenso al Niño Jesús. En el dorso aparecía la siguiente inscripción:

Natalie Jane Keene
Queridísima hija, hermana y amiga
En el cielo hay ahora un nuevo ángel

Cerca del ataúd había colgada un foto enorme de Natalie, más formal que la que había visto antes. Era una cosita tierna y más bien feúcha, con la barbilla puntiaguda y unos ojos ligeramente saltones, la clase de niña que de mayor podría haberse convertido en una chica de una belleza rara. Podría haber hecho las delicias de los hombres contándoles la historia del patito feo, que de hecho habría sido verídica. Aunque también podría haber seguido siendo una cosita tierna y más bien feúcha. A los diez años, el aspecto físico de una niña es muy variable.

La madre de Natalie se dirigió a la cabecera con un trozo de papel en la mano. Tenía la cara húmeda pero su voz era firme cuando empezó a hablar.

–Voy a leer una carta para Natalie, mi única hija. –Inspiró aire con gesto trémulo y las palabras salieron a raudales–: Natalie, eras mi niña del alma. No me puedo creer que te hayan arrebatado de nuestro lado. Nunca más te cantaré hasta que te duermas, ni te haré cosquillas en la espalda con los dedos. Tu hermano nunca más te tirará de las coletas, ni tu padre te subirá a su regazo. Tu padre no te llevará del brazo por el pasillo hasta el altar. Tu hermano nunca será tío. Te echaremos de menos en nuestras cenas los domingos y en las vacaciones de verano. Echaremos de menos tu risa. Echaremos de menos tus lágrimas. Pero sobre todo, mi queridísima hija, te echaremos de menos a ti. Te queremos, Natalie.

46

Cuando la señora Keene echó a andar para volver a su asiento, su marido corrió a su lado, pero no parecía necesitar que la sostuvieran. En cuanto se hubo sentado, el chico volvió a echarse en sus brazos, llorando en el recoveco de su cuello. El señor Keene pestañeó con furia mirando los bancos que había detrás de él, como si buscara a alguien a quien pegar.

–Perder a una hija es una tragedia horrible –entonó el sacerdote–. Y es doblemente horrible perderla en circunstancias tan atroces. Porque atroces es lo que son. La Biblia dice: «Ojo por ojo y diente por diente». Pero no podemos vivir con ánimo de venganza, sino que en su lugar debemos pensar en lo que predicó Jesús: «Amad al prójimo». Seamos buenos con nuestros vecinos en estos momentos tan difíciles. Levantemos el corazón hacia el Señor.

–Me gustaba más lo del ojo por ojo –murmuró un hombre a mis espaldas.

Me pregunté si a alguien más le habría molestado la parte del diente por diente.

Cuando salimos de la iglesia a la luz del día, vi a cuatro chicas sentadas en fila en un muro bajo, al otro lado de la calle. Piernas largas de potrillo, y pechos prominentes por los sujetadores de realce. Las mismas chicas con las que me había cruzado a la entrada del bosque. Estaban acurrucadas unas contra otras y se reían, hasta que una de ellas, la más guapa otra vez, me hizo una seña y todas fingieron que se ahorcaban. Pero seguían riéndose con el estómago.

Enterraron a Natalie en la parcela familiar, junto a una lápida que llevaba los nombres de sus padres. Ya sé lo que dicen, que nadie debería ver morir a un hijo, que eso es algo que va en contra de las leyes de la naturaleza, el mundo al revés. Sin embargo, lo cierto es que es el único modo de conservar a un hijo: los niños crecen, forjan alianzas más poderosas, encuentran un cónyuge o un amante. No se les entierra al lado de los padres. Los Keene, sin embargo, seguirán siendo la forma más pura de familia. Bajo tierra.

Después del funeral, la gente se congregó en el hogar de los Keene, una granja enorme de piedra, una versión adinerada de la América bucólica. No había nada parecido en todo Wind Gap. El dinero de Missouri suele desvincularse de lo bucólico, de semejante pintoresquismo campestre. No olvidemos que en la América colonial, las mujeres pudientes llevaban discretos tonos azules y grises para contrarrestar su vulgar imagen de Nuevo Mundo, mientras que sus homólogas en Inglaterra se emperifollaban como aves exóticas. En resumen, la casa de los Keene se parecía demasiado a Missouri como para que sus dueños fueran de allí.

La mesa del bufé contenía básicamente carnes: pavo y jamón, ternera y venado. Había pepinillos en vinagre y aceitunas, huevos rellenos con salsa picante, panecillos duros y relucientes, y tartas de carne estofada. Los asistentes se dividieron en dos grupos: los que lloraban y los que no. Los estoicos se quedaron de pie en la cocina, tomando café y licor y hablando de las próximas elecciones municipales y del futuro de las escuelas, haciendo alguna que otra pausa ocasional para protestar, en voz baja y enérgicamente, sobre los escasos progresos en la investigación de los asesinatos.

–Os juro que si veo a alguien acercarse a mis hijas, le pego un tiro al hijo de puta antes de que le dé tiempo a dar los buenos días –dijo un hombre con la cara en forma de pera, al tiempo que agitaba un sándwich de rosbif.

Sus amigos asintieron, dándole la razón.

–No sé por qué coño Vickery no peina el puto bosque. Joder, que rastree toda la jodida zona. Todos sabemos que el tío que lo hizo se esconde ahí –intervino un hombre más joven con el pelo anaranjado.

–Donnie, mañana mismo iré allí contigo –dijo el hombre de la cara de pera–. Podemos registrarlo todo centímetro a centímetro. Encontraremos a ese hijo de puta. ¿Queréis venir?

Los demás hombres mascullaron un asentimiento y siguieron bebiendo licor en sus vasitos de plástico. Me propuse pasar por las carreteras que rodeaban el bosque a la mañana siguiente para ver si las resacas habían dado paso a la acción o no, pero ya me imaginaba las avergonzadas llamadas telefónicas por la mañana:

48

–¿Vas a ir?

–Bueno, no sé... supongo. ¿Y tú?

–Verás, es que le prometí a Maggie que hoy quitaría las contraventanas...

Quedarían para tomar una cerveza más tarde y colgarían los auriculares muy despacio para así suavizar el «clic» de culpabilidad.

Los que lloraban, en su mayoría mujeres, lo hacían en el salón principal, en sofás de felpa y otomanas de cuero. El hermano de Natalie estaba allí, temblando en brazos de su madre, quien lo acunaba y lloraba en silencio, al tiempo que acariciaba el pelo negro de su hijo. Un chico muy tierno, llorando así, tan abiertamente... Nunca había visto nada parecido. Las señoras se acercaban a ofrecerles comida en platos de papel, pero tanto la madre como el hijo se limitaban a negar con la cabeza. Mi madre revoloteaba a su alrededor como una urraca frenética, pero ellos ni siquiera se daban cuenta y no tardó en regresar junto a su círculo de amistades. El señor Keene estaba de pie en un rincón, en compañía del señor Nash, ambos fumando en silencio.

Algunos rastros recientes de Natalie seguían repartidos por toda la habitación. Un pequeño suéter gris olvidado en el respaldo de una silla, un par de zapatillas de tenis con cordones de color azul brillante junto a la puerta... En uno de los estantes había una libreta de espiral con un unicornio en la parte de delante, y en un revistero, un ejemplar gastado y con las esquinas dobladas de *Una arruga en el tiempo*.

Me comporté fatal. No me acerqué a la familia, no anuncié mi presencia; me paseé por su casa espiando, hundiendo la cabeza en mi cerveza como un fantasma avergonzado. Me encontré a Katie Lacey, mi mejor amiga en el instituto Calhoon, con su propio círculo de amistades, todas con el pelo perfecto, el reflejo exacto del grupo de mi madre sólo que veinte años más joven. Me dio un beso en la mejilla cuando me acerqué.

–Me he enterado de que estabas en la ciudad; esperaba que me llamases –dijo.

Frunció sus cejas perfectamente depiladas al mirarme y luego me empujó hacia las otras tres mujeres, que se arremolinaron para darme unos torpes abrazos. Habían sido amigas mías en algún momento, supongo. Intercambiamos palabras de condolencia y murmuramos lo triste que era todo aquello. Angie Papermaker (cuyo apellido de soltera era Knightley) parecía seguir luchando todavía contra la bulimia que tanto la había afectado en el instituto; tenía el cuello escuálido y nervudo de una anciana. Mimi, una niña rica y malcriada (su padre era el dueño de cientos de hectáreas para el engorde de pollos en Arkansas) a quien yo nunca le había caído demasiado bien, preguntó por Chicago e inmediatamente se volvió para hablar con la pequeña y dulce Tish, quien había decidido sujetarme la mano en un gesto reconfortante pero peculiar.

Annie me anunció que tenía una hija de cinco años: su marido estaba en casa con su pistola, cuidando de ella.

–Va a ser un verano muy largo para los pequeños –murmuró Tish–. Creo que todo el mundo va a poner a sus hijos a buen recaudo.

Me acordé de las chicas que había visto en el funeral, no mucho mayores que Natalie, y me pregunté por qué sus padres no estaban preocupados.

–¿Tú tienes hijos, Camille? –me preguntó Angie, con un hilo de voz tan delgado como su cuerpo–. Ni siquiera sé si estás casada.

–No y no –contesté.

Di un trago a mi cerveza y recordé una imagen de Angie vomitando en mi casa después de clase, y saliendo después del cuarto de baño, sonrosada y triunfante. Curry se equivocaba: allí, el hecho de ser de Wind Gap era algo que me impedía concentrarme, en lugar de ser una ventaja.

–¡Chicas, no podéis acaparar a la forastera toda la noche!

Me volví y vi a una de las amigas de mi madre, Jackie O'Neele (cuyo apellido de soltera era O'Keefe), que a todas luces acababa de hacerse un *lifting*. Todavía tenía los ojos hinchados y la cara húmeda, roja y estirada, como un recién nacido furioso luchando por salir del vientre de su madre. Lucía varios diamantes en sus dedos bronceados y olía a chicle Juicy Fruit y a polvos de talco cuando me abrazó. Tenía la sensación de que la noche empezaba a parecerse demasiado a un reencuentro, y también de haber hecho una regresión a la infancia:

ni siquiera me había atrevido a sacar mi bloc de notas con mi madre aún allí, lanzándome miradas de advertencia.

–Cariño, estás guapísima... –ronroneó Jackie.

Tenía la cabeza en forma de melón, cubierta por una mata de pelo teñido en exceso, y esbozaba una sonrisa insinuante. Jackie era maliciosa y superficial, pero siempre era ella misma, de pies a cabeza. También se sentía más cómoda conmigo que mi propia madre. Fue Jackie, y no Adora, quien me dio mi primera caja de tampones, guiñándome un ojo y diciéndome que la llamase si necesitaba instrucciones, y era Jackie quien siempre se metía conmigo y me gastaba bromas con el tema de los chicos. Pequeños gestos enormes.

–¿Cómo estás, corazón? Tu madre no me había dicho que estabas en la ciudad. Aunque la verdad es que ahora tu madre no me habla, está enfadada conmigo otra vez por no sé qué razón. Ya sabes cómo es... ¡Claro que sé que lo sabes! –Soltó una carcajada ronca de fumadora y me apretó el brazo. Supuse que estaba borracha–. Seguramente se me olvidó mandarle una felicitación o algo por el estilo –siguió farfullando, mientras hacía aspavientos con la mano con la que sujetaba una copa de vino–. O a lo mejor ese jardinero que le recomendé no le acabó de gustar. Me he enterado de que estás escribiendo un reportaje sobre... las niñas... Qué duro. –Daba tantos saltos en la conversación y hablaba de una forma tan abrupta que tardé más de un minuto en procesarlo todo. Y cuando empecé a hablar, estaba acariciándome el brazo y mirándome con los ojos llenos de lágrimas–. Camille, corazón, hacía tantísimo tiempo que no te veía... Y ahora, te miro y te veo como cuando tenías la misma edad que esas pobres niñas. Y me siento tan triste... Han pasado tantas cosas malas... No lo entiendo, no puedo entenderlo. –Una lágrima le resbaló por la mejilla–. Llámame, ¿quieres? Podemos hablar.

Me fui de la casa de los Keene sin decir nada. Ya estaba cansada de hablar, y eso que no había dicho gran cosa.

Llamé a los Keene más tarde, después de haber bebido un poco más –me había llevado un vaso de plástico con vodka de su bufé– y cuando ya estaba a salvo de ellos, aislada por la línea telefónica. Les expliqué quién era yo y lo que iba a escribir. La conversación no fue muy bien.

Ésta es la crónica que envié esa noche:

En la pequeña población de Wind Gap, Missouri, los carteles que imploraban el regreso de la niña Natalie Jane Keene, de diez años de edad, seguían colgados en las calles mientras la ciudad enterraba a la pequeña el martes. Un emotivo funeral, en el que el párroco habló de perdón y redención, pero no consiguió apaciguar los nervios ni curar las heridas. Y es que la niña, llena de vida y con un rostro angelical, era la segunda víctima del que la policía sospecha que es un asesino en serie, cuyo objetivo son los más pequeños.

El granjero local Ronald J. Kamens, quien ayudó en las labores de búsqueda de Keene, afirmó: «Todos los niños de esta ciudad son maravillosos. No entiendo por qué nos pasa esto a nosotros».

El cuerpo estrangulado de la pequeña de los Keene fue hallado el 14 de mayo, metido en un reducido espacio entre dos edificios de la calle principal de Wind Gap. «Echaremos de menos su risa –declaró Jeannie Keene, de cincuenta y dos años, madre de Natalie–. Echaremos de menos sus lágrimas. Pero sobre todo, echaremos de menos a Natalie.»

Sin embargo, ésta no es la primera tragedia que asola Wind Gap, localidad situada en el talón de la bota del estado. El pasado 27 de agosto, el cuerpo de Ann Nash, de nueve años de edad, fue encontrado en un arroyo de la zona, también estrangulado. Iba en bicicleta a ver a una amiga a escasas manzanas de su casa cuando la secuestraron, la noche anterior. Al parecer, los dientes de ambas víctimas habrían sido arrancados por el asesino.

Los asesinatos han sembrado el desconcierto en el cuerpo de policía de Wind Gap, formado por cinco agentes. Por su falta de experiencia en crímenes de semejante brutalidad, el cuerpo de policía ha solicitado ayuda al departamento de homicidios de Kansas City, que ha enviado a un agente especializado en el perfil psicológico de los asesinos. Sin embargo, los habitantes de la ciudad, cuya población es de 2.120 personas, están seguros de una cosa: la persona responsable de los estrangulamientos no actúa por ningún móvil en particular.

El padre de Ann, Bob Nash, un vendedor de sillas de cuarenta y un años, declaró: «Ahí fuera hay alguien que va buscando críos para matarlos. Detrás de esta historia no hay ningún melodrama, ningún secreto. Simplemente, alguien decidió matar a nuestra hijita».

La extracción de los dientes sigue siendo un misterio, y hasta el momento hay muy pocas pistas. La policía local se ha negado a hacer comentarios. Hasta que estos asesinatos se resuelvan, Wind Gap protege a los suyos: ha entrado en vigor un toque de queda y se han creado grupos de vigilancia vecinal en esta población, donde hasta ahora siempre había imperado la tranquilidad.

Los habitantes también tratan de cerrar filas. «No quiero hablar con nadie –dice Jeannie Keene–. Sólo quiero que me dejen en paz. Todos queremos que nos dejen en paz.»

Un artículo mediocre, el típico artículo para salir del paso, no hace falta que nadie me lo diga. Incluso mientras le enviaba por correo electrónico a Curry el archivo, ya me estaba arrepintiendo de casi todo cuanto había escrito. La afirmación de que la policía atribuía los crímenes a un asesino en serie era pasarse un poco de la raya. Vickery no había dicho nada semejante. La primera declaración de Jeannie Keene la había robado de su panegírico en el funeral. La segunda la obtuve del vitriolo que me arrojó encima cuando se dio cuenta de que mis condolencias telefónicas eran una fachada. Supo que tenía planeado diseccionar el asesinato de su hija, mostrarlo en pedacitos sobre papel de carnicero para que unos desconocidos lo masticasen. «¡Queremos que nos dejen en paz a todos! –había gritado–. Hemos enterrado a nuestra pequeña hoy mismo. Debería darle vergüenza...» Pero era una declaración a pesar de todo, una declaración que necesitaba, ya que Vickery se negaba a hablar conmigo.

A Curry el artículo le pareció muy sólido, nada del otro mundo, dicho sea de paso, pero un buen punto de partida. Llegó incluso a dejar mi truculenta frase: «Un asesino en serie cuyo objetivo son los más pequeños». Debería haber eliminado esa frase, yo misma era consciente, pero me gustaba el toque dramático. Curry debía de estar borracho cuando lo leyó.

Me pidió que le enviara un artículo más extenso sobre las familias en cuanto lo tuviera listo. Otra oportunidad para redimirme. Estaba de suerte; por lo visto, en el *Chicago Daily Post* íbamos a tener a Wind Gap sólo para nosotros un tiempo más: se había destapado un maravilloso escándalo sexual con congresistas que iba a destruir la reputación no de un austero miembro de la Cámara, sino de tres. Dos de ellos mujeres. Un asunto morboso y jugoso. Y lo que era aún más importante, había un asesino en serie acechando a una ciudad más glamourosa, Seattle. Entre la lluvia y las cafeterías, alguien se dedicaba a apuñalar a mujeres preñadas, rajándoles la barriga y reordenando su contenido para formar grotescos retablos por pura diversión personal. Así pues, teníamos la suerte de que los periodistas especializados en esa clase de temas estuviesen fuera de servicio. Sólo quedaba yo, allí tirada, en mi cama de cuando era niña.

Al día siguiente, miércoles, dormí hasta tarde, con la cabeza tapada por las sábanas y la colcha, y empapada en sudor. Me desperté varias veces por el ruido del teléfono, el de la mujer de hacer faenas que pasaba el aspirador por delante de la puerta de mi cuarto y el de un cortador de césped. Traté desesperadamente de seguir durmiendo, pero el día se empeñaba en seguir atosigándome. Mantuve los ojos cerrados y me imaginé de vuelta en Chicago, en el destartalado catre que tenía por cama en mi estudio, un piso con vistas a la pared de ladrillo de la parte de atrás de un supermercado. Tenía un tocador de cartón comprado en ese mismo supermercado hacía cuatro años, cuando me había mudado allí, y una mesa de plástico en la que comía con un juego de platos amarillos que no pesaban nada y una cubertería metálica y doblada. Me preocupaba no haber regado mi única planta, un helecho un tanto amarillento que había encontrado en la basura de mis vecinos. Luego me acordé de que había tirado la pobre planta muerta hacía dos meses. Traté de imaginarme otras estampas de mi vida en Chicago: mi cubículo en el trabajo, el portero de mi bloque, que todavía no sabía mi nombre, las insulsas luces verdes de Navidad que el supermercado todavía tenía que quitar... Unos cuantos conocidos que seguramente no se habrían dado cuenta de que me había ido.

Detestaba estar en Wind Gap, pero pensar en mi casa tampoco me resultaba demasiado reconfortante.

Saqué una botella de vodka caliente de mi bolsa y volví a meterme en la cama. A continuación, tomé un sorbo tras otro y eché un vistazo a mi alrededor. Había supuesto que mi madre habría remodelado de arriba abajo mi dormitorio en cuanto me fui de casa, pero lo cierto es que estaba tal y como lo había dejado más de una década atrás. Lamenté haber sido una adolescente tan sumamente seria: no había pósteres de estrellas de la música pop ni de mis películas favoritas, ni rastro de la típica colección de fotos o ramilletes, esas cosas de chicas. En su lugar había cuadros de veleros, remilgadas escenas pastoriles en colores pastel, un retrato de Eleanor Roosevelt. Este último era particularmente extraño, puesto que yo había sabido muy poco acerca de la señora Roosevelt, salvo que era una persona buena, lo cual supongo que en ese momento debió de bastarme. Teniendo en cuenta mis tendencias actuales, habría preferido una fotografía de la mujer de Warren Harding, «la Duquesa», quien anotaba hasta la más mínima ofensa en una libretita roja y se vengaba en consecuencia. Hoy en día me gustan que las primeras damas sean un poco más corrosivas.

Bebí otro trago de vodka. No había nada que deseara más en el mundo que volver a quedarme inconsciente, envuelta en negro, ida. Me sentía vulnerable. Noté cómo me inundaba una oleada de lágrimas, como un globo de agua que está a punto de reventar e implora un pinchazo con un alfiler. Wind Gap era perjudicial para mi salud. Aquella casa era perjudicial para mi salud.

Un suave golpe en la puerta, poco más que un tamborileo.

—¿Sí?

—Escondí el vaso de vodka al lado de la cama.

—¿Camille? Soy tu madre.

—¿Sí?

—Te traigo un poco de crema.

Me acerqué a la puerta con una sensación irreal, protegida y envuelta en esa capa necesaria que me había proporcionado el vodka para enfrentarme a aquel lugar en particular aquel día en particular. Había llevado muy bien lo del alcohol durante los seis meses anteriores, pero allí, eso no contaba. Al otro lado de mi puerta, mi madre acechaba, asomándose con cautela, como si fuera la sala de trofeos de un hijo muerto. Se acercó. Me ofreció un tubo grande de color verde claro.

—Tiene vitamina E. La he comprado esta mañana.

Mi madre cree en los efectos paliativos de la vitamina E, como si untándome una cantidad suficiente yo pudiese volver a ser suave y perfecta de nuevo. No ha funcionado todavía.

—Gracias.

Me examinó con la mirada el cuello, los brazos, las piernas... todo a la vista por la camiseta, lo único que me había puesto para dormir. Luego volvió a mirarme a la cara frunciendo el ceño. Lanzó un suspiro y meneó la cabeza con gesto de resignación. A continuación se limitó a quedarse allí de pie.

—¿Fue muy duro para ti el funeral, mamá?

Aun en ese momento, no pude resistirme a intentar entablar una conversación.

—Sí, sí que lo fue. Había tantas cosas parecidas... Ese ataúd tan pequeño...

—Para mí también fue duro —asentí—. De hecho, me sorprendió lo duro que me resultó. La echo de menos. Todavía. ¿No es raro?

—Lo raro sería que no la echases de menos. Es tu hermana. Es casi tan doloroso como perder un hijo. A pesar de que fueses tan joven. —Abajo, Alan silbaba con gran empeño, pero mi madre parecía no oírlo—. No me gustó demasiado la carta que leyó Jeannie Keene —prosiguió—. Era un funeral, no un mitin electoral. ¿Y por qué iban todos vestidos con una ropa tan informal?

–A mí la carta me pareció bien. Fue muy sentida –señalé–. ¿Tú no leíste nada en el funeral de Marian?

–No, no. Apenas podía sostenerme en pie, ¿cómo iba a ponerme a dar discursos? Me parece increíble que no te acuerdes de eso, Camille. Debería darte vergüenza haber olvidado tantas cosas.

–Yo sólo tenía trece años cuando murió, mamá. Recuerda, era muy joven.

Hacía ya casi veinte años, ¿era posible?

–Sí, bueno. Ya basta. ¿Te apetece hacer algo hoy? Han florecido los rosales de Daly Park, si te apetece dar un paseo.

–Tendría que ir a la comisaría de policía.

–No digas eso mientras estés en esta casa –espetó–. Di que tienes recados que hacer o amigos a los que visitar.

–Tengo recados que hacer.

–Muy bien. Que tengas un buen día.

Se fue por el lujoso pasillo, y oí cómo los escalones que iban a la planta de abajo crujían rápidamente.

Me di un baño con poca agua, fresca, las luces apagadas y otro vaso de vodka en equilibrio sobre el borde de la bañera. A continuación me vestí y salí al pasillo. La casa estaba muy silenciosa, todo lo silenciosa que le permitía su estructura centenaria. Oí el sonido de un ventilador runruneando en la cocina cuando pegué el oído a la puerta para asegurarme de que no había nadie dentro. Luego me metí allí, cogí una manzana verde brillante y le di un mordisco al salir de la casa. El cielo estaba completamente despejado.

Fuera, en el porche, vi una aparición: una niña con la cara y la mirada fijas en una casa de muñecas gigantesca, de un metro veinte, hecha de tal manera que parecía una réplica exacta de la de mi madre. Una melena larga y rubia caía en una cascada ordenada por su espalda, que es lo que yo veía. Cuando se volvió, me di cuenta de que era la niña con la que había hablado a la entrada del bosque, la misma que se reía con sus amigas en la puerta del funeral de Natalie. La más guapa.

–¿Amma? –le pregunté, y se echó a reír.

–Pues claro. ¿Quién si no iba a estar jugando en el porche de la casa de Adora con una casita de Adora en miniatura?

La chica iba vestida con un vestido infantil de tirantes y a cuadros, a juego con un sombrero de paja que había a su lado. Aparentaba la edad que tenía, trece años, por primera vez desde que la había visto. Bueno, no. Lo cierto es que en ese momento parecía aún más pequeña. La ropa que llevaba era más adecuada para una cría de diez años. Arrugó la frente cuando vio que la repasaba de arriba abajo.

–Llevo esto por Adora. Cuando estoy en casa, soy su muñequita.

–¿Y cuando no estás en casa?

–Soy otras cosas. Tú eres Camille, mi hermanastra. La primera hija de Adora, antes de... Marian. Tú eres «pre» y yo soy «post». No me reconociste.

–Llevo fuera demasiado tiempo, y Adora dejó de enviar felicitaciones navideñas hace cinco años.

–A lo mejor dejó de enviártelas a ti, porque todavía nos sacamos las malditas fotos. Todos los años, Adora me compra un vestido rojo y verde a cuadros para la ocasión, y en cuanto acabamos lo tiro al fuego.

Arrancó un escabel del tamaño de una mandarina del salón de la casa de muñecas y me lo enseñó.

–Ahora hay que cambiarle la tapicería. Adora ha cambiado el patrón de color del melocotón al amarillo. Me prometió que me llevaría a la tienda de tejidos para que pueda hacer nuevas cubiertas a juego. Esta casa de muñecas es mi pequeño capricho.

Casi hizo que sonase natural, «mi pequeño capricho». Las palabras salieron flotando de su boca, dulces y redondas como caramelos de azúcar y mantequilla, murmuradas con una leve inclinación de la cabeza; pero la expresión era, definitivamente, de mi madre. Su muñequita había aprendido a hablar exactamente como Adora.

–Pues salta a la vista que has hecho un buen trabajo –dije, e hice un leve gesto de despedida con la mano.

–Gracias –contestó. Concentró la mirada en mi habitación en la casa de muñecas y empujó la cama con un dedito–. Espero que disfrutes de tu estancia aquí –murmuró a la habitación, como si se dirigiera a una Camille diminuta e invisible.

Encontré al comisario Vickery golpeando la abolladura de una señal de *stop* en la esquina de la Segunda con Ely, una calle tranquila de casas pequeñas a escasas manzanas de la comisaría de policía. Utilizaba un martillo, y con cada uno de los martillazos metálicos, el comisario se estremecía. Ya llevaba la espalda de la camisa mojada, y las gafas le habían resbalado hasta la punta de la nariz.

–No tengo nada que decir, señorita Preaker.

¡Clonc!

–Ya sé que todo esto le resulta muy molesto, comisario Vickery. Ni yo misma quería que me encargasen este reportaje. Me obligaron porque soy de aquí.

–Y lleva años sin venir, según me han dicho.

¡Clonc!

No le contesté. Me quedé mirando la hierba que crecía a través de una grieta en la acera. Lo de «señorita» me escocía un poco, no sabía si porque se trataba de una deferencia a la que no estaba acostumbrada o por haberlo interpretado como una alusión a mi estado civil: una mujer soltera que pase de los treinta, aunque sólo sea por un pelo, era una cosa rara en aquellas latitudes.

–Una persona decente habría dejado su trabajo antes que escribir sobre niñas muertas. –*¡Clonc!*–. Oportunismo, señorita Preaker.

Al otro lado de la calle, un hombre de avanzada edad con un cartón de leche en la mano caminaba despacio y arrastrando los pies hacia una casa de madera blanca.

–No me siento como una persona decente ahora mismo, en eso tiene razón. –No me importaba hacerle un poco la pelota a Vickery, quería caerle bien, no sólo porque eso facilitaría inmensamente mi trabajo, sino también porque su bravuconería me recordaba a Curry, a quien echaba de menos–. Pero un poco de publicidad podría atraer algo de atención sobre el caso, ayudar a resolverlo. Ha ocurrido en otras ocasiones.

–Maldita sea... –Tiró el martillo al suelo con un golpe sordo y se volvió para mirarme–. Ya hemos pedido ayuda, nos han mandado a un agente especial de Kansas City que lleva meses con la investigación, yendo y viniendo. Y no ha podido sacar nada en claro, ni una puta pista. Dice que podría ser que algún autoestopista desequilibrado parase aquí un día, le gustase el aspecto que tenía el lugar y decidiese quedarse una temporada. Bueno, pues esta ciudad no es tan grande, y desde luego yo no he visto por aquí a nadie que no sea del jodido Wind Gap.

Me lanzó una mirada elocuente.

–Por aquí los bosques son muy extensos, y también muy densos –sugerí.

–Esto no lo ha hecho un forastero, y apostaría a que usted también lo sabe.

–Pensaba que usted preferiría que fuese un extraño.

Vickery suspiró, se encendió un cigarrillo y colocó la mano alrededor del poste de la señal de tráfico en actitud protectora.

–Joder, pues claro que lo preferiría –dijo–, pero no soy gilipollas. No he trabajado antes en ningún caso de homicidio, pero no soy ningún idiota.

En ese momento deseé no haber mamado tanto vodka: se me empezaba a evaporar el pensamiento, no lograba retener lo que me estaba diciendo, no podía hacerle las preguntas adecuadas.

–¿Cree usted que alguien de Wind Gap es el responsable de esto?

–No pienso hacer ningún comentario.

–Extraoficialmente, ¿por qué iba alguien de Wind Gap a matar a unas niñas?

–Un día me llamaron porque Ann había matado a la mascota de los vecinos, un pájaro, con un palo que ella misma había afilado con uno de los cuchillos de caza de su padre. En cuanto a Natalie... joder, su familia se trasladó aquí hace dos años porque le clavó unas tijeras en un ojo a una de sus compañeras de clase cuando vivían en Filadelfia. Su padre dejó su trabajo en una empresa importante para que pudieran empezar de cero, en el estado donde se crió su abuelo, en una ciudad pequeña.

Como si una ciudad pequeña no tuviese sus propios problemas.

–El menor de los cuales no es precisamente el hecho de que todo el mundo sabe quiénes son las manzanas podridas.

–Exactamente.

–¿Así que cree que esto podría haberlo hecho alguien a quien no le gustaban los niños? ¿Y estas niñas en concreto? ¿Tal vez le habían hecho algo y ésta ha sido su venganza?

Vickery se pellizcó la punta de la nariz y se rascó el bigote. Volvió a mirar el martillo que había en el suelo y vi que se estaba debatiendo entre recogerlo y mandarme al diablo o seguir hablando. Justo en ese momento, un sedán negro pasó junto a nosotros y la ventanilla del asiento del acompañante empezó a bajarse antes incluso de que el coche se detuviera. La cara del conductor, oculta tras unas gafas de sol, asomó por la ventanilla para mirarnos.

–Eh, Bill. Pensaba que habíamos quedado en tu despacho ahora mismo.

–Tenía trabajo que hacer.

Era Kansas City. Me miró, bajándose las gafas con un movimiento ensayado mil veces. Tenía un mechón de pelo castaño claro que no dejaba de caérsele encima del ojo izquierdo. Azul. Me sonrió, con unos dientes como pastillas blancas de chicle, perfectos.

–Hola.

Miró a Vickery, quien se agachó deliberadamente en ese momento para recoger el martillo, y luego volvió a mirarme a mí.

–Hola –contesté.

Me tiré de las mangas de la camisa para taparme las manos, agarré el extremo con los dedos y luego me apoyé en una pierna.

–Bueno, Bill, ¿quieres que te lleve? ¿O eres de los que van andando a todas partes? También puedo ir a buscar unas tazas de café y reunirme allí contigo.

–No tomo café, lo que ya deberías saber a estas alturas. Estaré ahí dentro de quince minutos.

–A ver si consigues estar allí a las diez, ¿eh? Ya llegamos tarde. –Kansas City me miró una vez más–. ¿Estás seguro de que no quieres que te lleve, Bill?

Vickery no dijo nada, se limitó a negar con la cabeza.

–¿Quién es tu amiga, Bill? Creía que ya había conocido a todos los Wind Gapianos importantes. ¿O acaso os llamáis... Wind Gapenses?

Sonrió.

Me quedé callada como una colegiala, esperando que Vickery me presentase.

¡Clonc! Vickery había optado por no oír. En Chicago, habría extendido la mano, me habría anunciado a mí misma con una sonrisa y habría disfrutado de la reacción. Allí me limité a mirar a Vickery y a quedarme muda.

–Muy bien entonces, nos vemos en la comisaría.

Volvió a subir la ventanilla y el coche arrancó y se marchó.

–¿Era ése el agente especial de Kansas City? –pregunté.

Como respuesta, Vickery se encendió otro cigarrillo y se fue. Al otro lado de la calle, el anciano acababa de llegar al último escalón de la entrada de su casa.

4

Alguien había pintado unos arabescos con *spray* azul en las patas de la torre de agua del Jacob J. Garrett Memorial Park, y ahora ésta ofrecía un aspecto extrañamente remilgado, como si le hubieran puesto unos patucos de ganchillo. El parque en sí, el último lugar donde Natalie Keene había sido vista con vida, estaba desierto. La arena del campo de béisbol se acumulaba suspendida a varios centímetros del suelo, notaba su sabor en la parte posterior de la garganta, como un té que hubiera estado en infusión demasiado tiempo. La maleza crecía espesa a la orilla del bosque. Me sorprendió que nadie hubiese ordenado que la cortasen, que la pulverizasen como habían hecho con las piedras en las que Ann Nash se había quedado enganchada.

Cuando iba al instituto, Garret Park era el sitio donde quedaba todo el mundo los fines de semana para beber cerveza o fumar porros o conseguir una paja bosque adentro. Fue allí donde me di mi primer beso, a los trece años, con un jugador de fútbol con una mascada de tabaco metida en las encías. La embestida del tabaco me impactó más que el beso, y detrás de su coche vomité vino helado con trocitos brillantes de fruta.

—James Capisi estaba aquí.

Me volví y vi a un niño rubio de unos diez años, con el pelo cortado a cepillo y una pelota de tenis en la mano.

—¿James Capisi? —pregunté.

—Mi amigo, estaba aquí cuando ella se llevó a Natalie —dijo el niño—. James la vio. Llevaba su camisón. Estaban jugando al *frisbee*, allí, junto al bosque, y ella se llevó a Natalie. Le podría haber tocado a James, pero él decidió quedarse aquí, en el campo. Así que era Natalie la que estaba justo allí, junto a los árboles. James estaba aquí por el sol. No puede salir al sol porque su madre tiene cáncer de piel, pero él sale de todos modos. O al menos lo hacía.

El chico hizo botar la pelota de tenis y levantó una nube de polvo que quedó suspendida a su alrededor.

–¿Ya no le gusta el sol?

–Ya no le gusta nada.

–¿Por lo de Natalie?

Se encogió de hombros con un movimiento brusco y enérgico.

–James es un nenaza.

El crío me miró de arriba abajo y luego de repente me tiró la pelota con fuerza. Ésta me dio en la cadera y rebotó.

Se le escapó una risita.

–Huy, lo siento.

Se fue detrás de la pelota, se abalanzó sobre ella con teatralidad y luego se levantó de un salto y la tiró de nuevo contra el suelo. La bola subió unos tres metros en el aire y después siguió rebotando hasta detenerse.

–Me parece que no acabo de entender lo que has dicho. ¿Quién llevaba un camisón?

Seguí con la mirada los rebotes de la pelota.

–La mujer que se llevó a Natalie.

–Un momento, ¿qué quieres decir?

La versión que había llegado a mis oídos era que Natalie había estado jugando allí con unos amigos y que luego todos se habían ido a casa, uno tras otro; se daba por sentado que a la niña la habían secuestrado en algún punto del corto camino a casa.

–James vio a la mujer llevarse a Natalie. Sólo quedaban ellos dos; estaban jugando al *frisbee* y a Natalie se le escapó el disco, que fue a parar a la hierba, junto al bosque, y la mujer apareció y la cogió, sin más. Luego desaparecieron las dos. Y James se fue corriendo a casa... y no sale desde entonces.

–Entonces, ¿cómo sabes tú lo que pasó?

–Lo fui a ver una vez. Me lo contó. Soy su amigo.

–¿Vive James por aquí?

–Que se joda. A lo mejor me voy a casa de mi abuela a pasar el verano, de todas formas. En Arkansas. Estaré mejor que aquí.

El chico arrojó la pelota a la valla de tela metálica que rodeaba el campo de béisbol y la bola se alojó allí, haciendo sonar el metal.

–¿Eres de aquí?

Empezó a dar patadas de polvo en el aire.

–Sí. Antes vivía aquí, pero ahora ya no. Estoy de visita.

Lo intenté de nuevo:

–¿Vive James cerca? ¿Vas al instituto?

Su cara estaba intensamente bronceada, parecía un marine en miniatura.

–No.

–¿A la universidad?

Tenía la barbilla manchada de saliva.

–Soy muy mayor. Tengo que irme.

Se alejó dando saltitos hacia atrás, arrancó la pelota de la valla como si fuera un diente picado, se volvió para mirarme de nuevo y meneó las caderas en una danza nerviosa.

–Tengo que irme.

Lanzó a la calle la pelota, que rebotó en mi coche con un ruido impresionante. El chico se fue corriendo tras ella y desapareció.

Busqué «Capisi, Janel» en una guía telefónica del tamaño de una simple revista en una gasolinera solitaria de Wind Gap, y a continuación llené un vaso con refresco de fresa y me dirigí en coche al 3617 de la Holmes Street.

El hogar de la familia Capisi estaba en el límite del área de alquileres bajos en el extremo más oriental de la ciudad, un grupo de casuchas destartaladas de dos habitaciones, la mayoría de cuyos habitantes trabajan en la granja porcina de las inmediaciones, una explotación privada que proporciona casi el dos por ciento de la producción derivada del cerdo del país. Si se le pregunta a cualquier pobre de Wind Gap, casi todos dirán que trabajan en la granja, y que su viejo también trabajaba allí. En la zona dedicada al engorde, hay lechones que deben ser esquilados y enjaulados, cerdas que deben ser fecundadas y encerradas, y estercoleros que hay que limpiar y ordenar. La zona de la matanza es peor: unos empleados cargan a los cerdos, obligándolos a bajar por la rampa, al pie de la cual los esperan los matarifes. Otros los agarran por las patas traseras, les abrochan la correa y entregan al animal, que no deja de chillar y patalear, para que lo levanten y lo cuelguen boca abajo. Les rajan la garganta con cuchillos de matanza bien afilados, y la sangre salpica con goterones como de pintura las baldosas del suelo. Luego los llevan al tanque de agua hirviendo. Los gritos constantes, chillidos desesperados y metálicos, obligan a la mayoría de los trabajadores a llevar tapones en los oídos, y a pasar los días en una especie de furia muda. Por la noche beben y escuchan música, a todo volumen. El bar local, el Heelah's, no sirve nada relacionado con el cerdo, sólo muslitos de pollo, que es lógico suponer que han sido elaborados de forma industrial por los trabajadores igualmente furiosos de una fábrica de otra ciudad de mala muerte.

En honor a la verdad, debo añadir que mi madre es la dueña de la explotación y que obtiene aproximadamente un millón doscientos mil dólares en beneficios cada año. Deja en manos de otra gente las labores relacionadas con la gestión.

Había un gato maullando en el porche delantero de la casa de los Capisi, y cuando me acerqué a la casa, oí el barullo de uno de esos programas de debate diurnos. Llamé a la puerta mosquitera y esperé. El gato se frotó contra mis piernas y percibí sus costillas a través del tejido del pantalón. Volví a llamar a la puerta y apagaron el televisor. El gato corrió a esconderse bajo el balancín del porche y aulló. Tracé la palabra «aullido» en la palma de mi mano derecha con la uña del dedo y volví a llamar.

–¿Mamá? –exclamó una voz de niño en la ventana abierta.

Me acerqué y a través del polvo acumulado en la mosquitera vi a un chiquillo delgado con rizos oscuros y ojos saltones.

–Eh, hola, siento molestarte. ¿Eres James?

–¿Qué quiere?

–Hola, James, siento mucho molestarte. ¿Estabas viendo un programa bueno en la tele?

–¿Es de la policía?

–Estoy tratando de ayudar a descubrir quién le hizo daño a tu amiga. ¿Puedo hablar contigo?

No se marchó, sino que se puso a recorrer con el dedo el borde de la repisa de la ventana. Me senté en el balancín, en el extremo opuesto a donde estaba él.

–Me llamo Camille. Un amigo tuyo me ha dicho lo que viste. Un chico con el pelo rubio y muy, muy corto, ¿sabes de quién hablo?

–Dee.

–¿Se llama así? Lo vi en el parque, el mismo parque donde jugabas con Natalie aquel día.

–Ella se la llevó. Nadie me cree. No tengo miedo; sólo tengo que quedarme en casa, eso es todo. Mi mamá tiene cáncer. Está enferma.

–Eso me dijo Dee. No me extraña que no quieras salir de casa. Espero no haberte asustado presentándome así, de esta manera.

El chico empezó a rascar la mosquitera con una uña larga, trazando una línea de arriba abajo. El ruidito seco me hacía daño en los oídos.

–No se parece usted a ella, si se pareciese a ella, llamaría a la policía, o le pegaría un tiro ahora mismo.

–¿Qué aspecto tenía?

Se encogió de hombros.

–Ya lo he dicho. Un millón de veces.

–Una vez más.

–Era mayor.

–¿Mayor como yo?

–Mayor como una madre.

–¿Qué más?

–Llevaba un camisón blanco y tenía el pelo blanco. Era toda de color blanco, pero no como un fantasma. Es lo que no dejo de repetir.

–¿Blanca como qué?

–Como si nunca en su vida hubiese salido a la calle.

–¿Y la mujer cogió a Natalie cuando ésta se dirigía hacia el bosque?

Hice la pregunta en el mismo tono persuasivo que utilizaba mi madre con sus camareros favoritos.

–No estoy mintiendo.

–Por supuesto que no. ¿La mujer cogió a Natalie mientras estabais jugando?

–Y muy rápido –dijo, asintiendo con la cabeza–. Natalie estaba caminando por la hierba para encontrar el *frisbee* cuando vi a la mujer salir del interior del bosque y ponerse a mirar a Natalie. Yo la vi antes que Natalie, pero no me asusté.

–Seguro que no.

–Ni siquiera cuando cogió a Natalie; al principio no estaba asustado.

–¿Pero luego sí?

–No. –Se le apagó la voz–. No lo estaba.

–James, ¿podrías decirme qué ocurrió cuando cogió a Natalie?

–Empujó a Natalie hacia ella, como si la estuviera abrazando. Y luego me miró, se me quedó mirando fijamente.

–¿La mujer te miró?

–Sí. Me sonrió. Por un segundo pensé que no pasaba nada, pero luego ella se quedó callada, y entonces dejó de sonreír. Se puso el dedo en los labios para pedirme silencio. Y luego desapareció en el bosque, con Natalie. –Volvió a encogerse de hombros–. Pero todo esto ya lo he contado antes.

–¿A la policía?

–Primero a mi madre y luego a la policía. Mi madre me hizo caso, pero la policía no le dio importancia.

–¿Por qué no?

–Pensaron que mentía; pero yo no me inventaría una cosa así, sería una tontería.

–¿Hizo Natalie algo mientras pasaba todo eso?

–No, se quedó allí inmóvil, sin hacer nada. Creo que no sabía qué hacer.

–¿Se parecía esa mujer a alguien a quien hubieses visto antes?

–No, ya se lo he dicho.

Se apartó de la mosquitera y luego empezó a mirar por encima del hombro a la sala de estar.

–Bueno, siento haberte molestado. A lo mejor tendrías que invitar a algún amigo a casa, alguien que te hiciese compañía. –Volvió a encogerse de hombros y se mordisqueó una uña–. Tal vez te sentaría bien salir un rato.

–Pero no quiero. Además, tenemos un arma.

Señaló hacia atrás, a una pistola que se mantenía en equilibrio en el brazo de un sofá, junto a un sándwich de jamón que alguien se había dejado a la mitad. Dios...

–¿Estás seguro de que esa arma debería estar ahí? No querrás utilizarla... las armas son muy peligrosas.

–No tanto. A mi madre no le importa. –Me miró directamente por primera vez–. Es usted muy guapa. Tiene un pelo muy bonito.

–Gracias.

–Tengo que irme.

–Vale. Ten cuidado, James.

–Eso es lo que hago.

Lanzó un suspiro y se alejó de la ventana. Al cabo de un segundo volví a oír los gritos y las discusiones de la televisión.

Hay once bares en Wind Gap. Fui a uno que no conocía, el Sensors, que debió de florecer en algún destello de estupidez de la década de los ochenta, a juzgar por las luces de neón en zigzag de la pared y la minipista de baile en el centro. Estaba tomándome un bourbon y poniendo en orden las notas del día cuando la Ley de Kansas City se dejó caer en el asiento acolchado que tenía delante. Plantó su cerveza en la mesa, entre los dos.

–Creía que los periodistas no podían hablar con menores de edad sin permiso.

Sonrió y dio un sorbo.

La madre de James debía de haber hecho una llamada.

–Los periodistas tienen que ser más agresivos cuando la policía los margina por completo de una investigación –repliqué sin levantar la vista.

–Y la policía no puede hacer bien su trabajo si los periodistas publican todos los detalles de su investigación en los medios de Chicago.

Aquél era un juego muy viejo. Volví a concentrarme en mis notas, empapadas por la humedad del vaso.

–Vamos a probar con otro enfoque. Me llamo Richard Willis. –Dio otro sorbo y se relamió los labios–. Ya puede hacer el chiste fácil con mi nombre, el chiste típico para un Dick que trabaja de policía.

–Muy tentador.

–Puede elegir entre llamarme Dick Tracy, como el detective, o Bruce Willis, como el tipo duro.

–Ah, sí, ya lo he pillado.

–Y usted es Camille Preaker, la chica de Wind Gap que triunfó en la gran ciudad.

–Sí, señor, ésa soy yo.

Esbozó su alarmante sonrisa de anuncio de chicle y se pasó la mano por el pelo. No llevaba alianza. Me pregunté cuándo había empezado a fijarme en esas cosas.

–De acuerdo, Camille, ¿por qué no firmamos una tregua? Al menos de momento, a ver qué tal nos va. Supongo que no hace falta que le eche un sermón sobre lo de ese chico, Capisi.

–Supongo que se da cuenta de que no hay nada por lo que sermonearme. ¿Por qué ha desestimado la policía la declaración de un testigo presencial del secuestro de Natalie Keene?

Cogí el bolígrafo para que viera que aquello era oficial.

–¿Y quién dice que la hemos desestimado?

–James Capisi.

–Ah, bueno, ésa sí que es una buena fuente. –Se rió–. Voy a decirle una cosa, «señorita» Preaker. –Estaba haciendo una imitación bastante buena de Vickery, incluso en el detalle de retorcerse un anillo imaginario en el meñique–. No damos a los niños de nueve años información relevante acerca de las pesquisas de una investigación en marcha, tanto si nos creemos su historia como si no.

–¿Y se la creen?

–No puedo hacer comentarios al respecto.

–Por lo visto, cuentan con una descripción muy pormenorizada de una posible sospechosa de asesinato, por lo que cabría esperar que la comunicasen a la población para que ésta pudiese estar alerta. Sin embargo, no lo han hecho, de lo que se deduce que no dan crédito a su historia.

–Una vez más, no puedo hacer comentarios.

–Tengo entendido que Ann Nash no sufrió abusos sexuales –continué–. ¿Es ése también el caso de Natalie Keene?

–Señorita Preaker. No puedo hacer comentarios en estos momentos.

–Entonces, ¿por qué se ha sentado aquí a hablar conmigo?

–Bueno, en primer lugar, me consta que pasó usted mucho tiempo, seguramente tiempo que podría haber dedicado a su labor profesional, con nuestro agente el otro día, relatándole su versión del descubrimiento del cadáver de Natalie. Quería darle las gracias.

–¿Ha dicho mi «versión»?

–Todo el mundo tiene su propia versión de un recuerdo –dijo–. Por ejemplo, declaró que Natalie tenía los ojos abiertos. Los Broussard dijeron que los tenía cerrados.

–No puedo hacer comentarios al respecto.

Me apetecía ser un poco mala.

–Me inclino por dar más crédito a una mujer que se gana la vida como reportera que a una pareja de ancianos dueños de un restaurante –dijo Willis–, pero me gustaría saber si está completamente segura.

–¿Sufrió Natalie abusos sexuales? Dígamelo extraoficialmente.

Solté el bolígrafo.

Se quedó callado un segundo, dando vueltas a su botella de cerveza.

–No.

–Estoy completamente segura de que tenía los ojos abiertos, pero usted estaba allí.

–Lo estaba –contestó.

–Así que no me necesita para eso. ¿Qué era lo segundo?

–¿Cómo?

–Ha dicho: «En primer lugar...».

–Ah, sí. Bueno, la segunda razón por la que quería hablar con usted, para serle sincero, cualidad que tengo la impresión de que sabrá apreciar, es que estoy desesperado por hablar con alguien que no sea de aquí. –Me deslumbró con sus dientes–. Quiero decir... ya sé que usted es de aquí, y no sé cómo lo consiguió. He estado yendo y viniendo desde agosto y me estoy volviendo loco. No es que Kansas City sea una gran metrópoli ni un hervidero de actividad, pero al menos hay vida nocturna. Vida cultural... algo de cultura. Hay gente.

–Estoy segura de que se las apaña.

–Más me vale; puede que ahora me quede por una buena temporada.

–Sí. –Le señalé con mi libreta–. Bueno, ¿y cuál es su teoría, señor Willis?

–En realidad soy el agente detective Willis. –Volvió a sonreír. Apuré la copa de un sorbo y empecé a mordisquear la raquítica pajita de cóctel–. Dime, Camille... ¿puedo llamarte Camille? ¿Me dejas que te invite a otra copa?

Agité el vaso y asentí.

–Un bourbon solo y sin hielo.

–Bien.

Mientras él estaba en la barra, cogí el bolígrafo y me escribí la palabra *Dick* en la muñeca, en cursiva con florituras. Regresó con dos copas de Wild Turkey.

–Bueno... –Me miró moviendo las cejas–. Mi propuesta es que charlemos un rato... ¿como dos personas normales? Olvidémonos del trabajo. La verdad es que necesito un poco de conversación. Bill Vickery no se muere de ganas de conocerme, precisamente.

–Pues ya somos dos.

–Exacto. Así que eres de Wind Gap y ahora trabajas para un periódico en Chicago. ¿Para el *Tribune*?

–Para el *Daily Post*.

–Ése no lo conozco.

–No me extraña.

–Vaya, no es una opinión muy favorable, ¿no?

–El periódico está bien, sólo bien.

No estaba de humor para ser encantadora, ni siquiera estaba segura de acordarme de cómo se hacía. Adora es la seductora de la familia: hasta el tipo que viene a rociar la casa contra las termitas una vez al año le manda enternecedoras postales de Navidad.

–No me estás dando mucha cancha que digamos, Camille. Si quieres que me vaya, me iré.

La verdad es que no quería que se fuese. Era un tipo agradable a la vista, y su voz me hacía sentirme menos deprimida. El hecho de que él tampoco fuese de allí era otro punto a su favor.

–Lo siento, me he puesto un poco borde. Es que ha sido un regreso un poco accidentado, y el hecho de tener que escribir sobre todo esto tampoco ayuda.

–¿Cuánto tiempo hace que viniste por última vez?

–Años. Ocho, para ser exactos.

–Pero todavía tienes familia aquí.

–Oh, sí, ya lo creo. Wind Gapianos hasta la médula. Creo que ése es el término que prefieren, en respuesta a tu pregunta de esta mañana.

–Ah, gracias. Detestaría insultar a la buena gente de por aquí más de lo que ya lo he hecho. Así que, ¿a tu familia le gusta esto?

–Ajá... Ni se les ocurriría marcharse de aquí. Demasiados amigos, una casa demasiado perfecta, etcétera.

–Entonces, ¿tus padres nacieron aquí, los dos?

Una grupo de rostros masculinos familiares aproximadamente de mi edad se acomodó en una mesa de un reservado cercano, cada uno con sendas jarras de cerveza. Esperaba que no me viesen.

–Mi madre nació aquí, mi padrastro es de Tennessee. Se vino a vivir aquí cuando se casaron.

–¿Cuándo fue eso?

–Hace casi treinta años, creo.

Intenté aminorar la velocidad a la que estaba bebiendo para no dejarlo atrás.

–¿Y tu padre?

Esbocé una sonrisa elocuente.

–¿Y tú, te criaste en Kansas City?

–Sí. Nunca se me ocurriría marcharme. Demasiados amigos, una casa demasiado perfecta, etcétera.

–Y ser poli ahí... ¿está bien?

–Hay algo de acción, lo suficiente para no convertirme en Vickery. El año pasado me asignaron algún que otro caso importante, asesinatos sobre todo. Y también tuvimos que buscar a un tío que estaba agrediendo en serie a mujeres en toda la ciudad.

–¿Las violaba?

–No, las estrangulaba y luego les metía la mano en la boca y les rascaba la garganta hasta destrozársela.

–Dios...

–Lo atrapamos. Era un vendedor de licores de mediana edad que vivía con su madre y todavía tenía tejido de la garganta de la última mujer bajo las uñas. Diez días después de la última agresión, nada menos.

No estaba claro si se lamentaba de la estupidez del tipo o de su falta de higiene.

–Buen trabajo.

–Y ahora estoy aquí. Una ciudad más pequeña, pero un terreno de pruebas mayor. Cuando Vickery nos llamó la primera vez, el caso no era tan importante todavía, así que enviaron a alguien de la franja media del escalafón: a mí. –Sonrió, restándose importancia–. Luego se convirtió en un asesinato en serie. Por ahora han decidido mantenerme en el caso... con la condición de que no la cague.

Su situación me resultaba familiar.

–Es extraño que tu gran oportunidad te la brinde algo tan horrible –prosiguió–. Pero tú debes de saber mucho sobre eso, ¿qué clase de noticias cubres en Chicago?

–Estoy en la rama policial, así que seguramente la misma mierda que ves tú a diario: agresiones, violaciones, asesinatos... –Quería hacerle saber que yo también tenía historias de terror. Una gilipollez, pero sucumbí a la tentación–. El mes pasado fue un hombre de ochenta y dos años. El hijo lo mató y luego lo dejó en una bañera de lejía para que se disolviera. El tipo confesó, pero por supuesto no se le ocurrió ninguna razón que explicase el crimen.

Me arrepentí de haber usado la palabra «mierda» para describir agresiones, violaciones y asesinatos. Era una falta de respeto.

–Por lo que parece, los dos hemos visto muchas cosas feas –dijo Richard.

–Sí.

Hice girar la copa en la mano; no tenía nada que decir.

–Lo siento.

–Yo también.

Me examinó con la mirada. El barman atenuó las luces de la sala, la señal oficial de que se acercaba la hora del cierre.

–Podríamos quedar un día para ir a ver una película.

Lo dijo en tono conciliador, como si una noche en el multicine local pudiese arreglar todos mis males.

–Tal vez. –Me bebí el resto de la copa–. Tal vez.

Arrancó la etiqueta de la botella vacía de cerveza que había a su lado y la alisó sobre la superficie de la mesa. Lo dejó todo hecho una porquería, una señal inequívoca de que nunca había trabajado en un bar.

–Bueno, Richard. Gracias por la copa. Tengo que irme a casa.

–Ha estado bien charlar contigo, Camille. ¿Te acompaño al coche?

–No, no hace falta.

–¿Estás bien para conducir? Te lo prometo, no te lo digo como poli.

–Estoy bien.

–Vale. Que descanses.

–Tú también. La próxima vez, quiero algo oficial para poder publicarlo.

Alan, Adora y Amma estaban en la sala de estar cuando volví. La escena me resultó sorprendente, se parecía mucho a los viejos tiempos, con Marian. Amma y mi madre estaban sentadas en el sofá, mi madre acunaba a Amma, que llevaba un camisón de lana a pesar del calor, mientras le acercaba un cubito de hielo a los labios. Mi hermana me miró con cara de profunda satisfacción y luego se puso a jugar de nuevo con una flamante mesa de madera de caoba exactamente igual a la que había en la habitación contigua, sólo que de unos diez centímetros de altura.

–No es nada serio –dijo Alan, levantando la vista de un periódico–, Amma sólo tiene un resfriado veraniego.

Sentí una punzada de alarma, seguida de una sensación de fastidio: estaba volviendo a sumirme en los viejos hábitos, a punto de salir corriendo a la cocina a calentar un poco de té, igual que hacía con Marian cada vez que se ponía enferma. Estaba a punto de ir a acurrucarme junto a mi madre, esperando a que también me rodeara a mí con el brazo. Mi madre y Amma no dijeron nada. Mi madre ni siquiera me miró; se limitó a arrimar a Amma aún más a ella y a susurrarle al oído.

–Los Crellin tenemos una salud un poco delicada –anunció Alan con cierto sentimiento de culpa.

De hecho, los médicos de Woodberry seguramente veían a un Crellin por semana, pues tanto mi madre como Alan reaccionaban con auténtica exageración cuando de su salud se trataba. De niña, recuerdo a mi madre intentando endilgarme toda clase de ungüentos y aceites, remedios caseros y chorradas homeopáticas. En ocasiones me tomaba aquellos mejunjes asquerosos, pero la mayoría de las veces me negaba. Luego Marian se puso enferma, muy enferma, y Adora pasó a tener cosas más importantes que hacer que engatusarme para que comiera extracto de germen de trigo. En ese momento sentí cierto remordimiento por la cantidad de jarabes y pastillas que ella me había ofrecido y yo rechazaba. Aquélla fue la última vez que acaparé toda su atención como madre. De repente deseé no haber sido una hija tan difícil.

Los Crellin. Todos los allí presentes se apellidaban Crellin excepto yo, pensé puerilmente.

–Siento que estés enferma, Amma –dije.

–El diseño de las patas está mal –protestó Amma de improviso.

Le enseñó la mesa a mi madre, indignada.

–Qué vista tienes, Amma... –exclamó Adora, entrecerrando los ojos para examinar la miniatura–. Pero si apenas se nota, cariño. Sólo lo sabrás tú.

Peinó con los dedos hacia atrás el nacimiento del pelo húmedo de Amma.

–No pueden estar mal –soltó Amma, fulminando la mesa con la mirada–. Tenemos que devolverla. ¿Qué gracia tiene encargarla a medida si no está bien?

–Cielo, te prometo que no se ve.

Mi madre dio unas palmaditas a Amma en la mejilla, pero ésta ya se había levantado.

–Dijiste que sería perfecta. ¡Lo prometiste! –Le tembló la voz y unos lagrimones empezaron a resbalarle por la cara–. Ahora se ha estropeado, se ha estropeado todo. Es el comedor... ¡no puedo poner una mesa que no pega! ¡La odio!

–Amma...

Alan dobló el periódico e hizo ademán de ir a abrazarla, pero ella se escabulló.

–¡Es lo único que quiero, es lo único que pedí, y ni siquiera os importa que no esté bien hecha!

En ese momento chillaba entre lágrimas, una rabieta en toda regla, con la cara crispada por la ira.

–Amma, tranquilízate –dijo Alan con calma, intentando de nuevo abrazarla.

–¡Es lo único que quiero! –gritó Amma y tiró la mesa al suelo, donde ésta se rompió en cinco pedazos.

No dejó de golpearla hasta reducirla a astillas y luego enterró la cabeza en el cojín del sofá y siguió llorando a lágrima viva.

–Bueno –dijo mi madre–, me parece que vamos a tener que comprar otra.

Me fui a mi cuarto, lejos de aquella chiquilla horrible que en nada se parecía a Marian. Mi cuerpo estaba empezando a enardecerse. Me puse a pasear por la habitación, traté de recordar cómo respirar, cómo calmar mi piel... pero ésta me seguía gritando. A veces mis cicatrices tienen vida propia.

Verán, yo me hago cortes. También incisiones, tajos, escarificaciones y heridas. Soy un caso muy especial; tengo un propósito. Bueno, lo que pasa es que mi piel grita. Está recubierta de palabras, «cocina», «bollo», «gatito», «rizos», como si un crío de primaria con un cuchillo en la mano hubiese aprendido a escribir sobre mi carne. A veces, pero sólo a veces, me río. Cuando salgo de la bañera y veo, con el rabillo del ojo, en el lado de una pierna: «muñeca». Cuando me pongo un suéter y, en un destello en la parte interna del brazo: «dañino». ¿Por qué esas palabras? Miles de horas de terapia han arrojado como resultado unas cuantas ideas de los buenos doctores. A menudo son palabras femeninas, como en una especie de batalla de los sexos al estilo de chicos contra chicas, azul y rosa, coches y muñecas, etcétera. O son rotundamente negativas. Número de sinónimos para «ansiedad» grabados a cuchillo en mi piel: once. Lo único que sé con absoluta certeza es que en su momento, ver aquellas letras escritas sobre mí era algo crucial, y no sólo verlas, sino también sentirlas. En la cadera izquierda ardía «enagua».

Y cerca de ella, mi primera palabra, escarificada un día de verano de mucha ansiedad a la edad de trece años: «mala». Esa mañana me desperté acalorada y aburrida, preocupada por las horas que me quedaban por delante. ¿Cómo te mantienes a salvo cuando tu día entero es tan inmenso y vacío como el cielo? Podía pasar cualquier cosa. Recuerdo haber sentido esa palabra, pesada y pegajosa, atravesándome el hueso del pubis. El cuchillo para carne de mi madre... Yo, cortando como una cría unas líneas rojas imaginarias... Limpiándome. Ahondando aún más... Limpiándome. Echándole lejía al cuchillo y colándome en la cocina para devolverlo. «Mala.» Un gran alivio. El resto del día me ocupé de mi herida; escarbé en las aristas de la M con un bastoncillo para los oídos empapado en alcohol, me acaricié la mejilla hasta que desaparecía el escozor... Loción, gasa y repetir.

El problema empezó mucho antes, por supuesto. Los problemas siempre empiezan mucho antes de que llegues a verlos en realidad. Cuando tenía nueve años copié, con un lápiz de topos grandes, la totalidad de la saga de *La casa de la pradera* palabra por palabra en libretas de espiral con las tapas verde brillante.

Cuando tenía diez años, escribía en mis vaqueros con un boli de tinta azul una de cada dos palabras que decía mi profesor. Luego los limpiaba en el lavabo, sintiéndome culpable y en secreto, con champú para niños. Las palabras se emborronaban y se desdibujaban, y dejaban jeroglíficos de color añil en las perneras de los pantalones, como si un pájaro minúsculo con las patas manchadas de tinta hubiese pasado por encima dando saltitos.

A los once, anotaba compulsivamente todo lo que me decía todo el mundo en un diminuto bloc de notas azul; una minirreportera en ciernes. Tenía que capturar cada frase en papel porque de lo contrario no era real, se escurría. Veía las palabras suspendidas en el aire («Camille, pásame la leche») y la ansiedad empezaba a anidar en mi interior a medida que se extinguían, como la estela de un avión. Sin embargo, si las escribía, si las conservaba, no tenía que preocuparme por su extinción: era una conservacionista lingüística. Era la *freaky* de la clase, la neurótica de octavo, siempre tensa, la que se pasaba el día anotando frases frenéticamente («El señor Feeney es rematadamente gay», «Jamie Dobson es horrorosa», «Nunca tienen batido de chocolate») y con un afán rayano en el fervor religioso.

Marian murió el día de mi cumpleaños, el día que cumplía los trece. Me desperté, fui por el pasillo a decirle hola –era lo primero que hacía siempre– y la encontré, con los ojos abiertos y el embozo de la colcha subido hasta la barbilla. Recuerdo que no me sorprendió tanto como cabría esperar. Llevaba muriéndose desde siempre, que yo recordase.

Ese verano también pasaron otras cosas. Me volví repentina e inequívocamente guapa. Podía haber ocurrido lo contrario. Marian siempre había sido la guapa oficial: enormes ojos azules, nariz minúscula y una barbilla afilada y perfecta. Mis rasgos cambiaban día a día, como si tuviese unas nubes encima de la cabeza que me proyectasen sombras favorecedoras u horribles sobre mi cara. Pero una vez zanjado el asunto –y todos parecimos darnos cuenta ese verano, el mismo verano que detecté por primera vez unas gotitas de sangre en mis muslos, el mismo verano que empecé a masturbarme compulsiva y furiosamente–, me quedé encantada. Estaba prendada de mí misma, una coqueta increíble en cada espejo que encontraba. Desinhibida como un joven potro. Y la gente me adoraba. Ya no era la niña rara (con la hermana muerta, qué violento), sino la chica guapa (con la hermana muerta, qué triste). Así que me hice popular.

También fue ese verano cuando empecé a cortarme, y me entregué a ello casi con tanto ahínco como a mi recién estrenada belleza física. Me encantaba estar pendiente de mí, limpiar el charco rojo de sangre con un trapo húmedo y descubrir, justo encima de mi ombligo: «revuelto». Empapar de alcohol un trozo de algodón y que unos hilos tenues se adhirieran a los trazos sanguinolentos de «alegre». El último año de instituto me dio la vena sucia, que luego corregí. Unos cuantos cortes rápidos y «coño» se convierte en «caño», «polla» se vuelve «pollo» y «puta» se transforma en una improbable «púa», la te y la a convertidas en una A mayúscula tambaleante.

La última palabra que me grabé en la piel, dieciséis años después de empezar: «desaparecer».

A veces oigo a las palabras pelearse entre ellas por todo mi cuerpo. Arriba, en el hombro, «bragas» le grita a «virgen», en la parte interna del tobillo derecho. Bajo un dedo grandote del pie, «costura» le lanza amenazas sordas a «tesoro», justo debajo de mi pecho izquierdo. Puedo apaciguarlas pensando en «desaparecer», siempre discreta y regia, tratando a todas las demás palabras con prepotencia desde la seguridad que le proporciona el refugio de mi nuca.

Además, en el centro de mi espalda, un lugar demasiado inaccesible, hay un redondel de piel perfecta del tamaño de un puño.

Con los años he ido creando mis propias bromas, las que sólo entiendo yo. «Soy como un libro abierto.» «Se me dan bien los juegos de palabras.» «En mi caso, desde luego, la letra con sangre entra.» ¿A que tienen gracia? No soporto mirarme sin estar vestida. Es posible que algún día acuda a un cirujano, a ver qué se puede hacer para alisarme la piel, pero ahora mismo no podría soportar su reacción. En vez de eso, bebo para no tener que pensar demasiado en lo que le he hecho a mi cuerpo y para no hacerlo más. Y, sin embargo, la mayor parte del tiempo que paso despierta, tengo unas ganas locas de cortarme. Y no son palabras cortas: «equivocada», «desencajada», «marrullera». Los de mi hospital en Illinois no aprobarían esta ansia.

Para aquellos que necesiten un nombre, hay montones de términos médicos, para dar y tomar. Lo único que sé es que los cortes hacían que me sintiera segura. Eran una prueba, pensamientos y palabras capturados donde yo podía verlos y localizarlos. La verdad descarnada, en mi piel, en una caligrafía extravagante. Si alguien me dice que va a ir al médico, querré cortarme «preocupante» en el brazo. Si me dice que se ha enamorado, me tatuaré los trazos de «trágico» en el pecho. No es que quisiese curarme, necesariamente, es que me había quedado sin sitio para escribir, haciéndome rajas entre los dedos de los pies –«mal», «llorar»– como una yonqui buscando una última vena. «Desaparecer» fue la que marcó el final. Me había reservado la nuca, un lugar íntimo y privilegiado, para un último corte definitivo e importante. Luego me entregué. Estuve en el hospital doce semanas. Es una sección especial para la gente que se autolesiona, casi todas mujeres, la mayoría menores de veinticinco años. Entré cuando tenía treinta. Salí hace sólo seis meses. Tiempos difíciles.

Curry vino a visitarme una vez y me trajo rosas amarillas. Les quitaron todas las espinas antes de permitirle el acceso a la recepción, y las depositaron en contenedores de plástico –Curry dijo que parecían botes de pastillas– que guardaron bajo llave hasta que pasase el carrito de la basura. Nos sentamos en la sala común, toda con cantos redondeados y sofás de felpa, y mientras hablábamos del periódico, de su mujer y de las últimas noticias de Chicago, le escaneé el cuerpo con la mirada en busca de algo cortante y afilado: la hebilla del cinturón, un imperdible, una leontina.

–Lo siento mucho, mi pequeña –dijo al término de su visita, y era evidente que lo decía de corazón, porque su voz sonó húmeda.

Cuando se fue, sentía tanto asco hacia mí misma que vomité en el baño, y mientras vomitaba, me fijé en los tornillos recubiertos de goma de la parte posterior de la taza del váter. Arranqué la cubierta de uno de ellos y me lijé la palma de la mano –«o»– hasta que los camilleros me sacaron de allí a rastras, mientras la sangre manaba de la herida como si fueran estigmas.

Mi compañera de habitación se suicidó esa misma semana. No lo hizo cortándose, detalle en el que residía, naturalmente, la ironía. Se bebió una botella entera de limpiacristales que un conserje había olvidado guardar. Tenía dieciséis años, una antigua animadora que se autolesionaba por encima del muslo para que nadie lo advirtiera. Sus padres me fulminaron con la mirada cuando vinieron a recoger sus cosas.

Dicen que en períodos de depresión todo se ve negro, pero a mí no me habría importado nada despertar ante una cantera de azabache. La depresión para mí es de color amarillo orina. Kilómetros exhaustos y descoloridos de débiles meadas.

Las enfermeras nos daban fármacos para aliviar el picor de nuestra piel, y más fármacos para aplacar el ardor de nuestro cerebro. Nos cacheaban dos veces por semana en busca de objetos punzantes, y nos sentábamos en grupos para purgarnos, en teoría, de la ira y el odio que sentíamos hacia nosotras mismas. Aprendíamos a no atacarnos a nosotras. Aprendíamos a culpar. Después de un mes de buen comportamiento, nos ganábamos baños de espuma y masajes. Nos enseñaban los beneficios del tacto.

Sólo tuve otra única visita, la de mi madre, a quien no había visto en un lustro. Olía a flores púrpura y llevaba una pulsera de abalorios que a mí me encantaba de pequeña. Cuando estuvimos a solas, me habló de las plantas y de no sé qué nueva ordenanza municipal que exigía que las luces navideñas se retirasen antes del 15 de enero. Cuando mis médicos se reunieron con nosotras, lloró y me achuchó y se preocupó por mí. Me acarició el pelo y se preguntó en voz alta por qué me había hecho aquello a mí misma.

A continuación, inevitablemente, salieron a relucir las historias de Marian. Ella ya había perdido una hija, y eso por poco la mata. ¿Por qué la mayor (aunque por fuerza menos querida) se hacía daño a sí misma deliberadamente? Yo era tan distinta de su hija muerta..., quien, lo que son las cosas, tendría casi treinta años de haber vivido. Marian amaba la vida, justo lo que le había sido arrebatado. Dios... Cómo había absorbido el mundo... «¿Te acuerdas, Camille, de cómo se reía aun estando en el hospital?»

Detestaba señalarle a mi madre que eso era lo natural en una perpleja niña moribunda de diez años. ¿Para qué molestarme? Es imposible competir con los muertos. Pensé que ojalá pudiese dejar de intentarlo.

5

Cuando bajé a desayunar, Alan llevaba unos pantalones blancos, con la raya planchada como papel doblado, y una camisa de tela Oxford de color verde claro. Estaba sentado solo en la enorme mesa de comedor de madera de caoba, y su débil sombra se proyectaba brillante sobre la madera pulida. Examiné deliberadamente las patas de la mesa para ver a qué había venido todo el jaleo de la noche anterior. Alan prefirió hacer como que no se daba cuenta y siguió comiéndose su tazón de leche con huevos con una cucharita. Cuando levantó la vista para mirarme, un pegajoso hilillo de yema le colgaba del mentón como si fuera baba.

–Camille, siéntate. ¿Qué quieres que te sirva Gayla?

Hizo sonar la campanilla de plata que había a su lado y por la puerta de vaivén de la cocina apareció Gayla, una chica de campo que diez años atrás había cambiado los aperos y los cerdos por las tareas diarias de limpiar y cocinar en casa de mi madre. Era de mi estatura, alta, pero no podía pesar más de cuarenta y cinco kilos. La bata de enfermera blanca y almidonada que llevaba de uniforme le quedaba muy holgada, como una campana.

Mi madre entró y pasó junto a ella, besó a Alan en la mejilla y depositó una pera delante de su sitio, sobre una servilleta blanca de algodón.

–Gayla, te acuerdas de Camille, ¿verdad?

–Pues claro que sí, señora Crellin –contestó, mirándome con su cara vulpina. Me sonrió con unos dientes disparejos y unos labios cortados y resquebrajados–. Hola, Camille. ¿Quieres huevos, tostadas, fruta...?

–Sólo café, por favor. Con leche y azúcar.

–Camille, hemos comprado comida sólo por ti –dijo mi madre, mordisqueando el extremo más carnoso de la pera–. Cómete un plátano al menos.

–Y un plátano.

Gayla volvió a meterse en la cocina haciendo una mueca.

–Camille, tengo que disculparme por lo de anoche –empezó a decir Alan–. Amma está pasando por una de esas etapas tan difíciles.

–Está muy pesada –dijo mi madre–, casi siempre dentro de unos límites razonables, pero a veces se pasa un poco de la raya.

–O más que un poco –señalé–. La de anoche fue una rabieta colosal para una cría de trece años. Daba un poco de miedo.

Ése era mi yo de Chicago, que había vuelto a hacer acto de presencia: más segura y, definitivamente, más bocazas. Me sentí aliviada.

–Sí, bueno, tú a su edad tampoco eras muy dócil que digamos.

No sabía a qué se refería mi madre: al hábito de autolesionarme, a los ataques de llanto por mi hermana muerta, a la vida sexual hiperactiva que había emprendido entonces... Decidí limitarme a asentir con la cabeza.

–Bueno, sólo espero que esté bien –dije con resolución, y me levanté para marcharme.

–Por favor, Camille, vuelve a sentarte –me pidió Alan con frialdad, limpiándose las comisuras de los labios–. Háblanos de la Ciudad del Viento. Siéntate con nosotros un minuto.

–La Ciudad del Viento está bien. El trabajo sigue bien, estoy obteniendo muchos resultados positivos.

–¿Qué implica exactamente obtener resultados positivos?

Alan inclinó el cuerpo hacia mí, con las manos entrelazadas, como si creyese que su pregunta era de lo más amable.

–Pues verás, he estado haciendo reportajes de mayor calado. Ya he cubierto tres asesinatos desde que empezó el año.

–¿Y eso es algo positivo, Camille? –Mi madre dejó de mordisquear la pera–. Nunca entenderé de dónde has sacado esa afición por lo truculento. Yo diría que ya hay bastante truculencia en tu vida sin que tengas que ir buscándola por ahí deliberadamente.

Se echó a reír con una carcajada estridente, como un globo que se escapa y se desinfla de golpe en el aire.

Gayla volvió con mi café y un plátano colocado en una posición extraña en un bol. Cuando ella salió, entró Amma, como si fueran dos figurantes de una obra de salón. Besó a mi madre en la mejilla, saludó a Alan y se sentó enfrente de mí. Me dio una patada por debajo de la mesa y se rió. «¡Huy! ¿Ésa eras tú?»

–Siento que tuvieras que verme como me viste anoche, Camille –dijo Amma–. Sobre todo teniendo en cuenta que no nos conocemos, pero es que estoy en una etapa difícil. –Me dedicó una sonrisa exagerada–. Pero ahora nos hemos reencontrado. Eres como la pobre Cenicienta y yo soy la hermanastra mala. Medio hermana.

–No hay una pizca de maldad en ti, cariño –dijo Alan.

–Pero Camille fue la primera. La primera suele ser siempre la mejor. Ahora que ha vuelto, ¿querrás a Camille más que a mí? –preguntó Amma.

Al principio, formuló la pregunta en broma, pero las mejillas se le tiñeron de rojo mientras aguardaba la respuesta de mi madre.

–No –contestó Adora en voz baja.

Gayla puso un plato de jamón delante de Amma, que le echó miel por encima en círculos perezosos.

–Porque me quieres a mí y solamente a mí –dijo Amma, con la boca llena de jamón. El vomitivo olor a carne y dulzor lo inundó todo–. Ojalá me asesinasen.

–Amma, no digas esas cosas –repuso mi madre, palideciendo.

Se llevó los dedos a las pestañas, agitada, y luego volvió a bajarlos al plato con determinación.

–Así no tendría que preocuparme por nada nunca más. Cuando mueres te vuelves perfecta. Sería como la princesa Diana. Ahora todo el mundo la quiere.

–Eres la chica más popular de toda la escuela, y en casa te adoramos, Amma. No seas avariciosa.

Amma volvió a darme una patada por debajo de la mesa y me lanzó una sonrisa rotunda, como si se acabara de zanjar un asunto importante. Se echó por encima del hombro una punta de la vestimenta que llevaba y me di cuenta de que lo que había tomado por una bata era en realidad una sábana azul muy bien envuelta. Mi madre también se dio cuenta.

–¿Se puede saber qué diablos llevas puesto, Amma?

–Es mi capa de doncella. Voy a ir al bosque a jugar a Juana de Arco. Luego las chicas me quemarán.

–No vas a hacer tal cosa, tesoro –le espetó mi madre mientras le quitaba la miel a Amma, que seguía empapando el jamón–. Dos niñas de tu edad están muertas, ¿y tú crees que te voy a dejar ir al bosque a jugar?

«Los niños en el bosque juegan a juegos salvajes y secretos.» Era el comienzo de un poema que antes me sabía de memoria.

–No te preocupes, no nos pasará nada.

Amma sonrió con empalagosa afectación.

–Tú te quedas aquí.

Amma pinchó el jamón con enfado y masculló alguna impertinencia. Mi madre se volvió hacia mí con la cabeza ladeada, el diamante de su dedo anular lanzándome destellos a los ojos como en un SOS.

–Bueno, Camille, ¿podemos por lo menos hacer algo agradable durante tu estancia aquí? –preguntó–. Podríamos celebrar un *picnic* en el jardín de atrás. O podríamos sacar el descapotable, salir a dar una vuelta, a lo mejor ir a jugar al golf en Woodberry. Gayla, tráeme un poco más de té con azúcar, por favor.

–Todo eso que has dicho me parece muy bien. Ahora sólo falta saber por cuánto tiempo me voy a quedar aquí.

–Sí, también estaría bien que lo supiésemos nosotros. No es que no puedas quedarte aquí el tiempo que quieras –dijo–, pero estaría bien saberlo, para que podamos hacer nuestros propios planes.

–Claro.

Di un mordisco al plátano, que sabía a nada verde claro.

–O tal vez Alan y yo podamos ir allí alguna vez este año. La verdad es que nunca hemos llegado a ver Chicago.

Mi hospital estaba a noventa minutos al sur de la ciudad. Mi madre llegó al aeropuerto de O'Hare y cogió un taxi allí. Le costó ciento veintiocho dólares, ciento cuarenta con propina.

—Eso también podría estar bien. Tenemos unos museos estupendos. Os encantaría el lago.

—Me parece que ya no podré disfrutar del agua en ninguna de sus formas.

—¿Por qué no?

Ya conocía la respuesta.

—Después de lo que le pasó a esa niña, Ann Nash. Ahogada en el arroyo... —Hizo una pausa para tomar un sorbo de su té con azúcar—. La conocía, ¿sabes?

Amma soltó un gemido y empezó a moverse inquieta en su asiento.

—Pero no se ahogó —dije, a sabiendas de que mi corrección la molestaría—. Fue estrangulada. Luego fue a parar al arroyo.

—Y entonces lo de la niña de los Keene. Les tenía mucho cariño a ambas. Muchísimo.

Se calló, con la mirada perdida, nostálgica, y Alan la cogió de la mano. Amma se levantó, soltó un gritito parecido al ladrido de un cachorro nervioso, y salió corriendo.

—Pobrecilla —dijo mi madre—. Lo está pasando casi tan mal como yo.

—Bueno, ella veía a esas chicas todos los días, así que estoy segura de que sí —dije, irritada a mi pesar—. ¿De qué las conocías tú?

—No hace falta que te recuerde que Wind Gap es una ciudad pequeña. Eran unas niñas dulces y muy guapas. Eran preciosas.

—Pero tú no las conocías, en realidad.

—Sí las conocía. Las conocía muy bien.

—¿Por qué?

—Camille, por favor, no hagas eso. Te acabo de decir que estoy muy disgustada y nerviosa, y en lugar de mostrarme tu apoyo, me atacas.

—Ya. Entonces, ¿te has jurado no acercarte de nuevo al agua en cualquiera de sus manifestaciones?

Mi madre emitió un sonido breve y chirriante.

–Cierra la boca ahora mismo, Camille.

Dobló la servilleta sobre los restos de su pera como si fueran unos pañales y abandonó la habitación. Alan la siguió con su silbido maníaco, como un pianista antiguo confiriendo una atmósfera dramática a una película muda.

Todas las tragedias que ocurren en el mundo le ocurren a mi madre, y esto, más que cualquier otra cosa de ella, es lo que me revuelve el estómago. Se preocupa por gente a la que ni siquiera conoce, gente que sufre una racha de mala suerte. Llora con las noticias de todos los rincones del globo. Todo es demasiado para ella, la crueldad de los seres humanos.

Después de la muerte de Marian, no salió de su habitación en un año entero. Una habitación preciosa: una cama con dosel del tamaño de un buque, un tocador lleno de botellitas de perfume de cristal esmerilado, un suelo tan soberbio que había sido fotografiado por varias revistas de decoración y que, hecho de marfil puro, cortado en cuadrados, iluminaba la habitación desde abajo. Esa habitación y su suelo decadente me tenían atemorizada, tanto más cuanto que tenía prohibido el acceso. Personajes distinguidos como Truman Winslow, el alcalde de Wind Gap, la visitaban semanalmente, traían flores frescas y novelas clásicas. Podía ver a mi madre en alguna ocasión, cuando la puerta se abría para permitir el paso a esas personas. Siempre estaba en la cama, con la espalda apoyada en un cúmulo de almohadones mullidos, vestida con una serie de batas finas y de estampado floreado. Nunca conseguí entrar.

El plazo de entrega del artículo a Curry finalizaba al cabo de dos días y todavía tenía muy poco material. En mi habitación, estirada ceremoniosamente con las manos entrelazadas como un cadáver, resumí lo que sabía, le di cierta estructura. Nadie había presenciado el secuestro de Ann Nash el mes de agosto anterior; la niña había desaparecido sin más y el cuerpo había aparecido a unos cuantos kilómetros, en Falls Creek, diez horas más tarde. La estrangularon cuatro horas después de su desaparición. Nunca se llegó a encontrar su bicicleta. Si tuviera que hacer una suposición, yo diría que la víctima conocía a la persona: coger a una niña y su bicicleta contra su voluntad hubiera sido demasiado bullicioso en esas calles tan tranquilas. ¿Sería alguien de la iglesia o incluso algún vecino? Alguien que parecía de fiar.

Pero después de haber mostrado tanta cautela para cometer el primer asesinato, ¿por qué llevarse a Natalie a plena luz del día, delante de un amigo? No tenía sentido. Si hubiese sido James Capisi el que hubiese estado a la orilla del bosque en lugar de encontrarse bajo los rayos del sol lleno de culpa, ¿estaría muerto? ¿O había sido Natalie Keene un objetivo deliberado? También la retuvo por más tiempo: estuvo más de dos días desaparecida antes de que hallaran su cuerpo, encajado entre los treinta centímetros que separaban la ferretería de un salón de belleza en la ajetreada Main Street.

¿Qué vio James Capisi? Ese chico me inquietaba. No creía que estuviese mintiendo, pero los niños asimilan el terror de un modo distinto. Ese niño había visto algo horrible, y ese algo horrible se convirtió en la bruja mala de los cuentos de hadas, la cruel madrastra de Blancanieves. Pero ¿y si aquella persona simplemente tenía un aspecto femenino? ¿Y si era un hombre desgarbado con el pelo largo, un travestido o un chico andrógino? Las mujeres no mataban de ese modo, no lo hacían, sencillamente. Se podían contar con los dedos de una mano las mujeres asesinas en serie que había habido a lo largo de la historia, y sus víctimas eran casi siempre hombres... por lo general, con un trasfondo sexual. Además, las chicas no habían sufrido ningún tipo de agresión sexual, y eso tampoco encajaba con el patrón.

La elección de las dos niñas tampoco parecía tener sentido. De no haber sido por Natalie Keene, habría creído que habían sido víctimas de la mala suerte, pero si James Capisi no mentía, el asesino había invertido sus esfuerzos en raptar a esa chica en el parque, y si realmente era esa chica en concreto la que quería el asesino, entonces la elección de Ann tampoco había sido un capricho. Ninguna de las dos chicas era tan guapa como para haber llegado a alimentar una obsesión particular; tal como Bob Nash había dicho, Ashleigh siempre había sido «la guapa». Natalie provenía de una familia adinerada, aún relativamente nueva en Wind Gap. Ann, en cambio, pertenecía más bien a la clase media baja, y los Nash llevaban viviendo en Wind Gap varias generaciones. Las niñas no eran amigas, y la única conexión entre ambas era una mezcla de brutalidad y malevolencia compartidas, si había que dar crédito a lo que Vickery me había contado. Y luego estaba la teoría del autoestopista. ¿Era posible que Richard Willis creyese eso verdaderamente? Wind Gap estaba cerca de una ruta principal de tránsito de camiones desde y hacia Memphis, pero nueve meses era mucho tiempo para que un forastero lograra pasar inadvertido, y en los bosques que rodeaban Wind Gap no se había encontrado nada de momento, ni siquiera demasiados animales. Hacía ya muchos años que los habían cazado a todos.

Sentí cómo mis pensamientos se revolvían contra sí mismos, contaminados por los viejos prejuicios y por demasiada información privilegiada. De pronto sentí una necesidad imperiosa de hablar con Richard Willis, con alguien que no fuese de Wind Gap, que viese lo que estaba sucediendo como un trabajo, un proyecto cuyas piezas había que ensamblar y completar, hasta colocar el último clavo en su sitio, con orden y contención. Yo misma necesitaba pensar así.

Me di un baño de agua fresca con las luces apagadas y luego me senté en el borde de la bañera y me restregué por toda la piel la crema que me había dado mi madre, una sola vez, rápidamente. Las asperezas y protuberancias me dieron escalofríos.

Me puse un par de pantalones ligeros de algodón y una camiseta de manga larga y cuello redondo. Me cepillé el pelo y me miré al espejo. Pese a lo que me había hecho en el resto del cuerpo, aún tenía la cara bonita, no porque se pudiese tachar de excepcional alguno de sus rasgos, sino en el sentido de que todo en ella estaba en perfecto equilibrio. Todo en ella tenía sentido, de una forma asombrosa: grandes ojos azules, unos pómulos bien marcados que flanqueaban el pequeño triángulo de una nariz, unos labios carnosos que se torcían ligeramente hacia abajo en las comisuras... Yo era una preciosidad a la que daba gusto mirar, siempre y cuando estuviese completamente vestida. Si las cosas hubiesen sido distintas, podría haberme divertido de lo lindo con una legión de amantes con el corazón destrozado. Podría haber coqueteado con hombres brillantes. Podría haberme casado.

Fuera, nuestra porción del cielo de Missouri era, como de costumbre, de color azul eléctrico. Se me humedecieron los ojos sólo de pensarlo.

Encontré a Richard en el restaurante de los Broussard, comiendo gofres sin sirope y con una pila de carpetas en la mesa que le llegaba casi a la altura del hombro. Me dejé caer en el asiento de enfrente y sentí una especie de felicidad extraña, una mezcla de complicidad y comodidad.

Él levantó la vista y me sonrió.

–Pero si es la señorita Preaker... Ten, come unas tostadas.

Siempre que vengo les digo que no quiero tostadas, pero ellos se empeñan en servírmelas. Parece como si tuvieran que cubrir una cuota o algo así.

Cogí una tostada y la unté de mantequilla. El pan estaba frío y duro, y al morder esparcí unas cuantas migas encima de la mesa. Las barrí con la mano para colocarlas debajo del plato y fui directa al grano.

–Escucha, Richard. Tienes que hablar conmigo, ya sea oficial o extraoficialmente. No logro sacar nada en claro de todo esto, no consigo ser lo bastante objetiva.

Dio unas palmaditas en la pila de carpetas que tenía a su lado y blandió su bloc de notas amarillo ante mí.

–Tengo toda la objetividad que quieras, de 1927 en adelante por lo menos. Nadie sabe lo que pasó con los archivos antes de 1927. Me imagino que debió de tirarlos alguna recepcionista para mantener la comisaría impecable.

–¿A qué clase de archivos te refieres?

–Estoy elaborando un perfil delictivo de Wind Gap, un historial de los crímenes con violencia de la ciudad –me explicó, al tiempo que me pasaba una carpeta–. ¿Sabías que en 1975 dos adolescentes fueron halladas muertas en la orilla de Falls Creek, muy cerca del lugar donde apareció Ann Nash, con cortes en las muñecas? La policía lo despachó como un suicidio. Las chicas mantenían una relación «extremadamente estrecha, malsana e íntima para su edad. Se sospecha una relación homosexual». Pero nunca encontraron el cuchillo. Muy raro.

–Una de ellas se llamaba Murray.

–Ah, ya lo sabías.

–Acababa de tener un bebé.

–Sí, una niña.

–Ésa tiene que ser Faye Murray. Fue a mi instituto. La llamaban Bollo Murray. Los chicos se la llevaban al bosque después de clase y se turnaban para mantener relaciones sexuales con ella. La madre se mata y dieciséis años después, Faye tiene que follar con todos los chicos del instituto.

–No te entiendo.

–Para demostrar que no es lesbiana. De tal palo tal astilla, ¿no? Si no hubiera follado con esos chicos, nadie habría querido relacionarse con ella. Pero lo hizo, y así demostró que no era lesbiana, pero sí que era una puta. Así que nadie quiso relacionarse con ella de todos modos. Así es Wind Gap. Todos conocemos los secretos de todos. Y todos los utilizamos.

–Un lugar encantador.

–Sí. Bueno, dime algo.

–Acabo de hacerlo.

Me hizo reír, y eso me sorprendió. Me imaginé entregando el artículo a Curry con la frase: «La policía no tiene pistas, pero cree que Wind Gap es un "lugar encantador"».

–Mira, Camille, hagamos un trato. Yo te digo algo que puedas utilizar oficialmente y tú me ayudas a llenar las lagunas de estas historias del pasado. Necesito a alguien que me diga cómo es esta ciudad en realidad, y Vickery no es esa persona. Es demasiado... protector.

–Me dirás algo oficialmente, pero trabajarás conmigo extraoficialmente. No utilizaré nada de lo que tú me digas a menos que tenga tu visto bueno. Tú podrás utilizar todo lo que yo te diga.

No era el mejor de los tratos pero tendría que servir.

–¿Y qué quieres que te diga oficialmente? –Richard sonrió.

–¿De veras crees que los crímenes los cometió una persona de fuera?

–¿Es para el artículo?

–Sí.

–No hemos descartado a nadie. –Tomó un último bocado de gofre y se quedó pensativo, con los ojos clavados en el techo–. Estamos investigando minuciosamente a posibles sospechosos dentro de la comunidad local, pero también consideramos la posibilidad de que los asesinatos sean obra de un forastero.

–Así que no tenéis ni idea.

Sonrió y se encogió de hombros.

–Ya te he dado una declaración oficial.

–Vale, extraoficialmente, ¿no tenéis ni idea?

Levantó y bajó unas cuantas veces el tapón del bote pegajoso de sirope y luego cruzó los cubiertos en su plato.

–Extraoficialmente, Camille, ¿te parece que esto puede haberlo hecho alguien de fuera? Tú eres reportera de homicidios.

–No.

El hecho de decirlo en voz alta me soliviantó. Traté de apartar la vista de las púas del tenedor que tenía delante.

–Una chica lista.

–Vickery dijo que creías que era un autoestopista o algo así.

–Maldita sea, lo mencioné de pasada, como una posibilidad, la primera vez que vine aquí... hace nueve meses. Vickery se aferra a eso como si fuera una prueba de mi incompetencia. Él y yo tenemos problemas de comunicación.

–¿Tenéis algún sospechoso?

–Deja que te invite a tomar una copa esta semana. Quiero que me cuentes todo lo que sepas de todos los habitantes de Wind Gap.

Cogió la cuenta y devolvió el bote de sirope junto a la pared. El bote dejó un círculo azucarado sobre la mesa y, sin pensar, metí el dedo en él y me lo llevé a la boca. Unas cicatrices asomaron por la manga de la camiseta. Richard levantó la mirada justo cuando estaba volviendo a meter las manos debajo de la mesa.

No me importaba la idea de contarle a Richard todas las historias que conocía de Wind Gap, pues no sentía ninguna lealtad especial hacia la ciudad. Era el lugar donde había muerto mi hermana, el lugar donde había empezado a cortarme. Una ciudad tan asfixiante y pequeña que todos los días te tropezabas con gente a la que odiabas. Gente que sabía cosas sobre ti. Es la clase de lugar que deja huella.

Aunque sí es cierto que, en apariencia, no podrían haberme tratado mejor durante el tiempo que viví allí. Mi madre se encargó de eso. La ciudad entera la adoraba, ella era como la parte más vistosa del pastel: la chica más hermosa y dulce que había alumbrado Wind Gap. Sus padres, mis abuelos, eran los dueños de la explotación porcina y de la mitad de las casas que la rodeaban, y sometían a mi madre a las mismas reglas estrictas a las que sometían a sus empleados: prohibido beber, prohibido fumar, prohibido soltar tacos y obligatorio ir a misa. No alcanzo a imaginarme cómo debió de sentarles que mi madre se quedara preñada a los diecisiete. Un chico de Kentucky al que había conocido en los campamentos organizados por la iglesia vino para una visita en Navidad y me dejó a mí en su vientre. A mis abuelos les salieron sendos tumores gemelos y furibundos que crecían al mismo ritmo trepidante que la barriga de mi madre, y murieron de cáncer un año después de que yo naciera.

Los padres de mi madre tenían unos amigos en Tennessee, y el hijo de éstos empezó a cortejar a Adora antes incluso de que yo dejara de tomar papillas, e iba a visitarla casi todos los fines de semana. No me imagino aquel noviazgo sino como un flirteo torpe, muy torpe. Alan, de punta en blanco y con la ropa recién planchada, hablando sin parar sobre el tiempo. Mi madre, sola y abandonada por primera vez en su vida, con la necesidad de buscarse un buen partido, riéndole sus... ¿chistes? No estoy segura de que Alan haya contado un chiste en toda su vida, pero sí estoy segura de que mi madre encontró alguna razón para reírse tontamente como una colegiala para él. ¿Y dónde estaba yo en toda esta escena? Seguramente en alguna habitación al otro lado de la casa, al cuidado de la niñera, a quien Adora pagaba cinco pavos extra por mantenerme calladita. Y ya me imagino a Alan, pidiéndole matrimonio a mi madre mientras fingía estar mirando por encima de su hombro, o jugueteando con una planta, cualquier cosa con tal de evitar el contacto visual. Mi madre, aceptando gentilmente y luego sirviéndole más té. Quizás un beso casto.

No importa. Para cuando empecé a balbucear mis primeras palabras, ya estaban casados. No sé prácticamente nada sobre mi verdadero padre. El nombre del certificado de nacimiento es falso: Newman Kennedy, por el actor y el presidente favoritos de mi madre, respectivamente. Se negó a revelarme su verdadero nombre, para que no fuese en su busca. No, todo el mundo debía considerarme la hija de Alan, lo cual resultaba difícil, puesto que no tardó en dar a luz a la hija de Alan, ocho meses después de que él se casara con ella. Mi madre tenía veinte años y él treinta y cinco, además de dinero familiar, que a mi madre no le hacía ninguna falta puesto que ya disponía de su propia fortuna. Ninguno de los dos ha trabajado nunca. Con los años, no he descubierto muchas cosas más acerca de Alan. Es un jinete de primera que dejó de montar a caballo porque eso enerva a Adora. Está enfermo muy a menudo, e incluso cuando no lo está, prácticamente no se mueve. Lee infinidad de libros sobre la guerra de Secesión y parece contento dejando que sea mi madre la que hable siempre. Es liso y plano como un cristal. Y sin embargo, Adora nunca ha intentado forjar ningún vínculo entre nosotros. Se me consideraba la hija de Alan, pero éste nunca llegó a ejercer de padre conmigo, y nadie me animó a que lo llamase por otro nombre que no fuese su nombre de pila. Alan nunca me dio su apellido y yo nunca se lo pedí. Recuerdo que un día, cuando era pequeña, probé a llamarlo «papá», y el estupor que se reflejó en su cara bastó para frustrar cualquier futuro intento. Francamente, creo que Adora prefiere que nos tratemos como dos desconocidos. Quiere que todas las relaciones de la casa pasen a través de ella.

Bueno, pero volvamos a la pequeña. Marian fue una dulce sucesión de enfermedades. Tuvo problemas respiratorios desde el principio; se despertaba a media noche resoplando por la falta de oxígeno, azulada y con manchas. La oía como si fuera una ventisca enfermiza pasillo abajo, en el dormitorio contiguo al de mi madre. Las luces se encendían y se oía un arrullo, o a veces un llanto o gritos. Desplazamientos regulares a la sala de urgencias del hospital, a cuarenta kilómetros, en Woodberry. Más adelante tuvo problemas digestivos y se pasaba el día murmurando a las muñecas en una cama de hospital que le instalaron en su propia habitación mientras mi madre la alimentaba a través del goteo intravenoso y los tubos de suero.

Durante esos últimos años, mi madre se arrancó todas las pestañas. Le resultaba imposible apartar los dedos de ellas y dejaba pequeños montoncillos en las superficies de las mesas. Yo me decía a mí misma que eran nidos de hadas. Recuerdo haber encontrado dos largas pestañas rubias pegadas en un lado de mi pie y haberlas guardado durante semanas junto a mi almohada. Por la noche me hacía cosquillas con ellas en las mejillas y en los labios, hasta que un día me desperté y vi que habían volado.

Para cuando mi hermana murió al fin, experimenté cierta sensación de gratitud. Tenía la sensación de que la habían traído a este mundo sin que estuviera formada por completo, que nunca había estado preparada para todo el peso de éste. La gente susurraba palabras de consuelo diciendo que Marian había vuelto al cielo, pero mi madre no pensaba consentir que la apartaran de su dolor. Hasta el día de hoy sigue siendo un *hobby*.

La idea de subirme a mi coche, de un azul descolorido, cubierto de cagadas de pájaro, con los asientos de cuero sin duda ardiendo, no me atraía exactamente, así que decidí dar un paseo a pie por la ciudad. En Main Street pasé junto a la pollería, adonde llegan las piezas bien frescas, directas de las granjas y los mataderos de Arkansas. El olor me inundó las fosas nasales. Una docena o más de pollos desnudos colgaban con aire lascivo en el escaparate, y unas cuantas plumas blancas tapizaban la repisa de debajo.

Hacia el final de la calle, donde había aparecido un improvisado santuario en memoria de Natalie, vi a Amma y a sus tres amigas. Estaban hurgando entre los globos y los regalos de recuerdo; tres de ellas montaban guardia mientras mi hermanastra birlaba dos velas, un ramo de flores y un osito de peluche. Todo menos el oso fue a parar a su bolso de tamaño extragrande. Se quedó con el osito en sus manos mientras las chicas entrelazaban sus brazos y se ponían a dar saltitos alegremente en mi dirección. De hecho, venían directas a mí, y no se detuvieron hasta estar a un palmo de distancia de mis narices, inundando el aire con la clase de perfume fuerte cuyas muestras vienen en las páginas de las revistas.

–¿Nos has visto hacer eso? ¿Vas a incluirlo en tu artículo? –chilló Amma.

Decididamente, ya se le había pasado por completo el berrinche por la casa de muñecas. Saltaba a la vista que esa clase de cosas, tan infantiles, se quedaban en casa. En ese momento se había cambiado el vestido de tirantes por una minifalda, unas sandalias de plataforma y un top elástico.

–Si lo vas a incluir, escribe bien mi nombre: Amity Adora Crellin. Chicas, ésta es... mi hermana. De Chicago. La «bastarda» de la familia. –Amma me miró arqueando las cejas y las chicas se echaron a reír–. Camille, estas son mis mejooores amigas, pero no hace falta que escribas sobre ellas, yo soy la líder.

–Es la líder porque es la que más grita –apuntó una chica menuda de pelo castaño claro y voz ronca.

–Y es la que tiene las tetas más grandes –dijo la segunda chica, con el pelo de color rubio bronce.

La tercera chica, de pelo rubio cobrizo, acercó la mano al pecho izquierdo de Amma y se lo apretó.

–Mitad de verdad, mitad relleno.

–¡Quita la puta mano de ahí, Jodes! –exclamó Amma, y como si estuviese castigando a un gato, le dio un manotazo en la mandíbula.

La chica se puso roja como un tomate y masculló una disculpa.

–Bueno, ¿y qué es lo que quieres, hermana? –preguntó Amma, mirando a su osito–. ¿Por qué estás escribiendo un reportaje sobre dos chicas muertas en las que no se fijaba nadie, para empezar? Como si el hecho de que te asesinen fuese a hacerte popular...

Dos de las chicas soltaron unas carcajadas forzadas, mientras la tercera seguía con la mirada clavada en el suelo. Una lágrima cayó en la acera.

Reconocí aquella manera de hablar provocadora entre chicas: era el equivalente verbal de escardar las hierbas de mi jardín, y aunque a una parte de mí le gustaba aquel espectáculo, sentía cierto afán protector hacia Natalie y Ann, por lo que la falta de respeto de mi hermana, tan agresiva, me sacaba de quicio. Para ser sincera, debo añadir que también sentía celos de Amma. (¿Su segundo nombre era «Adora»?)

–Estoy segura de que a Adora no le haría ninguna gracia leer que su hijita ha robado cosas de un homenaje a una de sus compañeras de colegio –dije.

–Una compañera de colegio no es una amiga –soltó la chica alta, mirando a su alrededor para que las demás le ratificaran mi estupidez.

–Venga, Camille, sólo estábamos de broma –dijo Amma–. Me siento fatal. Eran buenas chicas, sólo que un poco raritas.

–Muy raritas –confirmó una de ellas.

–Eh, chicas... ¿Y si el tío se está cargando a todos los bichos raros? –sugirió Amma, riendo–. ¿A que sería genial?

La niña llorosa levantó la vista al oír aquello y sonrió. Amma siguió ignorándola deliberadamente.

–¿El tío? –pregunté.

–Todo el mundo sabe quién lo hizo –dijo la rubia ronca.

–El hermano de Natalie. A los *freakies* les viene de familia –sentenció Amma.

–Tiene como una obsesión por las niñas pequeñas –explicó la chica llamada Jodes, enfurruñada.

–Siempre está buscando excusas para hablar conmigo –continuó Amma–. Al menos ahora sé que no me matará. Soy demasiado guay.

Lanzó un beso al aire y le pasó el osito a Jodes, rodeó con los brazos a las otras chicas y con un impertinente «perdón», me empujó para pasar por mi lado. Jodes se fue tras ellas.

Detecté en la malicia de Amma cierto aroma a desesperación y a llamada al decoro. Como había expresado durante el desayuno: «Ojalá me asesinasen». Amma no quería que nadie obtuviese más atención que ella, y mucho menos unas niñas que ni siquiera habían podido competir con ella en vida.

Telefoneé a Curry hacia medianoche, a su casa. Curry sale de la ciudad cada día para ir a trabajar, al contrario que todo el mundo; noventa minutos hasta nuestra redacción en las afueras desde la casa unifamiliar que sus padres le dejaron en Mount Greenwood, un enclave irlandés de clase obrera en el South Side. Él y su esposa Eileen no tienen hijos. Nunca han querido tenerlos, suele decir Curry gruñendo, pero he visto el modo en que mira a los críos de dos y tres años de sus empleados desde lejos, la atención que presta cuando algún bebé hace una rara aparición en nuestra redacción. Curry y su mujer se casaron ya mayores. Supongo que no han podido tener hijos.

Eileen es una mujer con curvas, pelirroja y pecosa a la que conoció en el túnel de lavado de coches de su barrio cuando él tenía cuarenta y dos años. Más adelante descubrió que era prima segunda de su mejor amigo de la infancia. Se casaron tres meses después del día que hablaron por primera vez y llevan juntos veintidós años. Me gusta que a Curry le guste contar la historia.

Eileen se mostró muy amable cuando contestó al teléfono, que era lo que yo necesitaba. Pues claro que no estaban durmiendo, dijo, riendo. De hecho, Curry estaba trabajando en uno de sus puzles, de 4.500 piezas. Había ocupado toda la sala de estar y ella le había dado un plazo de una semana para acabarlo.

Oí a Curry avanzar hacia el teléfono, y casi pude oler su tabaco.

–Preaker, mi pequeña, ¿qué hay? ¿Estás bien?

–Estoy bien, sólo que no hay muchos progresos por aquí abajo. He tardado todo este tiempo sólo en conseguir una declaración oficial de la policía.

–¿Y qué dicen?

–Que están investigando a todo el mundo.

–Bah, eso es una mierda. Tiene que haber algo más. Averígualo. ¿Has vuelto a hablar con los padres?

–Todavía no.

–Habla con los padres. Si no consigues nada, quiero ese perfil sobre las niñas muertas. Se trata de una historia de interés humano, no quiero sólo una cobertura policial. Habla también con otros padres, a ver si tienen alguna teoría. Pregúntales si están tomando precauciones adicionales. Habla con los cerrajeros y los dependientes de las armerías, a ver si han aumentado las ventas. Entrevista a algún cura o maestro. Tal vez también a un dentista; averigua lo difícil que es extraer semejante cantidad de dientes, qué clase de instrumento sería necesario, si hace falta tener experiencia previa... Habla con algunos chavales. Quiero voces, quiero caras. Dame un artículo completo para el domingo; vamos a emplearnos a fondo en esto mientras aún tengamos la exclusiva.

Tomé notas, primero en un bloc de papel amarillo y luego en mi cabeza, mientras empezaba a trazar el contorno de las cicatrices del brazo derecho con mi rotulador.

–Quieres decir antes de que haya otro asesinato.

–A menos que la policía sepa mucho más de lo que te está diciendo, va a haber otro, eso está claro. Esta clase de tíos no se detienen después de dos, no cuando siguen un ritual.

Curry no sabe una palabra acerca de crímenes rituales, pero devora unas cuantas novelas de detectives de baja calidad a la semana, ediciones en rústica de páginas amarillentas con tapas brillantes que compra en su librería de libros de segunda mano. «Dos por un pavo, Preaker, a eso lo llamo yo entretenimiento.»

–Bueno, Cachorrilla, ¿alguna teoría acerca de si es alguien de Wind Gap?

A Curry parecía gustarle mi apodo, su reportera novata favorita. Su voz siempre me producía un cosquilleo cuando me llamaba así, como si la propia palabra estuviera ruborizándose. Me lo imaginaba en la sala de estar, observando su puzle, mientras Eileen daba una rápida calada al cigarrillo al tiempo que removía la ensaladilla de atún con pepinillos para el almuerzo de Curry. Comía ensaldilla tres veces a la semana.

–Extraoficialmente, dicen que sí.

–Maldita sea, pues haz que lo digan oficialmente. Lo necesitamos. Eso es bueno.

–Y luego hay otra cosa, Curry. Una cosa rara. He hablado con un chico que dice que estaba con Natalie cuando la secuestraron. Dice que fue una mujer.

102

–¿Una mujer? No es una mujer. ¿Qué dice la policía?

–Sin comentarios.

–¿Quién es el chico?

–El hijo de una empleada de la granja porcina. Un niño muy tierno. Parece asustado de verdad, Curry.

–La policía no le cree, o habrías oído hablar de él. ¿Me equivoco?

–La verdad es que no lo sé. Son muy herméticos.

–Joder, Preaker, haz que hablen de una vez. Que te digan algo oficial.

–Eso es muy fácil decirlo. Tengo la sensación de que el hecho de que yo sea de aquí es casi una desventaja. Me consideran una especie de oportunista por volver ahora para hablar de esto.

–Tienes que conseguir caerles bien. Te resulta fácil caerle bien a la gente. Tu madre responderá por ti.

–A mi madre tampoco le hace ninguna gracia que esté aquí.

Hubo un silencio y luego se oyó un suspiro procedente del extremo de la línea de Curry que me zumbó en los oídos. Mi brazo derecho era un mapa de carreteras azul oscuro.

–¿Estás bien, Preaker? ¿Te estás cuidando?

No dije nada. De repente sentí ganas de echarme a llorar.

–Todo va bien. Es este lugar, que me hace cosas raras. Me siento... mal.

–No te rindas, pequeña. Estás haciendo un buen trabajo. Vas a estar bien, y si no, me llamas. Te sacaré de ahí.

–Vale, Curry.

–Eileen dice que vayas con cuidado. Joder, yo también digo que vayas con cuidado.

6

Las ciudades pequeñas normalmente satisfacen las necesidades de una clase concreta de bebedor. Esa clase puede variar: están las ciudades de segunda fila, las ciudades cutres, que tienen sus bares en los arrabales, lo que hace que sus clientes se sientan poco menos que unos forajidos. Luego están las ciudades de postín donde se bebe a sorbitos, en bares que cobran unos precios exorbitantes por un *gin rickey*, de modo que los pobres tengan que beber en casa. Y luego están las ciudades de clase media con centros comerciales y edificios bajos, donde las cervezas vienen acompañadas de aros de cebollas rebozadas y bocadillos con nombres graciosos.

Por fortuna, en Wind Gap todo el mundo bebe, así que tenemos todos esos bares y más. Tal vez seamos una ciudad pequeña, pero en cuestión de empinar el codo, arrasamos comparados con cualquier otra ciudad que se nos ponga por delante. El garito más próximo a la casa de mi madre era un establecimiento acristalado y caro, especializado en ensaladas y vino con gaseosa, el único restaurante de categoría de todo Wind Gap. Era la hora del almuerzo y no soportaba la imagen de Alan con sus huevos escalfados, así que me fui directamente a La Mère. Sólo estudié francés hasta los dieciséis años, pero a juzgar por la nota rabiosamente náutica predominante en la decoración del local, creo que los propietarios tenían intención de llamarlo La Mer, El Mar, y no La Mère, La Madre. Pese a todo, el nombre seguía siendo de lo más adecuado, puesto que La Madre, mi madre, frecuentaba aquel lugar, así como sus amigas. A todas les encanta la ensalada César con pollo, que no es francesa ni lleva pescado ni marisco, pero no seré yo quien insista sobre ese punto.

–¡Camille!

Una rubia con vestido de tenis atravesó trotando la sala, reluciente toda ella con collares de oro y anillos gruesos. Era la mejor amiga de Adora, Annabelle Gasser; su apellido de soltera era Anderson, y su apodo era Annie-B. Todo el mundo sabía que Annabelle aborrecía con todas sus fuerzas el apellido de su marido, hasta el punto de arrugar la nariz cuando lo pronunciaba. Nunca se le ocurrió que no tenía por qué adoptarlo.

–¡Hola, cielo! Tu mamá me ha dicho que estabas en la ciudad. –No como a la pobre Jackie O'Neele, ninguneada por Adora, a quien también vi en la mesa, a primera vista igual de borracha que en el funeral. Annabelle me dio un beso en cada mejilla y retrocedió un paso para repasarme de arriba abajo–. Sigues igual de guapísima. Venga, ven a sentarte con nosotras. Sólo estamos tomándonos unas botellitas de vino y cotorreando un poco. Si te sientas con nosotras reduciremos el promedio de edad.

Annabelle me arrastró a una mesa donde Jackie charlaba con otras dos mujeres rubias muy bronceadas. No dejó de hablar, ni siquiera mientras Annabelle hacía las presentaciones; se limitó a seguir parloteando sobre sus nuevos muebles para el dormitorio y luego tiró un vaso de agua al volverse hacia mí.

–¿Camille? ¡Estás aquí! Me alegro tanto de verte, corazón...

Parecía sincera. El olor a chicle Juicy Fruit volvió a manar de ella.

–Lleva aquí cinco minutos –le espetó otra rubia, tirando el hielo y el agua al suelo con el dorso de su mano morena.

En dos de sus dedos brillaban un par de diamantes.

–Ah, sí, ya me acuerdo. Estás aquí para cubrir los asesinatos, niña mala... –continuó Jackie–. A Adora no le debe de gustar mucho que duermas en su casa, con esa cabecita tuya tan sucia...

Esbozó una sonrisa que debió de haber sido descarada veinte años atrás, pero que en ese momento parecía una sonrisa de loca.

–¡Jackie! –exclamó una rubia, mirándola con ojos desorbitados.

–Claro que antes de que Adora se hiciese con ella, todas nos quedábamos a dormir en casa de Joya con nuestras sucias cabecitas. Es la misma casa, aunque con una loca distinta como dueña –dijo, tocándose la carne de detrás de las orejas; ¿acaso los puntos de ese *lifting*?

–No llegaste a conocer a tu abuela Joya, ¿verdad que no, Camille? –preguntó Annabelle con un ronroneo.

–¡Uf! Menuda pieza estaba hecha, cariño –dijo Jackie–. Una mujer de armas tomar. Daba miedo, mucho miedo.

–¿Y eso? –pregunté.

Nunca había oído semejante cosa sobre mi abuela. Adora había admitido que era estricta, pero había dicho poco más sobre ella.

–Bah, Jackie está exagerando –repuso Annabelle–. A nadie le gusta su madre en la época del instituto, y Joya murió muy poco después. En realidad nunca llegaron a tener tiempo de establecer una relación adulta.

Por un momento, sentí un lastimoso atisbo de esperanza de que aquélla fuese la razón de que mi madre y yo estuviésemos tan distanciadas: a ella le había faltado práctica. La idea murió antes de que Annabelle hubiese terminado de volver a llenarme la copa.

–Sí, Annabelle –dijo Jackie–. Estoy segura de que si Joya aún viviese, se lo pasarían en grande. Al menos Joya, porque le encantaría destrozar a Camille. ¿Te acuerdas de aquellas uñas suyas, tan increíblemente largas? Nunca se las pintaba. Eso siempre me pareció muy raro.

–Cambio de tema.

Annabelle sonreía, y cada palabra sonó como el tintineo de una campanilla de plata anunciando la cena.

–A mí me parece que el trabajo de Camille tiene que ser fascinante –dijo una de las rubias diligentemente.

–Sobre todo éste –señaló otra.

–Sí, Camille, dinos quién lo hizo –soltó Jackie.

Volvió a esbozar una sonrisa insinuante y abrió y cerró los ojos marrones y redondos. Me recordó a un muñeco de ventrílocuo que hubiese cobrado vida. Con la piel tirante y los capilares rotos.

Tenía unas cuantas llamadas que hacer, pero decidí que aquello podía ser más interesante: ¿un cuarteto de amas de casa borrachas, aburridas y con muy mala leche que estaban al tanto de todos los chismes de Wind Gap? Podría cargarlo a los gastos como un almuerzo de negocios.

—En realidad, me interesa mucho más saber qué pensáis vosotras.

Una frase que no podían oír muy a menudo.

Jackie mojó su trozo de pan en un bol de aliño para ensalada con mayonesa y luego dejó que le goteara delante.

—Bueno, todas sabéis lo que opino yo. El padre de Ann, Bob Nash. Es un pervertido. Siempre se me queda mirando el escote cuando lo veo en la tienda.

—Para lo que hay que ver... —comentó Annabelle, y me dio un ligero codazo con gesto risueño.

—Hablo en serio. Es una exageración. Hace tiempo que quiero decírselo a Steven.

—Tengo noticias muy suculentas —intervino la cuarta rubia. ¿Dana o Diana? Se me había olvidado en cuanto Annabelle nos presentó.

—Huy, DeeAnna siempre tiene una buena primicia, Camille —me explicó Annabelle, apretándome el brazo.

DeeAnna hizo una pausa para que sus palabras tuvieran más efecto, se pasó la lengua por los dientes, se sirvió otra copa de vino y nos miró por encima del borde de cristal.

—John Keene se ha ido de casa de sus padres —anunció.

—¿Qué? —exclamó una rubia.

—Nooo, no puedes decirlo en serio —dijo otra.

—Madre de Dios... —masculló una tercera.

—Y... —siguió hablando DeeAnna con aire triunfante, sonriendo como la azafata de un concurso a punto de adjudicar un premio— se ha ido a la casa de Julie Wheeler, a la cochera de la parte de atrás.

—Es demasiado bueno para ser verdad —comentó Melissa o Melinda.

—Bueno, pues ahora ya sabemos que sí lo están haciendo —se rió Annabelle—. Es imposible que Meredith pueda seguir adelante con la pantomima de su Niña Perfecta. Verás, Camille –se volvió a mí–: John Keene es el hermano mayor de Natalie, y cuando esa familia se vino a vivir aquí, la ciudad entera perdió la cabeza por él. La verdad es que es guapísimo. Guapí-si-mo. Julie Wheeler es una amiga de tu madre y nuestra; no tuvo hijos hasta los... ¿qué, los treinta? Y cuando por fin tuvo a su hija se volvió sencillamente insufrible. Una de esas personas cuyos hijos nunca hacen nada malo. Así que cuando Meredith, su hija, se lió con John... Oh, Dios, la que armó... Creíamos que nunca iba a dejar de alardear de hija: Meredith, la pequeña virgen bodoque que sólo saca sobresalientes se liga al adonis del campus. Pero es imposible que un chico como él, de su edad, salga con una chica que no se acueste con él. Eso es imposible, sencillamente. Y ahora, todo esto les viene de maravilla. Tendríamos que hacerles fotos y ponérselas a Julie debajo del limpiaparabrisas.

–Bueno, ya sabes cómo lo va a vender ella –la interrumpió Jackie–: lo buenos que son por haber acogido a John en su casa, lo generosos que son por haberle dado un poco de espacio para respirar mientras llora la muerte de su hermana...

–Pero ¿por qué se ha ido de casa? –preguntó Melissa/Melinda, a quien yo empezaba a considerar la voz de la razón–. Quiero decir, ¿no debería estar con sus padres en un momento como éste? ¿Por qué iba a necesitar espacio para respirar?

–Porque él es el asesino –soltó DeeAnna, y toda la mesa se echó a reír.

–Huy, eso sí que sería estupendo: que Meredith Wheeler se estuviera tirando a un asesino en serie –dijo Jackie.

De repente, la mesa dejó de reír. A Annabelle le entró un hipo que parecían más bien estornudos y consultó su reloj. Jackie apoyó la barbilla en la mano y resopló con tanta fuerza que barrió las migas de pan que había en su plato.

–No me puedo creer que esto esté pasando de verdad –comentó DeeAnna, mirándose las uñas–. Aquí, en nuestra misma ciudad, donde nos hemos criado. Esas pobres niñas... Me pongo mala sólo de pensarlo. Se me revuelve el estómago.

–Me alegro tanto de que mis hijas sean ya mayores... –dijo Annabelle–. Creo que no podría soportarlo. No podría, simplemente. La pobre Adora tiene que estar muerta de preocupación por Amma.

Mordisqueé un trozo de pan como si fuera un pajarillo, comiendo de la misma forma aniñada que mis anfitrionas, y desvié la conversación de Adora.

–¿De verdad cree la gente que John Keene puede haber tenido algo que ver con todo esto? ¿O son simples habladurías de las malas lenguas? –Sentí cómo escupía esa última parte. Había olvidado lo imposible que mujeres como aquéllas podían hacerle la vida en Wind Gap a la gente que no les caía bien–. Sólo lo pregunto porque un grupo de chicas, seguramente estudiantes de primer año de instituto, me dijeron lo mismo justo ayer.

Pensé que sería mejor no mencionar que Amma era una de ellas.

–A ver si lo adivino, cuatro rubitas bocazas que se creen más guapas de lo que son en realidad –dijo Jackie.

–Jackie, querida, ¿te das cuenta de a quién le acabas de decir eso? –señaló Melissa/Melinda, dándole un golpecito en el hombro.

–Joder, mierda. Siempre se me olvida que Amma y Camille tienen algún parentesco... Épocas distintas, ¿sabes? –Jackie sonrió. Se oyó el potente estallido de una botella descorchada a sus espaldas, y ella levantó la copa sin ni siquiera mirar al camarero–. Camille, más vale que te enteres por nosotras: tu pequeña Amma es una autéeentica lianta.

–Me han dicho que van a todas las fiestas del instituto –dijo DeeAnna– y se llevan a todos los chicos. Hacen cosas que nosotras nos hicimos hasta que llevábamos casadas muchísimos años... y sólo después de la transacción de unas cuantas piezas de joyería muy valiosas. –Agitó una muñequera de tenis de diamantes.

Todas se echaron a reír y Jackie llegó incluso a golpear la mesa con ambos puños como una niña en pleno ataque de risa.

–Pero...

–No sé si la gente cree realmente que John lo hizo. Sé que la policía habló con él –explicó Annabelle–. Definitivamente, es una familia muy rara.

–Vaya, pues creía que estabais muy unidas a ellos –dije–. Os vi en su casa después del entierro. –«Cabronas de mierda», añadí para mis adentros.

–Toda la gente importante de Wind Gap estaba en esa casa después del entierro –apuntó DeeAnna–. Como para perdernos una función como ésa...

Hizo un intento de reanudar las risas de nuevo, pero Jackie y Annabelle asentían con aire solemne. Melissa/Melinda miraba a su alrededor como si desease estar en cualquier otra mesa del restaurante.

–¿Dónde está tu madre? –espetó Annabelle de repente–. Tendría que venir por aquí algún día, le sentaría muy bien. Lleva comportándose de una forma tan rara desde que empezó todo esto...

–Ya se comportaba de forma extraña antes de esto –dijo Jackie, moviendo exageradamente la mandíbula. Me pregunté si no iría a vomitar.

–Jackie, por favor...

–Va en serio. Camille, deja que te diga algo: ahora mismo, tal y como están las cosas con tu madre, estarías mejor en Chicago. Deberías volver pronto allí. –Su rostro había perdido todo signo de locura, y ahora parecía completamente solemne. Y sinceramente preocupada. Sentí que volvía a caerme bien–. De verdad, Camille...

–Jackie, cierra la boca –la interrumpió Annabelle, y le arrojó un panecillo, con fuerza, a la cara.

Éste le rebotó en la nariz y cayó sobre la mesa con un ruido sordo. Un arrebato de violencia más bien tonto, como cuando Dee me tiró la pelota de tenis... Te sorprende menos el impacto que el hecho de que pase una cosa así. Jackie asimiló el golpe con un movimiento desdeñoso con la mano y siguió hablando.

–Diré lo que me dé la gana, y estoy diciendo que Adora podría hacer daño...

Annabelle se levantó, fue junto a Jackie y la alzó tirando de su brazo.

–Jackie, tienes que ir al lavabo a vomitar –dijo. Su voz era una mezcla de arrullo y amenaza–. Has bebido demasiado y si no vomitas te vas a encontrar fatal. Deja que te lleve al lavabo de señoras y te ayude a sentirte mejor.

En un primer instante Jackie apartó la mano, pero Annabelle la agarró con más fuerza y las dos no tardaron en desaparecer en dirección al lavabo. Silencio en la mesa. Yo me quedé boquiabierta.

–No es nada –dijo DeeAnna–. Nosotras, las chicas mayores, también nos peleamos de vez en cuando, igual que vosotras, las jóvenes. Escucha, Camille, ¿te has enterado de que a lo mejor abren un Gap aquí?

Las palabras de Jackie se me habían quedado grabadas: «Tal y como están las cosas con tu madre, estarías mejor en Chicago». ¿Cuántas señales más necesitaba para marcharme de Wind Gap? Me pregunté por qué razón exactamente se habrían peleado ella y Adora. Tenía que tratarse de algo más que de una postal de felicitación olvidada detrás de su enfado. Anoté mentalmente que tenía que pasar por casa de Jackie cuando ésta estuviese más sobria, si es que lo estaba alguna vez. Aunque bien pensado, yo no era la persona más indicada para censurar a una alcohólica.

Con un buen colocón de vino, llamé a los Nash desde el supermercado; una temblorosa voz de chica contestó y luego se quedó callada. La oía respirar, pero no obtuve ninguna respuesta a mis peticiones de hablar con su padre o con su madre. Luego se oyó un lento y suave clic antes de que se cortase la línea. Decidí probar suerte en persona.

Un monovolumen de la época disco estaba aparcado en la entrada de la casa de los Nash junto a un Trans Am amarillo herrumbroso, lo que supuse que significaba que tanto Bob como Betsy estaban en casa. La hija mayor respondió al timbre, pero se limitó a quedarse al otro lado de la puerta mosquitera mirándome la barriga cuando le pregunté si estaban sus padres. Los Nash eran de constitución más bien menuda. Sabía que aquélla, Ashleigh, tenía doce años, pero como el niño regordete al que había visto en mi primera visita, parecía varios años más joven y actuaba como tal. Se chupaba el pelo y ni siquiera pestañeó cuando el pequeño Bobby se acercó andando como un pato hacia ella y rompió a llorar en cuanto me vio. Luego se puso a berrear. Pasó un minuto largo hasta que Betsy Nash se acercó a la puerta. Tenía el mismo aspecto atolondrado que sus dos hijos y parecía confusa cuando me presenté.

–En Wind Gap no hay ningún periódico local –dijo.

–Cierto, soy del *Chicago Daily Post* –expliqué–. De Chicago, en Illinois.

–Bueno, mi marido es quien se encarga de las suscripciones y esas cosas –repuso, y empezó a acariciar con los dedos el pelo rubio de su hijo.

–No he venido a ofrecerle una suscripción... ¿Está el señor Nash en casa? ¿Podría hablar con él un momentito?

Los tres Nash se apartaron de la puerta en bloque y al cabo de unos minutos Bob Nash me hizo pasar y se puso a apartar la colada del sofá para hacerme sitio.

–Joder, esta casa es una pocilga –masculló en voz alta, dirigiéndose a su esposa–. Perdone el desorden, señorita Preaker. Es que aquí las cosas son un desastre desde lo de Ann.

–Oh, no se preocupe por eso –dije, quitando un par de calzoncillos diminutos de debajo de mi trasero–. Así es como está mi casa todo el tiempo.

Eso era justo lo contrario de la verdad. Una cualidad que sí he heredado de mi madre es la limpieza compulsiva; tengo que contenerme cada vez que quiero planchar un par de calcetines. Cuando volví del hospital, pasé incluso por una fase en la que tenía que hervirlo todo: pinzas y rizadores de pestañas, horquillas y cepillos de dientes. Era un capricho que me permitía a mí misma, aunque terminé tirando las pinzas a la basura: demasiados pensamientos a medianoche sobre sus puntas brillantes y agradables. Una cabecita muy sucia, desde luego.

Sentí deseos de que Betsy Nash desapareciese, literalmente. Era tan incorpórea que me la imaginaba evaporándose despacio, dejando tras de sí una sola mancha pegajosa en el borde del sofá. Pero se quedó allí, mirándonos a su marido y a mí, alternativamente, antes incluso de que empezásemos a hablar.

Como si se estuviese entrenando para la conversación. Los niños también merodeaban por allí, al acecho, como pequeños fantasmas rubios atrapados en un limbo entre la indolencia y la estupidez. La chica guapa saldría adelante, pero la vida de la mediana regordeta, que en ese momento entraba en la sala con paso vacilante y aire bobalicón, estaba condenada al sexo por necesidad y a los atracones a base de bollos. El niño era del tipo de críos que acaban bebiendo en los aparcamientos de las gasolineras. La clase de chicos enfadados y aburridos que vi cuando iba de camino a Wind Gap.

–Señor Nash, necesito hablar con usted un poco más sobre Ann. Es para un artículo más extenso –empecé a decir–. Fue usted muy amable al dedicarme su tiempo, y esperaba que tal vez pudiese dedicarme un poco más.

–Cualquier cosa con tal de atraer un poco más de atención sobre este caso, no nos importa –contestó–. ¿Qué quiere saber?

–¿Qué clase de juegos le gustaban? ¿Cuál era su comida favorita? ¿Qué palabras utilizaría para describirla? ¿Tenía madera de líder o más bien era influenciable? ¿Tenía muchas amigas o sólo algunas y muy buenas? ¿Le gustaba la escuela? ¿Qué hacía los sábados? –Los Nash se me quedaron mirando en silencio un segundo–. Cosas así... para empezar.

–Mi esposa es la más indicada para responder a la mayoría de esas preguntas –dijo Bon Nash–. Ella es... quien los cuida.

Se volvió hacia Betsy Nash, que estaba doblando el mismo vestido una y otra vez sobre su regazo.

–Le gustaba la pizza y las varitas de pescado –respondió–. Se llevaba bien con muchas chicas, pero sólo tenía unas cuantas amigas de verdad, creo que ya me entiende. Jugaba mucho sola.

–Oye, mami, Barbie necesita ropa –intervino Ashleigh, al tiempo que blandía una muñeca de plástico desnuda delante de la cara de su madre.

Ninguno de los tres le hicimos caso y la niña tiró el juguete al suelo y empezó a dar vueltas por la habitación imitando a una bailarina. Viendo en aquello una oportunidad insólita, Tiffanie se abalanzó sobre la muñeca y empezó a separar y juntar las bronceadas piernas de goma, abrir y cerrar, abrir y cerrar...

114

–Era una chica dura, la más dura. Ésa era mi chica –dijo Bob Nash–. Podría haber jugado al fútbol si hubiera sido un chico. No paraba de darse golpes, corriendo de acá para allá; siempre iba llena de rasguños y moratones.

–Ann era mi boca –comentó Betsy en voz baja; luego no añadió nada más.

–¿Qué quiere decir con eso, señora Nash?

–Era muy parlanchina, siempre decía todo lo que le pasaba por la cabeza. En el buen sentido. La mayoría de las veces. –Volvió a quedarse en silencio, pero vi que su cerebro estaba retrocediendo en el tiempo, así que no dije nada–. ¿Sabe? Pensaba que sería abogada o que participaría en los debates en la universidad o algo así algún día, porque era tan... Nunca se paraba a medir sus palabras, como hago yo. Yo creo que todo lo que digo es una estupidez. Ann pensaba que todo el mundo tenía que oír lo que ella tuviese que decir.

–Ha mencionado la escuela, señorita Preaker –la interrumpió Bob Nash–. Ahí era donde su locuacidad la metía en líos. Podía ser un poco mandona, y a lo largo de los años nos llamaron en alguna ocasión del colegio para decirnos que no se portaba muy bien en clase. Se ponía un poco difícil.

–Pero a veces creo que era porque era muy lista –intervino Betsy Nash.

–Sí, era más lista que el hambre, eso es verdad –convino Bob Nash–. A veces creo que era más lista que su propio padre. Y a veces incluso ella se creía más lista que su propio padre.

–¡Mírame, mami!

Tiffanie la regordeta, que hasta entonces había estado mordisqueando distraídamente los pies de la muñeca, corrió al centro de la sala de estar y se puso a dar volteretas. Ashleigh, presa de una ira imaginaria, gritó al ver la atención que prestaba su madre a la mediana y le dio un fuerte empujón. Luego le tiró del pelo enérgicamente una sola vez. El rostro de Tiffanie se desencajó con un sonoro aullido rojo, que volvió a desencadenar el llanto del pequeño Bobby júnior.

–Ha sido culpa de Tiffanie –se defendió Ashleigh, y se puso a gimotear ella también.

Yo había roto alguna delicada dinámica: una casa con varios niños es un nido de celos malsanos, eso lo sabía, y a los hijos de los Nash les daba pánico la idea de tener que competir no sólo entre ellos sino también con una hermana muerta. Los entendía perfectamente.

–Betsy –murmuró Bob Nash con calma, arqueando ligeramente las cejas.

La mujer cogió rápidamente a Bobby júnior y se lo subió a una cadera, arrancó a Tiffanie del suelo con una mano y puso el otro brazo alrededor de la ya inconsolable Ashleigh, y pronto los cuatro abandonaron la habitación.

Bob Nash se los quedó mirando un segundo.

–Llevan así casi un año, esas niñas –dijo–. Se comportan como si fueran crías, aunque se supone que deberían estar ansiosas por crecer. La muerte de Ann ha cambiado esta casa más que... –Se removió en el sofá–. Ella era una persona de verdad, ¿sabe? Cualquiera pensaría: «Nueve años, ¿qué es eso?». ¿Qué se puede ser con nueve años? Pero Ann tenía personalidad, mucha personalidad. Yo podía adivinar lo que pensaba de las cosas, cuando veíamos la televisión sabía lo que le parecía gracioso y lo que le parecía estúpido. Eso no me pasa con mis otros hijos. Joder, ni siquiera me pasa con mi esposa. En cambio Ann... Estaba siempre tan... –A Bob Nash se le hizo un nudo en la garganta. Se puso de pie y se alejó de mí, se volvió una vez y luego se alejó de nuevo, dio la vuelta al sofá y luego se quedó de pie delante de mí–. Maldita sea, quiero que vuelva... ¿Qué pasa ahora? ¿Esto es todo? –Extendió el brazo en un movimiento que abarcaba toda la habitación, hacia la puerta por donde habían salido su esposa e hijos–. Porque si esto es todo, no tiene mucho sentido, ¿no? Y... maldita sea, alguien tiene que encontrar a ese hombre, porque tiene que decirme por qué Ann... Necesito saberlo. Siempre pensé que sería a ella a la que le irían las cosas bien.

Me quedé en silencio un minuto, notándome el pulso en el cuello.

–Señor Nash, me han comentado que tal vez la personalidad de Ann, que usted mismo ha calificado de muy fuerte, pudo haber molestado a algunas personas. ¿Cree usted que eso podría tener algo que ver con su muerte?

Sentí cómo se ponía en guardia ante mí, lo vi en el modo

116

en que se sentó y se recostó lentamente en el sofá, extendiendo los brazos y aparentando naturalidad.

–¿Molestar a quiénes?

–Bueno, tengo entendido que hubo problemas entre Ann y el pájaro de un vecino... ¿Puede que ella hubiese hecho daño al pájaro de algún vecino?

Bob Nash se frotó los ojos y se miró los pies.

–Dios, cómo corren los chismes en esta ciudad... Nadie llegó a demostrar que fuese Ann quien hizo aquello. Ella y los vecinos ya habían tenido algún que otro roce. Joe Duke, el vecino de enfrente... Sus hijas, son mayores, se metían mucho con Ann, le gastaban bromas pesadas y esas cosas. Entonces, un día, la invitaron a su casa a jugar con ellas. No sé qué fue lo que sucedió en realidad, pero cuando Ann venía de regreso a casa, todas estaban chillando que había matado a su maldito pájaro. –Se echó a reír y se encogió de hombros–. A mí no me habría importado que hubiese sido ella; era un pajarraco viejo y escandaloso.

–¿Cree usted que Ann era capaz de hacer algo así, si la provocaban?

–Bueno, cualquiera que provocase a Ann habría sido un idiota –dijo–. No se tomaba bien esa clase de cosas. No era una pequeña dama, exactamente.

–¿Cree que conocía a la persona que la mató?

Nash cogió una camiseta rosa del sofá y la dobló a cuadros como si fuera un pañuelo.

–Antes creía que no, pero ahora creo que sí. Creo que se fue con alguien a quien conocía.

–¿Y es más probable que se fuera con un hombre o con una mujer? –inquirí.

–Entonces, ¿ha oído la historia de James Capisi?

Asentí con la cabeza.

–Bueno, es más probable que una chiquilla confíe en una persona que le recuerde a su madre, ¿no?

Depende de cómo sea su madre, pensé.

–Pero sigo pensando que se trata de un hombre. No me imagino a una mujer haciendo... todo eso a una criatura. He oído que John Keene no tiene coartada. A lo mejor quería matar a una niña, veía a Natalie a todas horas todos los días y no pudo soportarlo; tuvo un impulso, así que fue y mató a otra niña bruta y chicarrona, del estilo de Natalie. Pero luego, al final, no pudo resistirlo y mató también a Natalie.

–¿Es eso lo que se rumorea? –quise saber.

–Algo así, supongo.

Betsy Nash apareció de improviso en el quicio de la puerta. Mirándose las rodillas, anunció:

–Bob. Adora está aquí.

El estómago se me encogió sin mi permiso.

Mi madre entró tan campante, oliendo a agua azul y cristalina. Parecía más cómoda en la casa de los Nash que la propia señora Nash; era un don natural de Adora, hacer que otras mujeres se sintieran insignificantes. Betsy Nash se retiró de la sala, como la criada de una película de los años treinta. Mi madre se negó a mirarme: se dirigió directamente a Bob Nash.

–Bob, Betsy me ha dicho que había una periodista aquí y enseguida he deducido que se trataba de mi hija. No sabes cuánto lo siento. Te pido mil perdones por la intromisión.

Bob Nash miró fijamente a Adora y luego a mí.

–¿Ésta es tu hija? No tenía ni idea.

–No, claro que no. Camille no es una persona muy familiar.

–¿Por qué no me ha dicho nada? –me exigió Nash.

–Ya le dije que era de Wind Gap. No pensaba que le interesase saber quién es mi madre.

–No, no estoy enfadado, no me malinterprete. Es sólo que su madre es muy buena amiga nuestra –dijo, como si Adora fuese una bienhechora de gran corazón–. Daba clases particulares de lengua y ortografía a Ann. Ella y mi hija estaban muy unidas. Ann estaba muy orgullosa de tener una amiga adulta.

Mi madre se sentó con las manos entrelazadas en el regazo y la falda extendida sobre el sofá, y me guiñó un ojo. Me sentí como si me estuviese advirtiendo que no dijese algo, pero no sabía el qué.

–No tenía ni idea –dije al fin.

Y era verdad. Creía que mi madre había fingido conocer a aquellas dos chiquillas para exagerar el duelo por su muerte.

Ahora me sorprendía lo discreta que había sido. Pero ¿por qué daba clases particulares a Ann? Se habría ofrecido como voluntaria en la asociación de padres en mi colegio cuando yo era pequeña, sobre todo para pasar un rato con otras amas de casa de Wind Gap, pero no me imaginaba que fuese capaz de llevar su principio de *noblesse oblige* hasta el extremo de pasar las tardes con una chiquilla harapienta del lado oeste de la ciudad. A veces subestimaba a Adora. Supongo.

—Camille, creo que deberías marcharte —dijo Adora—. He venido a visitar a esta familia y estos días me resulta difícil relajarme cuando tú estás cerca.

—No he acabado de hablar con el señor Nash.

—Sí, sí que has acabado.

Adora miró a Nash para que confirmase sus palabras y éste esbozó una sonrisa incómoda, como alguien que mirara directamente al sol.

—A lo mejor podemos retomar esta conversación otro día, señorita... Camille.

De pronto, una palabra empezó a relampaguearme en la parte baja de la cadera: «castigo». Noté cómo empezaba a arder.

—Gracias por su tiempo, señor Nash —me despedí, y salí de la habitación sin mirar a mi madre.

Empecé a llorar antes incluso de haber llegado al coche.

7

Un vez estaba en una esquina fría en Chicago, esperando a que el semáforo se pusiera en verde, cuando llegó un ciego con su bastón. «¿Cómo son los cruces por estas calles?», preguntó, y cuando no le respondí, se volvió hacia mí y dijo: «¿Hay alguien ahí?». «Estoy aquí», contesté y esas palabras me parecieron increíblemente reconfortantes. Cada vez que me entra el pánico, las digo en voz alta para mí sola. «Estoy aquí.» No suelo sentir que lo esté; me siento como si una ráfaga cálida de viento fuese a soplar en mi dirección y a hacerme desaparecer para siempre, sin dejar siquiera un cachito de uña. Algunos días ese pensamiento me resulta tranquilizador y otros, en cambio, me da escalofríos.

Mi sensación de ingravidez se debe, creo, al hecho de que sé muy pocas cosas acerca de mi pasado, o al menos ésa es la conclusión a la que llegaron los loqueros del hospital. Hace ya mucho tiempo que he desistido de la idea de averiguar algo sobre mi padre; cuando me lo imagino, es una imagen genérica del «padre». No soporto pensar en él de forma demasiado específica, imaginármelo comprando en el súper o tomándose una taza de café por las mañanas, volviendo a casa a jugar con los niños... ¿Me daré algún día de bruces con una chica que se parezca a mí? De niña trataba con ahínco de encontrar un parecido sólido entre mi madre y yo, algún vínculo que demostrase que descendía de ella. La escudriñaba cuando no me veía, robaba los retratos enmarcados de su habitación e intentaba convencerme a mí misma de que había heredado sus ojos. O tal vez fuese algo que no estaba en la cara, la curva de una pantorrilla o el hueco del cuello.

Ni siquiera me contó nunca cómo había conocido a Alan;

todo lo que sé acerca de la historia entre ambos lo he ido descubriendo por terceros. En mi casa no se fomentan las preguntas, se consideran una indiscreción. Recuerdo la impresión que me produjo oír a mi compañera de habitación en la universidad hablando con su madre por teléfono: las nimiedades con todo lujo de detalles y su falta de autocensura se me antojaban decadentes. Contaba tonterías sin importancia, como que había olvidado de que estaba matriculada en una asignatura (había olvidado por completo que tenía clase de Geografía 101 tres días a la semana), y lo decía en el mismo tono jactancioso de un párvulo que hubiese ganado un premio con un dibujo de ceras.

Recuerdo que al final conocí a su madre en persona, y también cómo ésta se paseaba ágilmente por nuestra habitación inspeccionándolo todo y haciendo toda clase de preguntas, sabiendo como ya sabía tantas cosas sobre mí. Le dio a Alison una enorme bolsa de plástico llena de imperdibles que le pareció que podían serle de utilidad, y cuando se marcharon a almorzar, me sorprendí a mí misma echándome a llorar. Aquel sencillo gesto, algo tan insignificante y tan amable, me desconcertó por completo. ¿Era aquello lo que hacían las madres, preguntarse si a sus hijas les hacían falta imperdibles? La mía llamaba una vez al mes y siempre hacía las mismas preguntas prácticas (notas, clases, futuros gastos...).

De niña, no recuerdo haberle dicho nunca a Adora cuál era mi color preferido, ni qué nombre me gustaría ponerle a mi hija cuando fuese mayor. No creo que llegase a saber nunca cuál era mi plato favorito y desde luego nunca aparecí en su cuarto de madrugada, llorando por culpa de las pesadillas. Siempre siento lástima por la niña que fui, porque nunca se me pasó por la cabeza que mi madre pudiese consolarme. Nunca me ha dicho que me quiere, y nunca he supuesto que sea así. Se ocupaba de mí, atendía mis necesidades. Ah, sí, y un día me compró crema con vitamina E.

Durante cierto período de tiempo quise convencerme de que la distancia de Adora era una defensa construida después de lo de Marian, pero en realidad creo que siempre ha tenido más problemas con los niños de los que está dispuesta a admitir. De hecho, creo que los odia. Hay celos, cierto resentimiento que puedo sentir aún hoy, en mi memoria. En un momento dado seguramente le gustó la idea de tener una hija. Cuando Adora era niña, estoy segura de que soñaba con ser madre, con dar mimos, con lamer a su bebé como una gata amamantando a sus crías. Siente esa clase de voracidad por los niños, se abate de esa manera sobre ellos. Incluso a mí, en público, me trataba como una madre amantísima. Una vez terminado su período de duelo por Marian, me exhibía por la ciudad, sonriendo y halagándome con carantoñas, haciéndome cosquillas mientras charlaba con la gente en las aceras. Cuando llegábamos a casa, se iba a su habitación como una frase dejada a medias, y yo me sentaba fuera apretando la cara contra su puerta y volvía a reproducir la moviola del día en mi cabeza, buscando pistas que me indicasen qué podía haber hecho para disgustarla.

Llevo un recuerdo adherido a la memoria como un coágulo sucio de sangre. Marian llevaba muerta un par de años y mi madre había invitado a un grupo de amigas a casa a tomar algo. Una de ellas trajo a un bebé. Se pasaron horas arrullando al crío, cubriéndolo de besos y marcas de pintalabios, limpiándolo con pañuelos de papel y luego vuelta a ensuciarlo con pintalabios. Se suponía que yo estaba leyendo en mi cuarto, pero me senté en lo alto de la escalera a observarlas.

Al final le pasaron el pequeño a mi madre y ésta lo estrechó con fuerza. «Ay, qué maravilla poder volver a abrazar a un bebé otra vez...» Adora lo columpió sobre su rodilla, lo paseó por las habitaciones, le susurró cosas al oído, y yo lo contemplaba todo desde arriba como si fuera una pequeña diosa rencorosa, apretándome el dorso de la mano contra la cara e imaginando qué sensación produciría el contacto de mi mejilla con la mejilla mi madre.

Cuando las señoras se fueron a la cocina para ayudar a fregar los platos, algo cambió. Recuerdo a mi madre, a solas en la sala de estar, mirando al niño con una mirada casi lasciva. Apretó los labios con fuerza contra la mejilla carnosa del pequeño y luego abrió la boca sólo un poco, atrapó un diminuto trozo de carne entre los dientes y le dio un pequeño mordisco.

El bebé se puso a aullar. La mancha de la mejilla fue desapareciendo mientras Adora mecía al niño en sus brazos y les decía a las demás mujeres que se había puesto un poco nervioso. Yo corrí a la habitación de Marian y me metí debajo de las mantas.

De vuelta en Footh's a tomar una copa después del episodio con mi madre y los Nash. Estaba bebiendo demasiado, pero nunca hasta el punto de la borrachera, razoné conmigo misma. Sólo necesitaba echar un trago. Siempre he sentido debilidad por la imagen del licor como lubricación, una barrera de defensa contra todos los pensamientos dañinos que fabrica la mente. El camarero era un tipo con la cara redonda que iba dos cursos detrás de mí en el instituto y que estaba casi segura de que se llamaba Barry, pero no tanto como para llegar a llamarlo así.

–Bienvenida –murmuró mientras me llenaba un vaso grande de plástico de la gasolinera con dos tercios de bourbon y luego añadía un poco de cola–. Invita la casa –dijo, dirigiéndose al servilletero–. Aquí no aceptamos dinero de las mujeres guapas.

El cuello se le puso colorado y de repente fingió que tenía algo urgente que hacer al otro extremo de la barra.

Decidí conducir por Neeho Drive para volver a casa. Era una calle donde habían vivido varios de mis amigos; atravesaba toda la ciudad y se volvía más elegante a medida que se acercaba a la casa de Adora. Vi la vieja casa de Katie Lacey, un caserón de paredes poco sólidas que sus padres habían construido cuando teníamos diez años, después de haber reducido a astillas su antigua casa victoriana.

En la siguiente manzana, vi a una niña que avanzaba a trompicones con un carrito de golf decorado con pegatinas de flores. Llevaba el pelo recogido en unas elaboradas trencitas que recordaban a una muchacha tirolesa en un bote de cacao en polvo. Amma. Había aprovechado la visita de Adora a los

Nash para hacer una escapadita: ver a una chica sola por la calle se había convertido en una rareza en Wind Gap desde el asesinato de Natalie.

En lugar de seguir camino a casa, giró y se fue en dirección este, lo que significaba que se dirigía a las casuchas cochambrosas y a la granja porcina. Doblé la esquina y la seguí tan despacio que casi se me cala el motor.

El trayecto ofrecía una oportuna cuesta abajo para Amma y el carrito se deslizaba a tanta velocidad que las trenzas le ondeaban al viento, a su espalda. Al cabo de diez minutos ya habíamos salido a campo abierto: hierbajos de tallo alto y amarillo y vacas ociosas, graneros encogidos como si fueran ancianos. Dejé el coche en punto muerto unos minutos para concederle a Amma cierta ventaja y luego seguí conduciendo a la distancia suficiente para no perderla de vista. Pasamos cerca de varias granjas y junto a un puesto de venta de nueces en el arcén atendido por un chaval que sostenía el cigarrillo con el aire desenvuelto de una estrella de cine. El aire no tardó en oler a mierda y a saliva rancia y supe con certeza adónde nos dirigíamos. Al cabo de diez minutos más, aparecieron las rejas metálicas de las porquerizas, largas y relucientes como hileras de grapas. Los chillidos hacían que me sudasen hasta las orejas, como los chirridos de una herrumbrosa bomba manual de agua. La nariz me empezó a arder involuntariamente y se me humedecieron los ojos. Quienes hayan estado alguna vez cerca de una fábrica de explotación animal saben a lo que me refiero. El olor no es como el agua o el aire, es algo sólido. Como si se pudiese abrir un agujero en el hedor para encontrar cierto alivio... sólo que no se puede.

Amma pasó a toda velocidad por la verja de entrada a la granja y el tipo de la garita se limitó a saludarla con la mano. A mí me costó más entrar hasta que pronuncié la palabra mágica: «Adora».

—Es verdad, Adora tiene una hija mayor. Ya me acuerdo —dijo el viejo.

En su tarjeta de identificación se leía un nombre: «José». Me fijé a ver si le faltaba algún dedo, porque a los mexicanos no les dan trabajos cómodos en una garita a menos que alguien esté en deuda con ellos. Así es como funcionan las fábricas por aquí abajo: los mexicanos siempre tienen los trabajos más peligrosos, los trabajos de mierda, y los blancos aún se quejan.

Amma aparcó el carrito junto a una camioneta y se sacudió el polvo de encima. A continuación, echó a andar con paso resuelto y brioso y dejó atrás el matadero, las hileras de porquerizas, con aquellos hocicos rosados y húmedos retorciéndose entre las rejillas de los respiraderos, y se fue derecha a una enorme nave metálica donde tiene lugar el amamantamiento. La mayoría de las madres son inseminadas repetidamente, camada tras camada, hasta que sus cuerpos dicen basta y las llevan al matadero. Pero mientras siguen siendo útiles, las obligan a amamantar a los lechones atadas de costado en las jaulas parideras, abiertas de patas y con los pezones al aire. Los cerdos son criaturas extremadamente inteligentes y sociables, y esa intimidad forzada de cadena de montaje hace que a las cerdas madres les entren ganas de morirse, cosa que hacen en cuanto se les seca la leche.

La sola idea de esa práctica me parece repulsiva, pero el hecho de verla con tus propios ojos te afecta muy directamente, te hace menos humano. Como ver una violación y no decir nada. Vi a Amma al final de la nave, de pie junto a una jaula paridera. Unos hombres estaban sacando de ella a una camada de lechones que no dejaban de chillar y la sustituían por otra. Me dirigí al otro extremo de la nave para poder ponerme detrás de Amma sin que me viera. La cerda yacía de lado en estado casi comatoso, con la barriga expuesta entre unas barras de metal y unos pezones enrojecidos y sanguinolentos despuntando hacia fuera como si fueran dedos. Uno de los hombres untó con aceite el pezón más ensangrentado y luego lo sacudió y se echó a reír. No prestaban ninguna atención a Amma, como si fuese normal que ella estuviese allí. Amma le guiñó un ojo a uno de ellos mientras metían a otra cerda en una jaula y se iban a buscar la siguiente camada.

Los lechones de la paridera se aglomeraban sobre la cerda como hormigas en un pegote de gelatina. Se peleaban por los pezones, que entraban y salían de las boquitas, meneándo-

126

se con movimientos tirantes como si fueran de goma. La cerda tenía los ojos en blanco, y Amma contemplaba el espectáculo fascinada, sentada en el suelo con las piernas cruzadas. Cinco minutos más tarde seguía en la misma postura, ahora sonriendo y retorciéndose. Tenía que marcharme de allí. Eché a andar, primero despacio, y luego a la carrera en dirección mi coche. Con la puerta cerrada, la radio a tope y el bourbon caliente escociéndome en la garganta, me alejé de aquel hedor y aquel sonido. Y de aquella niña.

8

Amma. Todo aquel tiempo no había sentido ningún interés especial por ella. Ahora sí lo sentía. Lo que había visto en la granja me tenía agarrotada la garganta. Mi madre decía que era la chica más popular de la escuela y yo lo creía. Jackie decía que era la más mala y eso también lo creía. La vida dentro del remolino de amargura de Adora por fuerza tenía que volver a la gente un poco retorcida. Y qué pensaría Amma de Marian, me preguntaba. Tenía que ser muy confuso vivir a la sombra de una sombra. Pero Amma era una chica muy lista: montaba sus numeritos fuera de casa. Cuando estaba cerca de Adora, era una niña dócil, cariñosa y frágil... justo como tenía que ser para conseguir el amor de mi madre.

Sin embargo, esa faceta violenta (la pataleta, el manotazo a su amiga y ahora aquello tan desagradable), esa tendencia a hacer y presenciar cosas horribles... Todo eso de repente me recordó a las historias sobre Ann y Natalie. Amma no era como Marian, pero puede que sí se pareciese un poco a aquéllas.

A última hora de la tarde, justo antes de la cena, decidí intentarlo otra vez y pasar por casa de los Keene. Necesitaba una declaración de la familia para mi artículo y si no la conseguía, Curry me quitaría el artículo y me haría volver. No es que me importara marcharme de Wind Gap, pero necesitaba demostrar que sabía arreglármelas sola, sobre todo con mi credibilidad en tela de juicio: una mujer que se corta con cuchillas no es la primera en la lista para que le asignen reportajes difíciles.

Pasé con el coche junto al lugar donde habían hallado el cadáver de Natalie. Los artículos que Amma no había considerado dignos de ser robados estaban ahí tirados en un triste montoncillo: tres velas casi consumidas por completo, apagadas hacía ya tiempo, junto con ramos de flores baratos todavía con los envoltorios del supermercado. Un alicaído globo de helio con forma de corazón cabeceaba lánguidamente.

En el camino de entrada a la casa de los Keene, el hermano de Natalie estaba sentado en el asiento del acompañante de un descapotable rojo hablando con una chica rubia cuya belleza casi igualaba a la de él. Aparqué el coche detrás de ellos, los vi mirarme a hurtadillas, y luego simularon no darse cuenta de mi presencia. La chica se puso a reír animadamente, pasando unas uñas pintadas de rojo por la parte de atrás del pelo negro del chico. Los saludé con un movimiento torpe y rápido con la cabeza, que estoy segura de que no vieron, y pasé por su lado para dirigirme a la entrada principal de la casa.

La madre de Natalie contestó al timbre. Tras ella, la casa estaba a oscuras y en silencio. En su cara había una expresión receptiva; no me había reconocido.

–Señora Keene, siento mucho molestarla en estos momentos tan duros, pero necesito hablar con usted.

–¿Sobre Natalie?

–Sí, ¿puedo pasar?

Era un truco sucio colarme en su casa sin identificarme previamente. A Curry le gusta decir que los periodistas son como los vampiros: no pueden entrar en tu casa sin una invitación pero una vez están dentro, no puedes echarlos hasta que te han dejado seco. La mujer abrió la puerta.

–Oh, qué fresquito y qué bien se está aquí dentro, gracias –dije–. Se supone que hoy íbamos a alcanzar los treinta grados de máxima, pero creo que los hemos superado.

–Sí, yo he oído que estamos a treinta y cinco.

–Me lo creo. ¿Podría darme un vaso de agua, por favor?

Otra triquiñuela de larga tradición: es menos probable que una mujer te eche de su casa si te ha ofrecido su hospitalidad. Si tienes alergias o un resfriado, pedir un pañuelo de papel es aún mejor. A las mujeres les encanta la vulnerabilidad. A la mayoría de las mujeres.

–Pues claro.

Hizo una pausa y me miró, como si pensase que debería saber quién era yo pero le diese demasiada vergüenza preguntármelo. Empleados de funeraria, curas, policías, médicos, personas que acudían a darle el pésame... seguramente había conocido a más gente en los días anteriores que en todo un año.

Mientras la señora Keene desaparecía en la cocina, eché un vistazo alrededor. El salón parecía completamente distinto ese día, con los muebles colocados de nuevo en su sitio. En una mesa cercana vi una foto de los dos hijos de los Keene; ambos se apoyaban a cada lado de un roble gigantesco e iban vestidos con vaqueros y jerséis rojos. Él esbozaba una sonrisa incómoda, como si estuviera haciendo algo de lo cual prefiriese no dejar constancia. Ella medía aproximadamente la mitad que él, y parecía obstinadamente seria, como si fuera la retratada de un viejo daguerrotipo.

–¿Cómo se llama su hijo?

–Ése es John. Es muy buen chico, muy buena persona. De eso es de lo que más me he enorgullecido siempre. Se acaba de graduar en el instituto.

–En eso han mejorado un poco. Cuando yo estudiaba allí, nos hacían esperar hasta junio.

–Mmm... Sí, está bien disfrutar de un verano más largo.

Le sonreí y ella me sonrió. Después me senté y tomé un sorbo de agua. No me acordaba de lo que Curry aconsejaba una vez que te habías metido dentro del salón de alguien.

–Lo cierto es que todavía no nos hemos presentado como es debido. Me llamo Camille Preaker, soy del *Daily Post* de Chicago. Hablamos brevemente por teléfono la otra noche.

Dejó de sonreír. La mandíbula se le puso tensa.

–Tendría que habérmelo dicho antes.

–Ya sé que éstos son momentos muy difíciles para usted; si le pudiera hacer unas cuantas preguntas...

–Pero no puede.

–Señora Keene, queremos que se haga justicia con lo que le ha pasado a su familia, por eso estoy aquí. Cuanta más información podamos proporcionar a la gente...

–... Más periódicos podrán vender. Estoy harta de todo esto, me ponen enferma. Se lo diré por última vez: no vuelva por aquí, no intente ponerse en contacto con nosotros, no tengo absolutamente nada que decirle. –Se acercó a mí y se inclinó hacia delante. Llevaba, al igual que en el funeral, un collar de cuentas de madera con un enorme corazón rojo en el centro. Oscilaba hacia delante y hacia atrás delante de su pecho como el reloj de un hipnotizador–. Creo que es usted un parásito –me escupió–. Me da asco. Espero que algún día recuerde todo esto y se dé cuenta de lo repugnante que es. Y ahora, por favor, váyase.

Me siguió hasta la puerta, como si no fuese a creer que me había ido de veras hasta haberme visto traspasar el umbral. Cerró la puerta tras de mí con suficiente fuerza para hacer sonar ligeramente la campanilla del timbre.

Me quedé de pie en la entrada completamente ruborizada, pensando para mis adentros qué bien quedaría el detalle del collar con el corazón en mi reportaje, cuando vi a la chica del descapotable rojo mirándome fijamente. El chico había desaparecido.

–Eres Camille Preaker, ¿verdad? –dijo.

–Sí.

–Me acuerdo de ti –añadió la chica–. Yo era una mocosa cuando vivías aquí, pero todos te conocíamos.

–¿Cómo te llamas?

–Meredith Wheeler. No puedes acordarte de mí, era una cría cuando tú ibas al instituto.

La novia de John Keene. Su nombre me resultaba familiar, gracias a las amigas de mi madre, pero era imposible que me acordara de ella. Ella debía de tener seis o siete años la última vez que yo había vivido allí... Aun así, no me sorprendió en absoluto que ella sí se acordase de mí. Las chicas que se criaban en Wind Gap estudiaban obsesivamente a las chicas mayores: quiénes salían con los capitanes del equipo de fútbol, quiénes eran las reinas de la fiesta del instituto, quiénes las más populares... Intercambiabas a tus favoritas como si de cromos de béisbol se tratara. Todavía me acuerdo de CeeCee Wyatt, la reina del baile de fin de curso del instituto Calhoon cuando yo era niña. Una vez me compré once pintalabios en la perfumería tratando de encontrar el tono exacto de rosa que llevaba cuando me saludó una mañana.

–Me acuerdo de ti –mentí–. No me puedo creer que ya tengas edad para conducir.

Se echó a reír, a todas luces complacida por mi mentira.

–Ahora eres periodista, ¿verdad?

–Sí, en Chicago.

–Le diré a John que hable contigo. Ya nos veremos.

Meredith se largó pitando. Estoy segura de que se sentía muy satisfecha consigo misma («Ya nos veremos»), volviéndose a pintar los labios con brillo y sin pensar en absoluto en la niña muerta de diez años que iba a ser el tema de la conversación.

Telefoneé a la ferretería más importante de la ciudad, donde habían encontrado el cadáver de Natalie. Sin identificarme, empecé a hablar de la posibilidad de reformar mi cuarto de baño, de cambiar los azulejos. No quise ser muy brusca al derivar la conversación hacia los asesinatos. Supongo que mucha gente se ha estado replanteando el tema de la seguridad en el hogar últimamente, sugerí.

–Así es, señora. Hemos tenido una fuerte demanda de cadenas para puertas y cerraduras dobles estos últimos días –refunfuñó la voz.

–¿Ah, sí? ¿Y cuántas han vendido?

–Unas tres docenas, calculo.

–¿La mayoría familias? ¿Matrimonios con hijos?

–Sí, claro. Son ellas las que tienen razones para preocuparse, ¿no? Una cosa horrible. Esperamos hacer una especie de donativo a la familia de la pequeña Natalie. –Hizo una pausa–. ¿Quiere venir a echar un vistazo a las muestras de azulejos?

–Sí, a lo mejor haré eso, gracias.

Otra tarea de reportera tachada de la lista, y ni siquiera había tenido que exponerme a los insultos de una madre doliente.

Para nuestra cena, Richard escogió Gritty's, un restaurante «familiar» con un bufé de ensaladas en el que había de todo menos ensalada. La lechuga siempre estaba en un pequeño recipiente en un rincón, grasienta y pálida, como si se hubiesen acordado de incluirla en el último momento. Richard estaba ligando con la gorda y dicharachera encargada cuando llegué, hecha un manojo de nervios doce minutos tarde. La chica, con una cara que combinaba de maravilla con los pasteles que giraban en el aparador que tenía detrás, no pareció percatarse de mi entrada en escena; estaba inmersa en las posibilidades de Richard: en su cabeza ya estaba redactando la entrada de su diario para esa noche.

–Preaker –dijo él, sin apartar los ojos de la chica–, tu impuntualidad es de escándalo. Suerte tienes de que JoAnn estuviese aquí para hacerme compañía.

La chica rió tontamente y luego me fulminó con la mirada antes de conducirnos a un reservado, donde me puso de malos modos una carta delante de las narices. En la superficie de la mesa aún se veía el contorno de la vajilla del cliente anterior.

Apareció la camarera, que me sirvió un vaso de agua del tamaño de un chupito y luego le dio a Richard un bebedero de porexpán lleno de refresco.

–Hola, Richard. Me he acordado, ¿lo ves?

–Por eso eres mi camarera favorita, Kathy.

Muy mono.

–Hola, Camille. Me habían dicho que estabas por aquí.

No quería volver a oír esa frase nunca más. Tras echarle un segundo vistazo, reconocí en la camarera a una de mis antiguas compañeras de clase. Habíamos sido amigas durante un semestre el segundo año de universidad, porque salíamos con dos deportistas que además eran amigos –el mío se llamaba Phil y el suyo era Jerry–, dos chicos que jugaban al fútbol en otoño, montaban combates de lucha libre en invierno y organizaban fiestas todo el año en la sala de juegos del sótano de casa de Phil. Tuve un recuerdo fugaz de las dos cogidas de la mano para mantener el equilibrio mientras meábamos en la nieve, justo al otro lado de las puertas correderas de cristal, demasiado borrachas para atrevernos a que nos viera la madre de Phil en el piso de arriba. Recuerdo que me contó que lo había hecho con Jerry en la mesa de billar, lo cual explicaba por qué el tapete estaba tan pegajoso.

–Hola, Kathy, me alegro de verte. ¿Qué tal estás?

Extendió los brazos y echó un vistazo al restaurante.

–Pues ya te lo puedes imaginar. Pero bueno, eso me pasa por quedarme en esta ciudad, ¿no? Bobby te manda recuerdos. Bobby Kidder.

–¡Ah, sí! Dios... –Se me había olvidado que estaban casados–. ¿Cómo está?

–El mismo Bobby de siempre. Tienes que venir a vernos algún día. Si tienes tiempo. Vivimos en Fisher.

Me imaginé sentada en la sala de estar de Bobby y Kathy Kidder, escuchando el sonoro tictac del reloj e intentando que se me ocurriera algo que decir. Kathy sería la que hablase todo el tiempo, siempre lo había hecho. Era la clase de persona que prefería leer los carteles de las calles en voz alta en lugar de soportar el silencio. Y si él era el mismo Bobby de siempre, se trataba de un hombre de pocas palabras pero simpático, un chico con escasas aficiones y unos ojos azul grisáceo que sólo enfocaban la mirada cuando la conversación giraba en torno al tema de la caza. En la época del instituto, guardaba las pezuñas de todos los ciervos que cazaba, siempre llevaba el último par en el bolsillo, y la sacaba y empezaba a tocar el tambor con ellas en la superficie dura que tuviese más a mano. A mí siempre me parecía el código morse del ciervo muerto, una llamada de socorro tardía del venado del día siguiente.

–Bueno, decidme, ¿vais a querer el bufé de ensaladas?

Yo pedí una cerveza, lo que generó una elocuente pausa. Kathy se volvió para echar un vistazo al reloj de la pared.

–Mmm... Se supone que no podemos servir alcohol hasta las ocho, pero veré si puedo sacarte una sin que se enteren... por los viejos tiempos, ¿vale?

–Bueno, no quiero que te metas en ningún lío por mi culpa...

Muy típico de Wind Gap lo de establecer reglas arbitrarias para el consumo de alcohol. Si el margen fueran las cinco, al menos tendría sentido, pero ponerlo a las ocho era justo la manera más directa de hacer que te sintieras culpable.

–Por Dios, Camille, sería lo más interesante que me ha pasado en años...

Mientras Kathy iba a la trastienda a hurtar una cerveza para mí, Richard y yo nos llenamos el plato de filetes de pollo frito, sémola de maíz, puré de patatas y, en el caso de Richard, un pedazo tembloroso de gelatina que se le estaba derritiendo encima de la comida para cuando volvimos a nuestra mesa. Kathy había dejado una botella de cerveza discretamente en el cojín de mi asiento.

–¿Siempre empiezas a beber tan pronto?

–Sólo me voy a tomar una cerveza.

–Te olía el aliento a alcohol cuando entraste, disimulado bajo una capa de caramelos de menta... ¿o eran de clorofila?

Me sonrió, como si simplemente tuviese curiosidad, sin emitir ningún juicio. Estaba segura de que en la sala de interrogatorios era una auténtica estrella.

–Caramelos de menta sí, alcohol, no.

A decir verdad, por eso es por lo que había llegado tarde; justo antes de entrar en el aparcamiento, advertí que necesitaba disimular rápidamente el traguito que me había tomado después de estar en casa de los Keene, así que conduje varias manzanas más hasta el supermercado a comprar caramelos. De clorofila.

–Vale, Camille –dijo con delicadeza–. No te preocupes, no es asunto mío.

Tomó una cucharada de puré de patatas, teñido de rojo por la gelatina y permaneció en silencio. Parecía ligeramente avergonzado.

–Bueno, ¿y qué quieres saber de Wind Gap?

Sentía que lo había decepcionado profundamente, como un progenitor que acaba de incumplir la promesa de cumpleaños de llevar a su hijo al zoo. A partir de ese momento estaba dispuesta a contarle la verdad, a responder de manera impecable a la siguiente pregunta que me formulase a modo de compensación... y de pronto me pregunté si no sería ésa la razón por la que había cuestionado mi afición a la bebida, para empezar. Un poli listo.

Me miró fijamente.

–Quiero saberlo todo acerca del grado de violencia que hay aquí. Cada lugar tiene su forma de expresar sus tensiones. ¿Lo hace abiertamente, a escondidas? ¿Se suelen dar en grupo, como las peleas de bares, las violaciones en grupo... o son específicas, personales? ¿Quién las practica? ¿Quién es el objetivo?

–Bueno, no sé si podré ofrecerte un panorama muy amplio de todo el historial de violencia de Wind Gap.

–Háblame de algún incidente verdaderamente violento que presenciases cuando eras niña, cuando vivías aquí.

Mi madre con el bebé.

–Vi a una mujer hacer daño a un crío.

–¿Una bofetada? ¿Una paliza?

–Le dio un mordisco.

–Vale, ¿a un niño o a una niña?

–Era una niña, creo.

–¿La niña era suya?

–No.

–Muy bien, muy bien, eso está bien. Así que tenemos un acto muy personal de violencia con una niña pequeña. Comprobaré quién lo hizo.

–No sé el nombre de la persona que lo hizo. Era familiar de algún vecino de la ciudad.

–Bueno, ¿y quién puede saber cómo se llama? Supongo que si tiene parientes aquí, merecería la pena investigarlo.

Sentí que se me desencajaban las articulaciones, que mis miembros se ponían a flotar a mi alrededor como maderos a la deriva en un lago oleoso. Apreté las yemas de los dedos contra las púas del tenedor. El mero hecho de haber contado la historia en voz alta me causaba pánico, ni siquiera se me había ocurrido que Richard pudiese querer detalles.

–Oye, creía que se suponía que esto sólo era un perfil sobre la violencia –protesté, con la voz hueca tras la sangre que me palpitaba en las orejas–. No dispongo de más detalles, era una mujer a la que no reconocí y no sé con quién estaba. Sólo supuse que era de aquí.

–Creía que los periodistas no trabajáis con suposiciones.

Estaba sonriendo de nuevo.

–No era periodista en aquella época, sólo era una niña...

–Camille, te estoy haciendo pasar un mal trago, lo siento. –Me arrancó el tenedor de los dedos, lo colocó lentamente en su lado de la mesa, me cogió la mano y la besó. Vi asomar la palabra «pintalabios» por debajo de mi manga derecha–. Perdóname, no pretendía someterte al tercer grado. Estaba interpretando al poli malo.

–Me cuesta trabajo verte en el papel del poli malo.

Sonrió abiertamente.

–Sí, me viene un poco forzado, eso es verdad. La culpa la tiene esta cara de niño guapo...

Por un segundo tomamos un sorbo de nuestras bebidas. Él jugueteó con el salero y añadió:

–¿Puedo hacerte más preguntas? –Asentí–. ¿Cuál es el siguiente episodio violento que recuerdas?

El potente olor de la ensalada de atún de mi plato estaba haciendo que se me revolviese el estómago. Busqué a Kathy con la mirada para que me sirviese otra cerveza.

–Fue en quinto. Dos chicos acorralaron a una chica a la hora del recreo y le hicieron meterse un palo.

–¿Contra su voluntad? ¿La forzaron?

–Mmm... supongo que sí, algo así. Eran unos bravucones, le dijeron que lo hiciese y ella lo hizo.

–¿Y lo presenciaste o te lo contaron?

–Nos dijeron a varios que mirásemos. Cuando la profesora lo descubrió, tuvimos que disculparnos.

–¿Ante la chica?

–No, la chica también tuvo que disculparse, ante la clase: «Las jovencitas tienen la obligación de controlar sus cuerpos, ya que los chicos no pueden hacerlo».

–Joder, a veces se me olvida lo distintas que eran las cosas, y no hace tantos años... Cuánta... ignorancia. –Richard anotó algo en su bloc y se zampó un bocado de gelatina–. ¿De qué más te acuerdas?

–Una vez, una chica de octavo se emborrachó en una fiesta del instituto y cuatro o cinco tíos del equipo de fútbol mantuvieron relaciones con ella, se la fueron pasando, más o menos. ¿Eso cuenta?

–Camille, pues claro que cuenta. Lo sabes, ¿verdad?

–Bueno, es que no sabía si eso contaba como violencia propiamente dicha o...

–Sí, yo consideraría a una panda de gamberros violando a una chica de trece años como violencia propiamente dicha, claro que sí.

–¿Qué tal está todo?

Kathy apareció de repente a nuestro lado, sonriéndonos.

–¿Crees que podrías conseguirme otra cerveza?

–Que sean dos.

–Vale, pero esta vez lo haré como favor a Richard, teniendo en cuenta que es el que da las mejores propinas de la ciudad.

–Gracias, Kathy.

Richard sonrió.

Incliné el cuerpo hacia delante, por encima de la mesa.

–Richard, no estoy cuestionando que fuese algo malo, que lo fue, sólo trato de determinar cuál es tu criterio de acto violento.

–Sí, y yo me hago una idea bastante exacta de la clase de violencia a la que nos enfrentamos aquí sólo por el hecho de que me preguntes si eso cuenta. ¿Se informó a la policía?

–Pues claro que no.

–Me sorprende que no hicieran disculparse a la chica por dejarse violar, para empezar. Trece años. Me dan ganas de vomitar.

Intentó cogerme la mano de nuevo, pero yo la escondí en mi regazo.

–Entonces, es la edad lo que lo convierte en violación.

–No, sería violación a cualquier edad.

–Si bebiera un poco más de la cuenta esta noche y perdiese la cabeza y me acostase con cuatro tíos, ¿sería eso violación?

–Legalmente, no lo sé, dependería de muchas cosas, como de tu abogado, por ejemplo. Pero éticamente, joder, sí.

–Eres sexista.

–¿Qué?

–Que eres sexista. Estoy hasta las mismísimas narices de hombres progres y liberales que practican la discriminación sexual bajo la apariencia de proteger a las mujeres contra la discriminación sexual.

–Te aseguro que no estoy haciendo nada de eso.

–Hay un tipo en mi redacción... un tipo «sensible». Cuando le concedieron un ascenso a otro en lugar de a mí, me dijo que los denunciara por discriminación. No sufrí ninguna discriminación; era una reportera mediocre, sencillamente. Y a veces a las mujeres que están borrachas no las violan, sino que son ellas quienes toman decisiones estúpidas. Y decir que merecemos un trato especial cuando estamos borrachas porque somos mujeres, decir que necesitamos «que nos protejan»... me parece de lo más ofensivo.

Kathy volvió con nuestras cervezas y bebimos en silencio hasta apurar los vasos por completo.

–Joder, Preaker, está bien, tienes razón.

–Vale.

–Pero sí reconoces un patrón, ¿verdad? En las agresiones a mujeres, en la actitud sobre las agresiones.

–Sólo que ni la niña de los Nash ni la de los Keene sufrieron agresiones sexuales, ¿verdad?

–Creo que en nuestra mente masculina, el hecho de arrancar los dientes es equiparable a una violación. Todo es una cuestión de poder: es invasivo, requiere una gran cantidad de fuerza y a medida que va saliendo cada diente... es como una descarga.

–¿Lo que dices tiene carácter oficial?

–Si veo esto publicado en tu periódico, aunque sólo sea una insinuación relacionada con esta conversación en alguno de tus artículos, tú y yo jamás volveremos a cruzar una sola palabra. Y eso sería una catástrofe, porque lo cierto es que me gusta charlar contigo. Salud.

Richard entrechocó su jarra vacía con la mía. Yo permanecí en silencio.

–De hecho, deja que te lleve a algún sitio –dijo–. Sólo para divertirnos, nada de hablar de trabajo. Mi cerebro necesita desesperadamente una noche libre de toda esta mierda. Podríamos hacer algo típico en una ciudad pequeña como ésta.

Arqueé las cejas con gesto interrogativo.

–¿Comer caramelos masticables? ¿Atrapar a un cerdo untado con grasa? –Empezó a enumerar actividades con los dedos–. ¿Fabricar nuestro propio helado? ¿Recorrer Main Street subidos a uno de esos cochecitos Shriner? Oh, ¿hay alguna feria en algún pueblo de los alrededores? Podría hacerte una demostración de fuerza.

–Con esa actitud seguro que te metes a todos los lugareños en el bolsillo.

–A Kathy le gusto.

–Porque le das propina.

Terminamos en el Garrett Park, con el trasero apretujado en unos columpios que eran demasiado pequeños para nosotros, bamboleándonos hacia delante y hacia atrás en la cálida polvareda del atardecer. El lugar donde Natalie Keene había sido vista con vida por última vez, pero ninguno de los dos lo mencionó. Al otro lado de la zona para jugar al béisbol, una vieja fuente de piedra escupía sin cesar un chorro de agua; no se detendría hasta el Día del Trabajo[1].

–Veo a muchos chavales de instituto que vienen aquí a divertirse por las noches –dijo Richard–. Vickery está demasiado ocupado para perseguirlos.

–Ya era así en mis tiempos de instituto. El consumo de alcohol no es nada extraño por aquí, salvo en Gritty's, por lo visto.

–Me gustaría haberte visto a ti a los dieciséis. A ver si lo adivino: eras la hija rebelde del predicador. Guapa, inteligente y con dinero. Me imagino que por aquí abajo eso es una combinación segura para meterse en líos. Te imagino ahí mismo –dijo, señalando las agrietadas tribunas descubiertas–. Compitiendo con los chicos, a ver quién bebía más alcohol, y ganándoles.

El menor de los escándalos que había protagonizado en aquel parque. Allí había tenido lugar no sólo mi primer beso, sino también mi primera mamada, a la edad de trece años. Uno de los chicos mayores del equipo de béisbol me acogió bajo su ala y luego me llevó al bosque. No pensaba besarme hasta que se la chupara, y luego no pensaba besarme por culpa del sitio donde había estado mi boca. Amor adolescente. Poco después tuvo lugar mi noche loca con los del equipo de

1. En Estados Unidos se celebra el primer lunes de septiembre. *(Nota de la Traductora.)*

fútbol, la historia que tanto había irritado a Richard. Octavo curso, cuatro tíos. Hubo más marcha esa noche de que la que he tenido en los últimos diez años. Sentí cómo la palabra «mala» me ardía junto a la pelvis.

–Me lo pasé bastante bien –expliqué–. Con belleza y dinero puedes llegar muy lejos en Wind Gap.

–¿Y con la inteligencia?

–La inteligencia hay que disimularla. Tenía muchas amigas, pero ninguna lo bastante íntima, ¿me comprendes?

–Me lo imagino. ¿Te llevabas bien con tu madre?

–No especialmente.

Había bebido una copa de más, sentía que la cara me ardía y que la tenía agarrotada.

–¿Por qué no?

Richard giró el columpio para mirarme de frente.

–Creo que algunas mujeres no están hechas para ser madres, simplemente. Y algunas mujeres no están hechas para ser hijas.

–¿Te hizo daño alguna vez?

La pregunta me hizo sentir incómoda, sobre todo después de nuestra conversación durante la cena. ¿No me había hecho daño? Estaba segura de que algún día soñaría con un recuerdo de ella arañando, mordiendo o pellizcando. Me sentí como si aquello hubiera sucedido. Me imaginé a mí misma arrancándome la blusa para mostrarle a Richard mis cicatrices, gritando: «¡Sí! ¡Mira!». Indulgente.

–Es una pregunta un poco extraña, Richard.

–Lo siento, es que cuando has dicho eso parecías tan... triste. Enfadada, o algo así.

–Eso es típico de alguien que mantiene una excelente relación con sus padres.

–Sí, soy culpable. –Se echó a reír–. ¿Y si cambio de tema?

–Sí.

–Muy bien, veamos... una charla trivial. Conversación de columpio. –Richard arrugó la cara y levantó la cabeza fingiendo pensar–. Ya está, dime, ¿cuál es tu color favorito, tu sabor de helado favorito y tu estación favorita?

–El azul, el café y el invierno.

142

–El invierno. A nadie le gusta el invierno.

–Oscurece temprano, eso me gusta.

–¿Por qué?

Porque eso significa que el día ha terminado. Me gusta tachar los días en los calendarios: 151 días tachados y no ha sucedido nada verdaderamente horrible, 152 y el mundo no ha sufrido una catástrofe irreversible, 153 y no he destrozado la vida de nadie, 154 y nadie me odia a muerte. A veces pienso que no me sentiré del todo a salvo hasta que cuente mis últimos días con una sola mano, cuando sólo falten tres días para no tener que preocuparme por la vida nunca más.

–Es sólo que me gusta la noche.

Estaba a punto de añadir algo, poco, pero algo más, cuando un destartalado Camaro Iroc amarillo se detuvo al otro lado de la calle y Amma y sus rubias salieron de un salto por detrás. Amma se apoyó en la ventanilla del conductor, mostrándole todo su escote al chico, que llevaba el pelo largo, rubio y grasiento que cabe esperar de alguien que todavía conduce un Camaro amarillo. Las tres chicas se pusieron detrás de ella, contoneando las caderas, y la más alta, volviéndose de forma que les enseñaba el culo con el cuerpo inclinado hacia abajo, fingió atarse el cordón de los zapatos. Unos movimientos estupendos.

Las chicas se acercaron pavoneándose hacia donde estábamos nosotros y Amma empezó a sacudir las manos con grandes aspavientos para protestar por la nube de humo negro del tubo de escape. Eran unas criaturas muy sexis, eso tenía que admitirlo. Melenas largas y rubias, caras en forma de corazón y piernas delgadas. Minifaldas con tops minúsculos que dejaban al descubierto unas barrigas infantiles y planas, y con la excepción de la tal Jodes, cuyo busto era demasiado voluminoso y prominente para que fuese otra cosa que relleno, las demás tenían pechos rotundos, turgentes y en extremo desarrollados. Todos esos primeros años de ingesta de leche, de cerdo y de ternera, todas esas hormonas extra con las que alimentamos a nuestro ganado. No tardaremos en ver criaturas de dos años con tetas.

–Hola, Dick –lo saludó Amma.

Estaba chupando un chupa-chup rojo de tamaño gigante.

–Hola, chicas.

–Eh, Camille, ¿ya has hecho de mí una estrella? –preguntó Amma, pasando la lengua alrededor de la bola de caramelo.

Las trenzas de reminiscencias alpinas habían desaparecido, así como la ropa que llevaba para visitar la granja, que tenía que apestar con olores de toda clase y especie. En ese momento llevaba una camiseta sin mangas y una faldita que le tapaba la entrepierna sólo por un par de centímetros.

–Todavía no.

Tenía un cutis de melocotón, sin manchas ni arrugas, un rostro tan perfecto y carente de pasado que parecía recién salido del vientre materno. Todas ellas parecían inacabadas. Sentí unas ganas repentinas de que se fueran.

–Dick, ¿cuándo vas a llevarnos a dar una vuelta? –quiso saber Amma, dejándose caer en el suelo de tierra ante nosotros, con las rodillas dobladas para revelar un atisbo de sus bragas.

–Para poder hacer eso, tendría que deteneros. Y puede que también tuviera que detener a esos chicos con los que vais. Los chicos del instituto son demasiado mayores para vosotras.

–No van al instituto –repuso la chica alta.

–No –se rió Amma–, porque han dejado los estudios...

–Amma, ¿cuántos años tienes? –preguntó Richard.

–Acabo de cumplir trece.

–¿Por qué siempre te interesas tanto por Amma? –interrumpió la del pelo rubio bronce–. Nosotras también estamos aquí, ¿sabes? Seguro que ni siquiera sabes cómo nos llamamos.

–Camille, ¿conoces a Kylie, Kelsey y Kelsey? –dijo Richard, señalando a la chica alta, la chica del pelo rubio bronce y la chica a la que mi hermana llamaba...

–Ésa es Jodes –lo corrigió Amma–. Hay dos Kelsey, así que la llamamos por su apellido, para evitar confusiones, ¿verdad que sí, Jodes?

–Pueden llamarme Kelsey si quieren –dijo la chica, cuyo bajo puesto en la jerarquía seguramente era un castigo por ser la menos guapa. Una barbilla demasiado pequeña.

–Y Amma es tu hermanastra, ¿no? –continuó Richard–. No estoy tan fuera de onda como pueda parecer.

–No, parece más bien que estás justo en la onda –dijo Amma. Hizo que las palabras sonasen sexuales, a pesar de que no se me ocurría ningún doble sentido para aquello–. Y vosotros dos, ¿estáis saliendo o qué? He oído que la pequeña Camille es pura dinamita, o al menos lo era.

Richard dejó escapar una risa bronca, un graznido escandalizado. La palabra «despreciable» me ardió en la pierna.

–Es verdad, Richard. En mis tiempos estaba de muy buen ver.

–¡De buen «ver»! –se mofó Amma. Las dos chicas se echaron a reír. Jodes dibujaba unas rayas frenéticas con un palo en la tierra–. Deberías oír las historias que se cuentan por ahí, Dick. Te pondrían muy, pero que muy cachondo. O a lo mejor ya lo estás...

–Chicas, nosotros tenemos que irnos, pero como siempre, me he alegrado de veros –dijo Richard, y me tomó de la mano para ayudarme a bajar del columpio; me aferré a ella y se la apreté dos veces mientras caminábamos hacia el coche.

–¿A que es todo un caballero? –gritó Amma, y las cuatro se levantaron y empezaron a seguirnos–. No puede resolver un crimen pero sí puede tomarse la molestia de acompañar a Camille a su coche de poli de mierda.

Estaban justo encima de nosotros, Amma y Kylie pisándonos los talones, literalmente. Noté cómo se encendía la palabra «enfermizo» allí donde la sandalia de Amma me había raspado el tendón de Aquiles. Luego se sacó de la boca el húmedo chupa-chup y me lo enterró en el pelo, retorciéndolo.

–Ya basta –masculló.

Me volví y la agarré de la muñeca con tanta fuerza que noté cómo le latía el pulso. Más despacio que a mí. De hecho, ni siquiera trató de zafarse, sino que se apretó aún más contra mí. Sentí cómo su aliento a fresa me inundaba.

–Venga, vamos, haz algo –me provocó Amma, sonriendo–. Podrías matarme ahora mismo y Dick ni siquiera reaccionaría.

La solté, la aparté de mí y Richard y yo nos subimos al coche más rápido de lo que me habría gustado.

9

Me quedé dormida, profundamente y sin querer, a las nueve, y me desperté bajo los rayos de un sol airado a las siete de la mañana siguiente. Un árbol seco hizo crujir sus ramas contra mi ventana como si quisiese trepar al interior y meterse en mi cama para darme consuelo.

Me puse el uniforme, manga larga, falda larga, y me dirigí al piso inferior. Gayla relucía en el jardín trasero, con el vestido blanco de enfermera resplandeciente entre tanto verde. Sostenía una bandeja de plata sobre la que mi madre estaba depositando rosas imperfectas. Mi madre llevaba un vestido de tirantes de color crema que hacía juego con su pelo. Se paseaba al acecho entre los macizos de flores rosas y amarillas con unos alicates en la mano, y examinaba cada una de ellas con ademán voraz, arrancando los pétalos, empujándolas y agitándolas.

–Tienes que regarlas más a menudo, Gayla. Mira qué les has hecho.

Separó una de color rosa claro de uno de los rosales, la tiró al suelo, la inmovilizó con un pie delicado y le arrancó la raíz. Gayla debía de llevar dos docenas de rosas en la bandeja. Yo no supe ver qué tenían de malo las flores.

–Camille, tú y yo vamos a ir de compras a Woodberry hoy –anunció mi madre sin levantar la vista–. ¿Quieres?

No dijo nada sobre el rapapolvo en casa de los Nash el día anterior. Eso habría sido demasiado directo.

–Tengo cosas que hacer –contesté–. Por cierto, no sabía que fueses amiga de los Nash. De Ann.

Sentí cierto remordimiento por haberme burlado de su relación con la niña durante el desayuno la otra mañana. No es que sintiese de veras haber molestado a mi madre, era más bien que detestaba que pudiese apuntarse algo en su columna del debe.

–Mmm... Alan y yo vamos a dar una fiesta el próximo sábado. Ya estaba planeada mucho antes de que supiésemos que venías. Aunque supongo que no supimos que venías hasta que llegaste aquí.

Arrancó otra rosa.

–Creía que apenas conocías a las niñas. No sabía que...

–Vale. Será una hermosa fiesta de verano, con un montón de gente elegante, y necesitarás un vestido. Estoy segura de que no has traído ningún vestido, ¿verdad que no?

–No.

–Bueno, pues entonces será una buena ocasión para ponernos al día. Llevas aquí más de una semana, creo que ya va siendo hora. –Depositó un último tallo en la bandeja–. Gayla, puedes tirar éstas a la basura. Ya cogeremos algunas más decentes para la casa más tarde.

–Me llevaré ésas a mi habitación, mamá. A mí me parecen bonitas.

–Pues no lo son.

–No me importa.

–Camille, acabo de examinarlas, y no son buenas flores.

Tiró los alicates al suelo y se puso a arrancar un tallo.

–Pero a mí me gustan. Para mi habitación.

–Vaya, mira lo que has hecho... Estoy sangrando.

Mi madre levantó las manos, con espinas clavadas, y unos regueros de sangre oscura empezaron a resbalarle por las muñecas. Fin de la conversación. Se dirigió hacia la casa, seguida por Gayla, y ésta seguida por mí. El tirador de la puerta trasera estaba pegajoso por la sangre.

Alan vendó las dos manos de mi madre exageradamente y cuando nos tropezamos con Amma, que estaba trabajando otra vez en el porche con su casa de muñecas, Adora le tiró de la trenza con aire juguetón y le dijo que viniera con nosotras. Ella obedeció diligentemente y yo me quedé esperando aquellos pisotones con los talones. Pero no delante de mamá.

Adora quería que yo condujese su minidescapotable azul

hasta Woodberry, donde había dos boutiques de alta costura, pero no quería bajar la capota.

–Nos coge frío –dijo, lanzándole una sonrisa cómplice a Amma.

La chica se sentó en silencio detrás de mi madre y me dedicó una sonrisa de niña repelente cuando la pillé mirándome por el espejo retrovisor. De vez en cuando pasaba las yemas de los dedos por el pelo de mi madre, con unos toquecitos muy leves, para que ella no se diera cuenta.

Cuando aparqué el Mercedes en la puerta de su tienda favorita, Adora me pidió con voz débil que le abriese la portezuela del coche. Era la primera vez que se dirigía a mí en veinte minutos. No estaba mal para una puesta al día entre madre e hija. También le abrí la puerta de la boutique, y la campanilla femenina le fue que ni pintado al recibimiento cantarín de la dependienta.

–¡Adora! –Y luego frunció el ceño–. Por Dios santo, querida, ¿qué te ha pasado en las manos?

–Sólo ha sido un pequeño accidente, no tiene importancia. Trabajando en la casa. Iré al médico esta tarde.

Ya lo creo que iría. Era capaz de ir al médico por cortarse con un papel.

–Pero ¿qué ha pasado?

–No quiero hablar de eso, de verdad. Pero sí quiero presentarte a mi hija, Camille. Ha venido de visita.

La dependienta miró a Amma y luego me dedicó una sonrisa vacilante.

–¿Camille? –Se recuperó rápidamente–. Creo que se me había olvidado que tenías una tercera hija. –Bajó la voz al pronunciar la palabra «hija», como si fuese una palabrota–. Debe de haber salido a su padre –dijo la mujer, mirándome la cara como si fuese un caballo y ella estuviese decidiendo si debía comprarlo o no–. Amma se parece muchísimo a ti, y Marian también, por las fotos. Ella, en cambio...

–No, no se parece mucho a mí –convino mi madre–. Ha sacado el color de piel de su padre, y sus pómulos. Y su temperamento.

Aquello era más de lo que le había oído decir a mi madre

sobre mi padre en toda mi vida. Me pregunté cuántas otras dependientas habrían escuchado esa sarta de comentarios infor-
males sobre él. Me imaginé fugazmente charlando con todas
las dependientas del sur de Missouri para elaborar un perfil
aproximado y borroso sobre aquel hombre.

Mi madre me acarició el pelo con las manos vendadas.

–Tenemos que comprarle a mi hijita un vestido nuevo.
Algo con mucho colorido. Siempre suele ir de gris y negro. La
talla pequeña.

La mujer, tan menuda que los huesos de las caderas le sobresalían bajo la tela de la falda como si fueran astas, empezó
a entrar y salir de entre los colgadores circulares y formó un
vistoso ramillete de vestidos de color verde, azul y rosa.

–Esto te quedaría estupendamente –dijo Amma, sujetando
un top de color dorado brillante sobre el torso de mi madre.

–Déjalo, Amma –dijo mi madre–. Eso es vulgar.

–¿De verdad te recuerdo a mi padre? –no pude evitar preguntarle a Adora.

Noté cómo se me encendían las mejillas por mi impertinencia.

–Sabía que no ibas a dejar pasar esa oportunidad así como
así –comentó, retocándose el pintalabios frente a un espejo de
la tienda.

Asombrosamente, la venda de las manos conservaba su
aspecto impoluto.

–Sólo sentía curiosidad, nunca te había oído decir que mi
personalidad te recordaba a...

–Tu personalidad me recuerda a alguien completamente
diferente de mí. Y desde luego no te pareces en nada a Alan,
así que deduzco que debes de haber salido a tu padre. Bueno,
y ahora, basta ya de hablar de eso.

–Pero mamá, sólo quería saber...

–Camille, me estás haciendo sangrar más.

Levantó las manos vendadas, ahora moteadas de rojo. Me
dieron ganas de arañarla.

La dependienta se abalanzó sobre nosotras con un mues-
trario de vestidos.

–Éste es el que tienes que comprarte, sin ninguna duda

–dijo, sosteniendo un vestido turquesa con escote palabra de honor.

–¿Y qué me dices de la princesita? –dijo la mujer, señalando a Amma con la cabeza–. Seguro que ya entra en una de nuestras tallas pequeñas de mujer.

–Amma sólo tiene trece años. No está lista para esta clase de ropa –repuso mi madre.

–Sólo trece, Dios santo... Siempre se me olvida, parece ya tan mayor... Tienes que estar muy preocupada, con todo lo que está pasando en Wind Gap.

Mi madre rodeó a Amma con el brazo y la besó en lo alto de la coronilla.

–Hay días que pienso que no voy a soportar la preocupación. Me dan ganas de encerrarla en algún sitio, lejos de todo peligro.

–Como las esposas muertas de Barbazul –murmuró Amma.

–Como Rapunzel –dijo mi madre–. Venga, vamos, Camille, enséñale a tu hermana lo guapa que puedes llegar a estar.

Me siguió al probador, en silencio y con paso decidido, creyéndose con todo el derecho a hacerlo. En la pequeña sala rodeada de espejos, mientras mi madre esperaba fuera sentada en una silla, sopesé mis opciones. Escote palabra de honor, tirantes, sin mangas. Mi madre me estaba castigando. Encontré un vestido rosa con manga tres cuartos, me quité los pantalones y la camiseta y me lo probé. El escote era más bajo de lo que había pensado: las palabras del pecho parecían hinchadas bajo la luz fluorescente, como gusanos abriendo un túnel bajo mi piel. «Aullido», «leche», «herida», «sangre».

–Camille, déjame verte.

–Vaya, éste me queda fatal.

–Déjame verte.

«Desprecio» me ardía en la cadera derecha.

–Deja que me pruebe otro.

Rebusqué entre los otros vestidos. Todos eran igual de indiscretos. Volví a verme de refilón en el espejo. Era una imagen horripilante.

–Camille, abre la puerta.

–¿Qué le pasa a Camille? –intervino Amma.

–Éste tampoco.

La cremallera del lateral se me había atascado. En los brazos desnudos destellaban mis cicatrices de color rosado y púrpura intenso. Sin ni siquiera mirarme directamente en el espejo las veía reflejadas en mi cuerpo: un borrón enorme de piel zaherida.

–Camille –me escupió mi madre.

–¿Por qué no nos los enseña?

–Camille.

–Mamá, ya has visto los vestidos, ya sabes por qué no me los puedo poner –le insistí.

–Tú déjame verlos.

–Ya me probaré yo uno, mami –dijo Amma, tratando de hacerle la rosca.

–Camille...

–Está bien.

Abrí la puerta de golpe. Mi madre, con la cara a la altura de mi escote, hizo un gesto de dolor.

–Oh, Dios mío... –Sentí su aliento sobre mí. Levantó una mano vendada, como si quisiese tocarme el pecho, y luego la dejó caer. Detrás de ella, Amma gimoteaba como un cachorro–. Mira lo que le has hecho a tu cuerpo –dijo Adora–. Mírate.

–Ya lo hago.

–Espero que te gustase. Espero que puedas soportarte a ti misma.

Cerró la puerta y yo traté de arrancarme el vestido, con la cremallera aún atascada, hasta que con mis tirones rabiosos conseguí separarla lo bastante para bajarme el vestido hasta las caderas y lograr zafarme de él, con un reguero de marcas rosadas en la piel por culpa de la cremallera. Me metí el algodón del vestido en la boca y grité con todas mis fuerzas.

Oí la voz pausada de mi madre en la habitación contigua. Cuando salí, la dependienta estaba envolviendo una blusa de encaje de manga larga y cuello alto y una falda de color coral que me llegaría a los tobillos. Amma se me quedó mirando, con ojos enrojecidos y nerviosos, antes de ir a esperar junto al coche.

De vuelta en casa seguí a Adora hasta la entrada, donde Alan aguardaba en una pose de fingida despreocupación, con las manos metidas en los bolsillos del pantalón de lino. Pasó junto a él como una exhalación en dirección a la escalera.

–¿Cómo ha ido el día de compras? –le preguntó, siguiéndola.

–Ha sido horrible –contestó mi madre, lloriqueando.

Arriba, oí el ruido de la puerta al cerrarse. Alan me miró frunciendo el ceño y fue a ocuparse de mi madre. Amma ya había desaparecido.

Me dirigí a la cocina, hacia el cajón de los cubiertos. Sólo quería echar un vistazo a los cuchillos que había utilizado en el pasado. No pensaba cortarme, sólo permitirme el placer de aquella presión afilada. Notaba ya la punta del cuchillo pinchando con suavidad en las cimas esponjosas de las yemas de los dedos, esa delicada tensión previa antes del corte.

El cajón se abrió sólo un dedo y luego se quedó atascado; mi madre lo había asegurado. Tiré una y otra vez, y escuché el sonido metálico de todas aquellas hojas afiladas resbalando unas contra otras. Como peces de metal inquietos. Tenía la piel ardiendo. Estaba a punto de ir a marcar el número de Curry cuando el timbre tuvo de la delicadeza de colarse en la cocina con su educado sonido.

Me asomé y vi a Meredith Wheeler y a John Keene al otro lado de la puerta.

Me sentí como si me hubieran pillado masturbándome. Mientras me mordía la parte interna de los carrillos, abrí la puerta. Meredith entró sin miramientos, inspeccionó las habitaciones y realizó comentarios trillados sobre lo bonito que era todo, despidiendo vaharadas de perfume más propio de una dama de sociedad que de una adolescente con un uniforme verde y blanco de animadora. Me pilló mirándola sin disimulo.

–Sí, ya lo sé. El curso se ha acabado, pero hoy es mi última oportunidad para ponerme esto. Tenemos una sesión de animadoras con las chicas del año que viene. Algo así como una ceremonia para pasarles la antorcha. Tú también fuiste animadora, ¿verdad?

–Pues sí, aunque parezca increíble.

No había sido una animadora especialmente buena pero me sentaba bien la minifalda. Eran los tiempos en que limitaba mis cortes al torso.

–Pues a mí me parece muy lógico. Eras la chica más guapa de la ciudad. Mi primo era estudiante de primero cuando tú estudiabas el último curso. ¿Te suena el nombre de Dan Wheeler? Se pasaba el día hablando de ti. Que si eras guapa, que si eras lista, tan guapa, tan lista... Y simpática. Me mataría si supiese que te estoy contando esto. Ahora vive en Springfield, pero no se ha casado.

Su tono lisonjero me recordó justo a la clase de chicas con las que nunca me sentía cómoda, el tipo de personas que venden una especie de camaradería de plástico, las que me contaban cosas de sí mismas que sólo los amigos de verdad debían saber, que se describían a sí mismas como personas «muy humanas».

–Éste es John –dijo, como si la sorprendiese verlo allí a su lado.

Era la primera vez que lo veía de cerca. Era un chico verdaderamente hermoso, casi andrógino, alto y esbelto, con unos labios obscenamente carnosos y ojos color de hielo. Se metió un mechón de pelo negro por detrás de la oreja y le sonrió a su mano al tiempo que la extendía para que yo se la estrechara, como si la mano fuese una mascota favorita ejecutando una nueva habilidad.

–Bueno, ¿y dónde queréis que charlemos? –preguntó Meredith.

Me planteé por un momento librarme de la chica, alarmada ante la idea de que no supiera cuándo o cómo cerrar la boca. Sin embargo, él parecía necesitar su compañía, y yo no quería asustarlo.

–Vosotros sentaros en la sala de estar –sugerí–. Yo iré a preparar un poco de té.

Antes subí la escalera, introduje una cinta nueva en la grabadora y pegué el oído a la puerta de mi madre. Silencio salvo por el zumbido de un ventilador. ¿Estaría durmiendo? Y si era así, ¿estaría Alan acurrucado junto a ella o sentado en la silla de su tocador, simplemente mirándola? Incluso después de todo ese tiempo, todavía no tenía la más remota idea de la clase de vida íntima que llevaban Adora y su marido. Al pasar junto al dormitorio de Amma, la vi sentada con aire muy digno en la orilla de una mecedora, leyendo un libro que se titu-laba *Diosas griegas*. Desde que yo estaba allí, había jugado a ser Juana de Arco, la esposa de Barbazul y la princesa Diana... todas mártires, caí en la cuenta. Encontraría modelos de mujer aún peores entre las diosas. La dejé con el libro.

En la cocina serví las bebidas. A continuación, después de contar hasta diez, apreté las púas de un tenedor contra la palma de la mano. Mi piel empezó a calmarse.

Entré en la sala de estar y vi a Meredith con las piernas subidas al regazo de John y besándole el cuello. Cuando dejé la bandeja del té encima de una mesa, no interrumpió sus besos. John me miró y se zafó de ella con lentitud.

–Qué soso estás hoy –protestó ella.

–Bueno, John, me alegro mucho de que hayas accedido a hablar conmigo –empecé a decir–. Me consta que tu madre tiene ciertas reservas.

–Sí, no quiere hablar con casi nadie, pero sobre todo no con... la prensa. Es muy reservada.

–Pero ¿a ti no te importa? –quise asegurarme–. Tienes dieciocho años, supongo.

–Acabo de cumplirlos.

Bebía el té ceremoniosamente, como si midiera las cucharaditas en la boca.

–Porque lo que quiero en realidad es poder describir a tu hermana a los lectores –expliqué–. El padre de Ann Nash me ha hablado de su hija, y no quisiera que la figura de Natalie quedase desdibujada en esta historia. ¿Sabe tu madre que vas a hablar conmigo?

–No, pero no pasa nada. Tendremos que estar de acuerdo en que no estamos de acuerdo. –Se rió con una especie de tartamudeo.

–Su madre es una especie de fanática contra los medios –dijo Meredith, bebiendo del vaso de John–. Es una persona extremadamente reservada. Vamos, que a duras penas sabe quién soy yo, y eso que llevamos más de un año saliendo, ¿verdad?

John asintió con la cabeza. Ella frunció el ceño, decepcionada, supuse, por que él no hubiese añadido nada a la historia de su romance. La chica apartó las piernas del regazo de él, las cruzó y empezó a rascar el borde del sofá con la uña.

–Me han dicho que te has ido a vivir con los Wheeler...

–Tenemos una especie de cochera en la parte de atrás, como una antigua casa para el chófer –explicó Meredith–. Mi hermana pequeña está cabreada porque allí es donde solían juntarse ella y las idiotas de sus amigas. Todas menos tu hermana. Tu hermana es guay. Tú conoces a mi hermana, ¿verdad? ¿A Kelsey?

Claro, aquello tenía que estar relacionado con Amma.

–¿Kelsey la alta o Kelsey la bajita?

–¿Verdad? En esta ciudad hay demasiadas Kelsey... La mía es la alta.

–Sí, la conozco. Parecen muy amigas.

–Más le vale serlo –repuso Meredith con severidad–, porque la pequeña Amma es la que dirige el cotarro en esa escuela. Sería una estupidez ponerse en su contra.

Ya basta de hablar de Amma, pensé, pero las imágenes de ella metiéndose con chicas más frágiles junto a aquellas taquillas se agolpaban en mi cabeza. La secundaria era una etapa horrible.

–Y dime, John, ¿te estás adaptando bien a vivir allí?

–Está bien –cortó Meredith–. Le hemos preparado un neceser con cosas de chicos... mi madre hasta le ha comprado un reproductor de CD.

–¿Ah, sí?

Miré a John directamente. «Es hora de hablar, amiguito. No seas una nenaza ni me hagas perder el tiempo.»

–Sólo necesito estar lejos de casa una temporada –dijo–. Es que estamos todos un poco nerviosos, ¿sabes? Las cosas de Natalie están por todas partes y mi madre no deja que nadie las toque. Sus zapatos están en la entrada y su bañador cuelga de la puerta del baño que compartíamos, así que tengo que verlo todas las mañanas. No puedo vivir así.

–Me lo imagino.

Y era cierto: recuerdo el abriguito rosa de Marian colgando en el armario del recibidor hasta que empecé la universidad. Tal vez aún siga allí.

156

Encendí la grabadora y la empujé por encima de la mesa, hacia el chico.

–Háblame de cómo era tu hermana, John.

Uf, era una chica estupenda. Era muy, muy lista. Era increíble, la verdad.

–¿Lista en qué sentido? ¿Sacaba buenas notas o era más bien avispada?

–Bueno, en la escuela no le iba excesivamente bien. Tenía algún que otro problema de disciplina –dijo–. Pero creo que eso era porque se aburría. Deberían haberla adelantado uno o dos cursos, creo.

–Su madre pensaba que si la adelantaban de curso, eso podía estigmatizarla –intervino Meredith–. A su madre siempre le preocupaba que Natalie destacase por encima de los demás.

Arqueé las cejas mirando a John.

–Eso es cierto. Mi madre quería con toda su alma que Natalie se integrase. Era una chica un poco atolondrada a veces, un poco bruta, como un chico, y también una especie de bicho raro. –Se echó a reír, mirándose los pies.

–¿Te estás acordando de alguna anécdota en especial? –pregunté.

Las anécdotas eran la marca de fábrica de Curry. Además, estaba interesada de verdad.

–Sí, como aquella vez que se inventó un idioma nuevo. Una cría normal habría inventado un galimatías incomprensible, pero Natalie había ideado todo el alfabeto... parecía ruso. Y de hecho, me lo enseñó, o al menos lo intentó. Conmigo se frustraba muy rápidamente.

Se echó a reír de nuevo con el mismo graznido, que parecía provenir de un mundo subterráneo.

–¿Le gustaba la escuela?

–Bueno, es duro ser la nueva, y las chicas de aquí... Bueno, supongo que en todas partes las chicas pueden ser un poco estiradas.

–¡Johnny! ¡No seas grosero!

Meredith fingió darle un codazo, pero él no le hizo ningún caso.

–Es como lo de tu hermana... Amma, ¿verdad? –Asentí–. Fueron amigas durante un tiempo. Salían a jugar por el bosque y luego Natalie llegaba a casa llena de rasguños y entusiasmada.

–¿Ah, sí?

Teniendo en cuenta el desprecio con que Amma había pronunciado el nombre de Natalie, no podía imaginármelo.

–Fueron muy, muy amigas durante un tiempo, pero creo que Amma se cansó de ella, porque Natalie era unos años menor. No lo sé. Se distanciaron o algo así. –Amma había aprendido aquello de su madre, el don de desentenderse de las amigas–. Pero no importaba –añadió John, como queriendo tranquilizarme. O tranquilizarse a sí mismo–. Tenía un amigo con quien jugaba mucho, un tal James Capisi. Un chico de campo que tenía un año o así menos que ella y con quien nadie más se relacionaba. Pero ellos, en cambio, parecían llevarse muy bien.

–Dice que es el último que vio a Natalie con vida –le expliqué.

–Es un mentiroso –intervino Meredith–. Yo también he oído esa historia. Eso se lo ha inventado desde el principio. Mira, su madre se está muriendo de cáncer, no tiene padre. No tiene a nadie que le preste atención, así que se inventa ese disparate. No te creas nada de lo que te diga.

Volví a mirar a John, quien se encogió de hombros.

–Es que es una historia un poco rocambolesca, ¿no? Una loca que rapta a Natalie a plena luz del día –dijo–. Además, ¿por qué iba una mujer a hacer algo así?

–¿Y por qué iba un hombre a hacer algo así? –pregunté.

–Quién sabe por qué los hombres cometen esa clase de atrocidades... –intervino Meredith–. Es algo genético.

–Tengo que preguntártelo, John: ¿te ha interrogado la policía?

–Junto con mis padres.

–¿Y tienes alguna coartada para las noches de ambos asesinatos?

Aguardé alguna reacción especial, pero siguió tomándose el té con calma.

–No. Estaba por ahí, con el coche. A veces necesito largarme de aquí, ¿sabe? –Lanzó una mirada fugaz a Meredith, quien hizo un mohín cuando lo sorprendió mirándola–. Es una ciudad muy pequeña para lo que yo estoy acostumbrado. A veces es necesario perderse un rato. Ya sé que tú no lo entiendes, Mer.

Meredith permaneció en silencio.

–Yo lo entiendo –me ofrecí–. Recuerdo la sensación claustrofóbica de crecer en esta ciudad, ni siquiera me imagino lo que debe de sentir alguien que se muda aquí desde otra parte.

–Johnny dice eso porque quiere ser noble –interrumpió Meredith–. Estaba conmigo esas dos noches. No quiere crearme problemas, eso es todo. Puedes publicar eso.

Meredith se estaba moviendo hacia delante y hacia atrás en el borde del sofá, rígida, erguida y ligeramente ajena a nosotros, como si hablase en una lengua desconocida.

–Meredith –murmuró John–. No.

–No pienso tolerar que la gente vaya por ahí pensando que mi novio es un puto asesino de niñas; muchas gracias, pero no, John.

–Si le cuentas esa historia a la policía, sabrán la verdad en menos de una hora y las cosas aún empeorarán para mí. Nadie piensa en serio que matase a mi propia hermana.

John cogió un mechón del pelo de Meredith y lo acarició con ternura con los dedos desde la raíz hasta la punta. La palabra «cosquillas» parpadeó al azar en mi cadera derecha. Creía las palabras del chico: lloraba en público y contaba anécdotas tontas sobre su hermana y jugueteaba con el pelo de su novia y yo lo creía. Casi oía a Curry mofándose de mi ingenuidad.

–Hablando de historias –empecé a decir–, necesito hacerte una pregunta sobre una: ¿es cierto que Natalie hirió a una de sus compañeras de clase en Filadelfia?

John se quedó paralizado, se volvió hacia Meredith y por primera vez me mostró su lado desagradable. Me brindó una imagen muy gráfica de la expresión «torcer el gesto». Todo su cuerpo dio una sacudida y por un momento creí que iba a salir disparado por la puerta, pero luego se recostó hacia atrás y respiró hondo.

–Genial. Por esto es por lo que mi madre odia a la prensa –masculló–. Publicaron un artículo sobre eso en el periódico, cuando vivíamos allí. Sólo eran unos cuantos párrafos, pero suficientes para que Natalie pareciese un animal.

–Pues cuéntame qué sucedió en realidad.

Se encogió de hombros y empezó a hurgarse una uña.

–Fue en clase de plástica; los alumnos estaban cortando y pintando y una niña resultó herida. Natalie era una cría con mal genio y aquella niña siempre la estaba mangoneando, y ese día en concreto dio la casualidad de que Natalie llevaba unas tijeras en la mano. No fue algo premeditado. Pero si sólo tenía nueve años, por amor de Dios...

Tuve una visión fugaz de Natalie, la niña seria de la foto de familia de los Keene, blandiendo unas tijeras frente a los ojos de otra niña. Una imagen de sangre roja brillante se mezcló inesperadamente con unas acuarelas color pastel.

–¿Qué le pasó a la niña?

–Le salvaron el ojo izquierdo. El derecho creo que... lo perdió.

–¿Natalie le clavó las tijeras en los dos ojos?

John se levantó y me miró desde arriba, casi desde el mismo ángulo desde el que me había mirado su madre.

–Natalie estuvo yendo al psicólogo durante un año después de aquello. Se pasó meses despertándose por las noches con pesadillas. Tenía nueve años. Fue un accidente. Todos nos sentimos fatal. Mi padre creó un fondo de ayuda para la niña. Tuvimos que marcharnos para que Natalie pudiese empezar de cero. Ésa es la razón por la que tuvimos que mudarnos aquí: papá aceptó el primer trabajo que le ofrecieron. Nos trasladamos en plena noche, como delincuentes. A este sitio. A esta maldita ciudad de mierda.

–Dios mío, John, no sabía que lo estuvieses pasando tan mal... –murmuró Meredith.

En ese momento, el chico rompió a llorar y volvió a sentarse, enterrando la cabeza entre las manos.

–No quería decir que lamentase haber venido aquí. Lo que quería decir es que siento que ella viniese aquí, porque ahora está muerta. Y nosotros sólo queríamos ayudarla, pero ahora está muerta... –Dejó escapar un gemido silencioso y Meredith lo abrazó de mala gana–. Alguien ha matado a mi hermana.

No habría cena formal esa noche porque la señorita Adora estaba indispuesta, me informó Gayla. Supongo que la afectación de mi madre era la que exigía anteponer lo de «señorita» a su nombre, y traté de imaginar cómo se habría desarrollado la conversación: «Gayla, los mejores sirvientes de las mejores casas llaman a sus señoras por sus nombres formales, y nosotros queremos que ésta sea una de las mejores casas, ¿no es así?». Debió de ser algo por el estilo.

No estaba segura de si había sido mi discusión con mi madre o la de Amma la causante del problema. Las oía peleándose como pajaritos en el dormitorio de mi madre; Adora acusaba a Amma, correctamente, de haber conducido el carrito de golf sin permiso. Como todas las ciudades rurales, Wind Gap está obsesionada con la maquinaria. La mayoría de los hogares posee un coche y medio por habitante (el medio corresponde a un coche de época de colección o a una vieja antigualla de chatarra por piezas, depende del nivel de ingresos), amén de barcas, motos de agua, motocicletas, tractores y, entre la élite de Wind Gap, carritos de golf, que los chicos más jóvenes sin carné de conducir utilizan para desplazarse por ahí. Técnicamente es ilegal, pero nadie los para nunca. Supuse que mi madre habría intentado poner freno a aquella ventana de libertad para Amma después de los asesinatos. Yo lo habría hecho. Su pelea se prolongó, con chirridos que recordaban a un columpio oxidado, por espacio de casi media hora. «No me mientas, jovencita...» La advertencia me era tan familiar que me produjo una vieja sensación de náuseas. Así que resultaba que a Amma sí la pillaban alguna vez.

Cuando sonó el teléfono, respondí yo misma, para que Amma no perdiese fuelle, y me sorprendió oír la entrecortada cantinela de animadora de mi vieja amiga Katie Lacey. Angie Papermaker había invitado a las chicas a su casa para una Fiesta de Llorar: se bebía un montón de vino, se veía un melodrama en la tele, se lloraba y se chismorreaba. No podía perdérmelo, tenía que ir. Angie vivía en la zona de los Nuevos Ricos: mansiones enormes en los alrededores de Wind Gap. Prácticamente Tennessee. Por el tono de Katie no sabía adivinar si aquello le daba envidia o, por el contrario, le provocaba desdén. Conociéndola, seguramente ambas cosas. Siempre había sido una de esas chicas que quieren todo lo que tienen los demás, aunque en realidad no lo quieran.

Cuando vi a Katie y a sus amigas en casa de los Keene supe que tendría que someterme al tormento de salir con ellas al menos una noche. Tenía que optar entre aquello o acabar de transcribir mi conversación con John, una tarea que me estaba poniendo peligrosamente triste. Además, como con Annabelle, Jackie y aquel venenoso grupito de amigas de mi madre, era probable que sacase más información de aquella reunión que de una docena de entrevistas formales.

En cuanto aparcó enfrente de la casa, me di cuenta de que Katie Lacey, ahora Katie Brucker, como cabía esperar, había sabido sacarle partido a la vida. Lo supe tanto por el hecho de que únicamente tardó cinco minutos en venir a recogerme (resultó que su casa sólo estaba a una manzana de distancia) como por el tipo de vehículo en el que me recogió: uno de esos todoterrenos inmensos y absurdos que cuestan más que las casas de algunas personas y que proporcionan las mismas comodidades. Por detrás de la cabeza, oí el reproductor de DVD con el soniquete de algún programa infantil, a pesar de la ausencia de niños. Y delante, el navegador del salpicadero proporcionaba instrucciones innecesarias paso a paso.

Su marido, Brad Brucker, había estudiado bajo la tutela del padre de ella, y cuando papá se había jubilado, él se había hecho cargo del negocio. Trapicheaban con una hormona muy polémica que se empleaba para engordar a los pollos a una velocidad vertiginosa. Mi madre siempre se mostraba muy desdeñosa con eso, nunca utilizaría nada que acelerase exageradamente el proceso de crecimiento. Eso no significaba que se abstuviese de usar hormonas: a los cerdos de mi madre les inyectaban productos químicos hasta que se hinchaban y se enrojecían como cerezas a punto de estallar, hasta que las patas no soportaban el peso de su oronda barriga. Pero se hacía a un ritmo más pausado.

Brad Brucker era el tipo de marido que viviría allí donde Katie dijese, la fecundaría cuando ella se lo pidiese, le compraría el sofá de la exquisita Pottery Barn que ella quisiese y, por

162

lo demás, lo haría todo sin rechistar. Era atractivo si se lo miraba por un espacio de tiempo prolongado y tenía la polla del tamaño de mi dedo meñique. Esto último lo sabía de primera mano, gracias a un ligero contacto mecánico en mi primer año de universidad. Pero por lo visto, el diminuto aparato funcionaba perfectamente: Katie estaba en el final del primer trimestre del tercer embarazo. Iban a seguir intentándolo hasta tener un hijo varón. «La verdad es que tenemos muchas ganas de tener a un granujilla corriendo por la casa.»

Charlamos sobre mí, en Chicago, todavía soltera pero ¡ojo!, nunca hay que perder la esperanza... Charlamos un rato sobre ella, su pelo, su nuevo programa de vitaminas, Brad, sus dos niñas, Emma y Mackenzie, el cuerpo de voluntarias de Wind Gap y lo mal que organizaron el desfile del día de San Patricio. A continuación, suspiro: «Y esas pobrecitas niñas...». Sí, suspiro: mi reportaje sobre esas pobrecitas niñas. Al parecer, no le importaba demasiado, porque no tardó en volver al tema del cuerpo de voluntarias y al caos que reinaba ahora que Becca Hart (cuyo apellido de soltera era Mooney) era la directora de actividades. Becca era una chica de popularidad media en nuestros tiempos, que se había lanzado al estrellato social cinco años antes al pescar a Eric Hart, cuyos padres eran los dueños de un centro de ocio para turistas en expansión constante con pistas para Go-Karts, parque acuático y minigolf en la parte más horrenda de la zona de Ozark. El cuadro era bastante lamentable, pero ella iba a estar presente esa noche, así que ya lo comprobaría por mí misma. Simplemente, no encajaba en absoluto.

La casa de Angie parecía el dibujo infantil de una mansión: era tan genérica que apenas era tridimensional. Cuando entré en la habitación, me di cuenta de las ganas nulas que tenía de estar allí. Estaba Angie, que había perdido diez kilos sin ninguna necesidad desde el instituto y que me sonrió con recato y luego volvió a concentrarse en la tarea de preparar una *fondue*. También estaba Tish, que había sido siempre la mamaíta del grupo, aun entonces, la que te sujetaba el pelo cuando vomitabas, y a quien de vez en cuando le daban ataques de llorera diciendo que no la quería nadie. Descubrí que se había casado con un tipo de Newcastle, un hombre un poco raro (Katie me lo dijo en voz muy baja) que se ganaba bastante bien la vida. Mimi estaba semitumbada en un sofá marrón chocolate. Una adolescente deslumbrante, su belleza no había sobrevivido a la edad adulta, pero nadie más parecía haberse dado cuenta, porque seguían refiriéndose a ella como «la guapa». De esto último daba testimonio el enorme pedrusco que lucía en la mano, cortesía de Joey Johansen, un chico tierno y desgarbado que se había metamorfoseado en un defensa medio en el equipo de fútbol en tercero y que de repente había empezado a exigir que le llamaran Jo-ha (eso es lo único que recuerdo de él, de verdad). La pobre Becca estaba sentada entre ellas, con una expresión que denotaba una mezcla de ansiedad e incomodidad, vestida casi cómicamente igual que su anfitriona (¿habría llevado Angie a Becca de compras?). Sonreía ávidamente a cualquiera que la mirase, pero nadie le prestaba atención ni hablaba con ella.

Vimos la película *Eternamente amigas*.

Tish estaba llorando a lágrima viva cuando Angie encendió la luz.

–He vuelto al trabajo –anunció con voz lastimera, tapándose los ojos con uñas de color coral.

Angie sirvió vino, le dio una palmadita en la rodilla y luego se la quedó mirando con cara de gran preocupación.

–Pero Dios santo, ¿por qué, cielo? –murmuró Katie.

Hasta cuando murmuraba tenía la voz aniñada y exasperante, como si un ejército de ratones royendo galletitas saladas.

–Como Tyler ya va al colegio, creí que me gustaría volver a trabajar –explicó Tish entre hipidos–. Como si necesitara que mi vida tuviese una utilidad.

Escupió esa última palabra como si estuviera contaminada.

–Y tu vida tiene una utilidad –dijo Angie–. No dejes que la sociedad te diga cómo tienes que criar a tus hijos. No dejes que las feministas –y en este punto me miró a mí– te hagan sentirte culpable por tener lo que ellas no pueden tener.

–Tiene razón, Tish, tiene toda la razón –intervino Becca–. El feminismo significa dejar que las mujeres tomen las decisiones que ellas quieran tomar.

El grupo de mujeres miró con recelo a Becca cuando, de repente, se oyó un sollozo procedente del rincón donde estaba Mimi, y toda la atención, y también Angie con el vino, se dirigieron hacia ella.

–Steven no quiere tener más hijos –anunció entre lagrimones.

–¿Y por qué no? –inquirió Katie con una indignación asombrosamente estridente.

–Dice que con tres ya es suficiente.

–¿Suficiente para él o para ti? –espetó Katie.

–Eso es lo que le dije yo. Quiero una niña. Quiero una hija. –Las mujeres corrieron a acariciarle el pelo. Katie le acarició el vientre–. Y quiero un hijo –dijo gimoteando y mirando de forma harto significativa a la foto del hijo de tres años de Angie sobre la repisa de la chimenea.

El llanto y la inquietud fueron alternándose entre Tish y Mimi («Echo de menos a mis hijos...» «Siempre había soñado con una casa llena de niños, eso es lo que he querido siempre...» «¿Qué tiene de malo ser madre y nada más?»). Lo cierto es que me daban mucha lástima, parecían sinceramente desgraciadas, y desde luego, entendía a la perfección qué se sentía ante una vida que no había salido según lo planeado. Pero después de numerosos asentimientos con la cabeza y de murmullos de comprensión, no se me ocurría nada útil que decir y me escabullí a la cocina a cortar un poco de queso y quitarme de en medio. Ya conocía el ritual de la época del instituto y sabía que no era nada difícil que se convirtiera en algo desagradable. Becca no tardó en reunirse conmigo en la cocina y se puso a lavar los platos.

–Pasa lo mismo casi todas las semanas –dijo, y puso los ojos en blanco, fingiendo estar menos molesta que desconcertada.

–Será algo catártico, supongo –sugerí.

Intuí que quería que yo añadiera algo. Conocía esa sensación: cuando estoy a punto de sacarle a alguien una buena frase, es casi como si pudiera meterle la mano en el interior de la boca y arrancársela de la lengua.

–No tenía ni idea de que mi vida fuese tan desgraciada hasta que empecé a venir a las reuniones en casa de Angie

–susurró Becca, al tiempo que sacaba un cuchillo recién lavado para cortar un poco de gruyère.

Teníamos queso suficiente para alimentar a toda la ciudad de Wind Gap.

–Bueno, pero enfrentarse a los problemas significa que se puede llevar una vida superficial sin necesidad de ser una persona superficial.

–Tiene sentido –dijo Becca–. ¿Y también erais así en el instituto? –preguntó.

–Sí, ya lo creo, eso cuando no nos estábamos clavando puñaladas por la espalda unas a otras...

–Supongo que me alegro de haber sido tan anodina en aquella época –dijo, y se echó a reír–. Me pregunto cómo podría ser un poco menos popular ahora...

Esta vez yo también me eché a reír, le serví una copa de vino, un poco mareada ante lo absurdo de verme catapultada de nuevo a mi vida de adolescente.

Cuando regresamos, todavía riendo tontamente, todas las mujeres del salón estaban llorando, y levantaron la vista al mismo tiempo para mirarnos, como en un truculento retablo victoriano que hubiese cobrado vida.

–Bueno, me alegro de que vosotras dos lo estéis pasando tan bien –soltó Katie.

–Sobre todo teniendo en cuenta lo que está pasando en la ciudad –añadió Angie.

Saltaba a la vista que el tema de conversación se había ampliado.

–Pero ¿es que el mundo se ha vuelto loco? ¿Por qué razón iba alguien a hacer daño a dos crías? –exclamó Mimi–. Esas pobrecillas niñas...

–Y lo de arrancarles los dientes... Eso sí que no me cabe en la cabeza –comentó Katie.

–Ojalá las hubieran tratado mejor cuando estaban vivas –siguió hablando Angie entre sollozos–. ¿Por qué serán las niñas tan crueles las unas con las otras?

–¿Las otras niñas se metían con ellas? –quiso saber Becca.

–Acorralaron a Natalie en los lavabos un día, después de clase... y le cortaron todo el pelo –explicó Mimi, llorando.

166

Tenía un aspecto horrible, con la cara hinchada y el maquillaje corrido. Unas gotas de rímel oscuro le manchaban la blusa.

–Obligaban a Ann a enseñarles sus... partes a los chicos –dijo Angie.

–Siempre se metían con esas niñas sólo porque eran un poco diferentes –señaló Katie, limpiándose las lágrimas delicadamente con el puño de la camisa.

–Pero ¿quiénes hacían eso? –preguntó Becca.

–Pregúntaselo a Camille, al fin y al cabo es ella la que se encarga de «informar» sobre todo este asunto –dijo Katie levantando la barbilla, un gesto que recordaba de ella en el instituto. Significaba que estaba tomándola contigo pero que se sentía plenamente justificada para hacerlo–. Ya sabes lo mala, malísima, que es tu hermana, ¿verdad, Camille?

–Sé que las niñas pueden llegar a sentirse muy desgraciadas.

–Entonces, ¿la estás defendiendo?

Katie se enfureció. Sentí cómo me arrastraban hacia la política de Wind Gap contra mi voluntad y me entró el pánico. «Reyerta» me empezó a arder en la pantorrilla.

–Katie, pero si ni siquiera la conozco lo suficiente para defenderla o no –dije, fingiendo cansancio.

–¿Has llorado aunque sólo sea una vez por esas chiquillas? –preguntó Angie.

En ese momento todas formaron una piña, desafiándome con la mirada.

–Camille no tiene hijos –dijo Katie hipócritamente–. No creo que pueda sentir el dolor como nosotras.

–Siento mucho lo que le ha pasado a esas niñas –dije, pero sonó artificial, como una aspirante en un concurso de belleza clamando por la paz en el mundo. Sí lo sentía, pero al formularlo con palabras, me pareció algo falso.

–No quiero que esto suene cruel –intervino Tish–, pero creo que una parte de tu corazón nunca podrá llegar a funcionar si no tienes hijos. Es como si siempre fuese a estar cerrada.

–Estoy de acuerdo –convino Katie–. No me convertí en una mujer de verdad hasta que sentí a Mackenzie creciendo en mi vientre. Sí, hoy día se habla mucho del enfrentamiento entre Dios y la ciencia, pero a mí me parece que en cuanto al tema de los hijos, ambas partes están de acuerdo. La Biblia dice «creced y multiplicaos», y la ciencia... bueno, al final todo se reduce a eso, para eso es para lo que están hechas las mujeres, ¿no? Para traer hijos al mundo.

–Mujeres al poder –murmuró Becca entre dientes.

Becca me llevó a casa porque Katie quería quedarse a dormir en casa de Angie. Supongo que la niñera se encargaría de sus queridas hijas por la mañana. Becca hizo unas cuantas bromas sobre la obsesión de las mujeres con la maternidad, a las que respondí con una leve risa ronca. «Para ti es fácil decirlo, tienes dos hijos.» Estaba de un humor de perros.

Me puse un camisón limpio y me senté justo en el centro de la cama. «No más alcohol para ti esta noche», me dije. Me di unas palmaditas en la mejilla y relajé los hombros. Me llamé a mí misma «cariño». Me dieron ganas de empezar a cortar: «cielo» me ardía en el muslo, «horrible» me quemaba junto a la rodilla. Quise grabarme «yerma» a cuchillo en la piel. Así me quedaría para siempre, mi vientre sin estrenar. Vacía e intacta. Me imaginé la pelvis abierta, dejando al descubierto un hueco impecable, como el nido de un animal desaparecido.

Esas niñas. «¿Es que el mundo se ha vuelto loco?», había exclamado Mimi, y apenas si le habíamos hecho caso, tan habitual era esa queja en todas partes. Pero justo en ese momento reparé en ella: el mundo se había vuelto loco, algo muy grave estaba pasando, ahí mismo. Wind Gap era presa de una locura enferma, horrible. Me imaginé a Bob Nash sentado en el borde de la cama de Ann, intentando recordar lo último que le había dicho a su hija. Vi a la madre de Natalie, llorando y enterrando sus lágrimas en una de sus viejas camisetas. Me vi a mí misma, una niña desesperada de trece años llorando en el suelo del cuarto de mi hermana muerta, con un zapatito floreado en la mano. O a Amma, también de trece años, una niña-mujer con un cuerpo espectacular y un deseo insoportable de ser la niña pequeña por la que guardaba luto mi madre. Mi madre llorando por Marian. Mordiendo a aquel bebé. Amma, reafirmando su poder sobre seres más frágiles que ella, riendo mientras ella y sus amigas le cortaban el pelo a Natalie, los rizos cayendo uno tras otro sobre las baldosas del suelo. Natalie, clavando unas tijeras en los ojos de una niña. Me gritaba la piel, me palpitaban los oídos con los latidos de mi corazón. Cerré los ojos, me abracé las rodillas con fuerza y lloré.

Después de llorar diez minutos sobre la almohada, empecé a serenarme y una serie de pensamientos mundanos me vinieron a la cabeza: las frases de John Keene que usaría para mi artículo, el hecho de que tenía que pagar el alquiler del piso de Chicago la semana siguiente, el olor de la manzana estropeándose en la papelera de mi cuarto...

En ese momento, al otro lado de la puerta, oí a Amma susurrar mi nombre. Me abroché la parte de arriba del camisón, me bajé las mangas y la dejé entrar. Llevaba un camisón rosa de flores, el pelo rubio suelto por encima de los hombros y los pies descalzos. Parecía verdaderamente adorable, no había palabra mejor.

–Has estado llorando –dijo, un tanto sorprendida.

–Un poco.

–¿Por culpa de ella?

La última palabra llevaba exceso de carga, y me la imaginé redonda y pesada, cayendo con un fuerte ruido sordo encima de un cojín.

–Un poco sí, supongo.

–Yo también. –Se quedó mirando los bordes de mi camisón: el cuello, los puños de las mangas... Estaba intentando verme las cicatrices–. No sabía que te hacías cortes –dijo al fin.

–Ya no lo hago.

–Eso es bueno, supongo. –Titubeó un poco junto a la cama–. Camille, ¿alguna vez has tenido la sensación de que algo malo está a punto de suceder y tú no puedes impedirlo? ¿Que no puedes hacer nada y sólo puedes esperar?

–¿Como un ataque de ansiedad? –No podía apartar la vista de su piel, era tan lisa y tersa... como una crema de helado.

169

–No, no exactamente. –Por su tono, parecía que la había decepcionado, que no había logrado resolver un complicado acertijo–. Bueno, da igual. Te he traído un regalo.

Sacó un cuadrado hecho con papel de liar y me dijo que lo abriera con cuidado. Dentro, un porro perfectamente enrollado.

–Es mejor que ese vodka que te tomas –dijo Amma, automáticamente a la defensiva–. Bebes demasiado. Esto está mejor. No te pondrá tan triste.

–Amma, de verdad...

–¿Puedo verte los cortes otra vez?

Esbozó una tímida sonrisa.

–No. –Silencio. Sostuve el porro en el aire–. Y Amma, no creo que debas...

–Bueno, pues yo sí lo creo, así que o lo tomas o lo dejas. Sólo intentaba ser simpática contigo.

Frunció el ceño y se retorció una punta del camisón.

–Gracias, es todo un detalle que quieras ayudarme a que me sienta mejor.

–Puedo ser simpática cuando quiero, ¿sabes? –dijo, con el ceño aún fruncido; parecía estar también al borde de las lágrimas.

–Ya lo sé, pero me extraña que hayas decidido ser simpática conmigo ahora.

–A veces no puedo, pero ahora mismo, puedo. Cuando todos duermen y todo está tranquilo y en silencio, es más fácil.

Extendió el brazo, agitando la mano como si fuera una mariposa delante de mi cara, luego la bajó, me dio una palmadita en la rodilla y se fue.

10

«Siento que ella viniese aquí, porque ahora está muerta», declaró entre lágrimas John Keene, de dieciocho años, refiriéndose a su hermana pequeña, Natalie, de diez. «Alguien ha matado a mi hermana.» El cadáver de Natalie Keene fue hallado el 14 de mayo, encajado en el espacio que había entre el salón de belleza «Cut-N-Curl» y la ferretería Bifty's, en la pequeña localidad de Wind Gap, Missouri. Es la segunda niña asesinada en dicha ciudad en los últimos nueve meses: Ann Nash, de nueve, fue encontrada en un arroyo cercano el pasado mes de agosto. Las dos niñas habían sido estranguladas y el asesino les había arrancado todos los dientes.

«Era una chica un poco atolondrada a veces –dijo John Keene, entre lágrimas–, un poco bruta, como un chico.» Keene, que se trasladó aquí desde Filadelfia con su familia hace dos años y que ha terminado recientemente sus estudios en el instituto, describió a su hermana menor como a una niña muy lista y con una gran capacidad inventiva. Una vez llegó incluso a crear un idioma propio, con alfabeto y todo: «Una cría normal habría inventado un galimatías incomprensible», declaró Keene, con una risa amarga.

Las investigaciones policiales no han avanzado mucho: el cuerpo de policía de Wind Gap y Richard Willis, agente especializado en homicidios llegado desde Kansas City, admiten disponer de pocas pistas hasta el momento. «No hemos descartado a nadie –declaró Willis–. Estamos investigando minuciosamente a posibles sospechosos dentro de la comunidad local, pero también consideramos la posibilidad de que los asesinatos sean obra de un forastero.»

La policía se niega a hacer comentarios acerca del testimonio de un testigo potencial de los hechos, un chico que asegura haber visto a la persona que secuestró a Natalie Keene: una mujer. Una fuente cercana a la investigación afirma que creen probable que el asesino sea un hombre perteneciente a la comunidad local. El dentista de Wind Gap, James L. Jellard, de cincuenta y seis años, está de acuerdo con dicha afirmación y añade que el hecho de que el asesino arrancase los dientes a las víctimas «requiere que la persona que lo hizo posea bastante fortaleza física. Los dientes no salen así como así».

Mientras la policía trabaja en el caso, en Wind Gap ha aumentado la demanda de cerraduras de seguridad y armas de fuego. La ferretería local ha vendido tres docenas de cerraduras, mientras que la armería de la ciudad ha procesado más de treinta permisos para el uso de armas de fuego desde el asesinato de Natalie Keene. «Creía que la mayoría de la gente de por aquí ya tenía rifles, para cazar –explica Dan R. Sniya, de treinta y cinco años, encargado de la armería más importante de la ciudad–. Pero creo que ahora, cualquiera que no tuviese un arma... bueno, la va a tener.»

Uno de los habitantes de Wind Gap que ha ampliado su arsenal es el padre de Ann Nash, Robert, de cuarenta y un años. «Tengo otras dos hijas y un hijo, y van a estar protegidos», dijo. Nash describió a su hija fallecida como una niña muy inteligente. «A veces creo que era más lista que su propio padre. Y a veces incluso ella se creía más lista que su propio padre.» Declaró que a veces su hija era un poco machota, como Natalie, una niña a quien le gustaba trepar a los árboles e ir en bicicleta, que es lo que estaba haciendo cuando fue raptada en agosto.

El padre Louis D. Bluell, de la parroquia católica local, declara haber advertido el efecto de los asesinatos sobre los habitantes de Wind Gap, pues la asistencia a la misa dominical ha aumentado notablemente y muchos miembros de su congregación han acudido a él para solicitar consejo espiritual. «Cuando ocurren cosas como éstas, las personas sienten verdadera necesidad de alimento espiritual –dice–. Quieren saber cómo es posible que haya sucedido algo así.»

También la policía de Wind Gap quiere saberlo.

Antes de enviar el artículo a la rotativa, Curry se burló de todas las iniciales de los nombres compuestos.

–Por Dios santo, cómo les gustan a los sureños sus formalidades... –Le recalqué que, técnicamente, Missouri estaba en el Medio Oeste, pero él se rió de mí–: Sí, y técnicamente yo estoy en la mediana edad, pero dile eso a la pobre Eileen cuando me ataca la bursitis.

También suprimió todos los detalles específicos de mi entrevista con James Capisi. Nos hacía parecer idiotas prestar demasiada atención al chico, sobre todo si la poli no daba crédito a su versión. También eliminó una frase un poco cursi sobre John, de su madre: «Es muy buen chico, muy buena persona». Fue la única declaración que le saqué antes de que me echara a patadas de la casa, lo único que hizo que aquella infame visita casi hubiese merecido la pena, pero Curry apreció que desviaba la atención de lo realmente importante. Seguramente tenía razón. Estaba muy satisfecho de que por fin tuviésemos un sospechoso en el que centrarnos, mi «hombre perteneciente a la comunidad local». Mi «fuente cercana a la investigación» era una invención, o más eufemísticamente, una amalgama: todo el mundo, desde Richard hasta el cura, creía que los crímenes los había cometido alguien de Wind Gap. No le conté a Curry mi mentira.

La mañana en que se publicó mi artículo, me quedé en la cama mirando fijamente el teléfono blanco de disco, esperando a que sonase para transmitirme distintas reprimendas: de la madre de John, que se pondría furiosa cuando descubriese que había hablado con su hijo. O de Richard, por mi filtración acerca de que el sospechoso podía ser un vecino de Wind Gap.

Pasaron varias horas silenciosas mientras yo sudaba cada vez más, los tábanos merodeaban por mi ventana y Gayla aguardaba apostada en mi puerta, ansiosa por entrar en mi cuarto. Nuestra ropa de cama y las toallas del baño siempre se han cambiado a diario; el cuarto de la lavadora se pasa el día funcionando a toda máquina en el sótano. Creo que es una costumbre que perdura desde la época en que vivía Marian. Ropa limpia y recién planchada para hacernos olvidar todos los fluidos y los olores húmedos que expele nuestro cuerpo. Ya iba a la universidad para cuando me di cuenta de que me gustaba el olor a sexo. Entré en el dormitorio de una amiga una mañana, justo después de que un chico pasase a toda prisa por mi lado, con una sonrisa radiante y furtiva y escondiéndose los calcetines en el bolsillo trasero de los pantalones. Ella estaba holgazaneando en la cama, sudorosa y desnuda, mostrando una sola pierna por debajo de las sábanas. Aquel olor turbio y dulzón era puramente animal, como el rincón más profundo de la cueva de un oso. Me resultaba ajeno aquel olor habitado y conquistado. El olor más evocador de mi infancia era el de lejía.

Resultó que la primera llamada enfurecida no la hizo ninguna de las personas que yo había supuesto.

–No me puedo creer que me hayas dejado completamente fuera del artículo –atronó la voz de Meredith Wheeler al otro lado del aparato–. No has utilizado ni una sola de las frases que yo dije. Parece como si ni siquiera hubiera estado ahí. Fui yo la que te trajo a John, ¿recuerdas?

–Meredith, nunca te dije que fuese a utilizar tus comentarios –dije, irritada por su insistencia–. Lo lamento si tuviste esa impresión.

Me puse un osito azul de trapo debajo de la cabeza y luego sentí remordimientos y lo devolví a los pies de la cama. Hay que mantener la lealtad hacia los objetos de la infancia.

–Es que no entiendo por qué no me incluiste –continuó–. Si se trataba de hacerse una idea de cómo era Natalie, entonces necesitas a John, y si necesitas a John, me necesitas a mí. Soy su novia. Prácticamente soy su dueña; pregunta por ahí y verás.

–Bueno, pues la verdad es que tú y John no erais el argumento central de la historia –dije.

Por detrás de la respiración de Meredith, oí una balada de country-rock de fondo y el sonido rítmico de un golpe seguido de un ruido sibilante.

–Pero sí que sacaste a otra gente de Wind Gap en el artículo. Sacaste al idiota del padre Bluell. ¿Por qué no a mí? John lo está pasando muy mal y yo he sido muy importante para él, le he apoyado en todo momento. Se pasa el día llorando, yo soy la que lo ayuda a no derrumbarse.

–Cuando escriba otro artículo que necesite más voces de Wind Gap, te entrevistaré. Si tienes algo que añadir a la historia.

Golpe. Ruido sibilante. Estaba planchando.

–Sé muchas cosas de esa familia, muchas cosas de Natalie que a John no se le ocurriría pensar... o decir en voz alta.

–Genial, entonces. Me pondré en contacto contigo, pronto.

Colgué el teléfono, algo inquieta por lo que la chica me ofrecía. Cuando bajé la vista me di cuenta de que había escrito «Meredith» en letra redondeada e infantil sobre las cicatrices de mi pierna izquierda.

En el porche, Amma estaba envuelta en un edredón de seda rosa, con un paño húmedo en la frente. Mi madre sujetaba una bandeja de plata con té, tostadas y varios botes de distintas clases, y se apretaba el dorso de la mano de Amma contra la mejilla en movimientos circulares.

–Mi pequeña, mi tesoro, mi cielo... –murmuraba Adora, meciéndolas a ambas en el balancín.

Amma estaba acurrucada con aire soñoliento, como un recién nacido en su manta, y se relamía los labios de vez en cuando. Era la primera vez que veía a mi madre desde nuestro viaje a Woodberry. Me planté delante de ella, pero sólo tenía ojos para Amma.

–Hola, Camille –murmuró Amma al fin, y me dedicó un amago de sonrisa.

–Tu hermana está enferma. Está tan preocupada desde que tú llegaste a casa que al final le ha subido la fiebre –dijo Adora, sin dejar de apretar la mano de Amma con el mismo movimiento circular.

Me imaginé a mi madre haciendo rechinar los dientes en la parte interna de los carrillos.

Me percaté de que Alan estaba sentado dentro de la casa, mirándolas a través de la ventana mosquitera desde el confidente de la sala de estar.

—Tienes que hacer que se sienta más cómoda en tu presencia, Camille; sólo es una niña —arrulló mi madre a Amma.

Una niña pequeña con resaca. Amma se había ido de mi habitación la noche anterior y había bajado a beber un rato por su cuenta. Así era como funcionaban las cosas en aquella casa. Las dejé susurrándose cosas la una a la otra, mientras «favorita» me llameaba en la rodilla.

—Eh, reportera.

Richard me alcanzó a bordo de su sedán. Me dirigía al lugar donde habían hallado el cadáver de Natalie, para obtener detalles específicos sobre los globos y las notas dejados allí. Curry quería un artículo del estilo «una ciudad de luto», eso siempre y cuando no hubiese nuevas pistas sobre los asesinatos, lo cual implicaba que más valía que hubiese alguna pista.

—Hola, Richard.

—Un buen artículo, te felicito. —Maldito internet—. Me alegra descubrir que has encontrado una fuente cercana a la investigación —sonrió al decirlo.

—A mí también.

—Sube, tenemos trabajo que hacer.

Abrió la puerta del acompañante.

—Yo también tengo trabajo que hacer. Hasta ahora, trabajando contigo no he obtenido más que comentarios inútiles y «sin comentarios». Mi jefe me va a quitar el caso muy pronto.

—Bueno, pues no podemos permitírselo; entonces me quedaría sin distracciones —dijo—. Venga, acompáñame. Necesito una guía turística de Wind Gap; a cambio te responderé a tres preguntas, las que sean, con respuestas completas y veraces. Extraoficialmente, por supuesto, pero te lo pondré todo en bandeja. Vamos, Camille... A menos que tengas una cita con tu fuente cercana a la investigación.

—Richard.

—No, de verdad, no me gustaría interferir en una floreciente relación amorosa. Tú y ese tipo misterioso debéis de formar una pareja preciosa.

—Cierra la boca.

Me subí al coche. Él inclinó el cuerpo hacia mí, tiró de mi cinturón de seguridad y me lo abrochó, demorándose un segundo más de la cuenta con los labios muy cerca de los míos.

–Tengo que asegurarme de que no te pase nada. –Señaló hacia un globo de poliéster que se balanceaba en el hueco donde habían encontrado el cuerpo de Natalie. En él se leía: «Que te mejores pronto»–. Eso –añadió Richard–, resume Wind Gap a la perfección.

Richard quería que lo llevase a todos los rincones secretos de Wind Gap, a los lugares que sólo conocía la gente de allí. Sitios de reunión para follar o fumar porros, donde bebían los adolescentes o donde algunos se perdían para sentarse a reflexionar y decidir en qué momento habían perdido el control sobre sus vidas. Porque siempre hay un momento en que la vida descarrila. El mío había sido el día de la muerte de Marian; el día en que cogí aquel cuchillo le sigue a la zaga.

–Todavía no hemos encontrado el lugar donde pudieron despachar a cada una de las niñas –explicó Richard, con una mano al volante y la otra rodeando la parte de atrás de mi asiento–. Sólo los vertederos de basura, y están muy contaminados. –Hizo una pausa–. Siento lo de «despachar»; ha sido un poco bruto por mi parte.

–Sí, es más propio de un desolladero.

–¡Caramba! Menudo vocabulario, Camille. Estoy impresionado. Sobre todo teniendo en cuenta que estudiaste en Wind Gap.

–Claro, se me olvidaba que vosotros los de Kansas City sois tan cultos...

Le indiqué a Richard que siguiera por un camino de tierra y aparcamos en unos matorrales agrestes que nos llegaban a la altura de la rodilla, unos quince kilómetros al sur de donde habían hallado el cuerpo de Ann. Expuse la nuca al aire húmedo para refrescarme y me remangué las mangas largas de mi camisa, que se me habían pegado a los brazos. Me pregunté si Richard olería el alcohol de la noche anterior, que en ese momento afloraba en forma de marcas de sudor en mi piel. Nos adentramos en el bosque, primero cuesta abajo y luego hacia arriba. Las hojas de los álamos de Virginia se estremecían, como siempre, con una brisa imaginaria. De vez en cuando oíamos el ruido de un animal que huía de repente, o de un pájaro al levantar el vuelo. Richard andaba con paso firme y decidido detrás de mí, arrancando las hojas y luego haciéndolas trizas muy despacio a medida que caminaba. Para cuando llegamos al sitio en cuestión, teníamos la ropa empapada y la cara me chorreaba de sudor. Se trataba de una antigua escuela de una sola habitación, una casa ligeramente torcida con enredaderas que asomaban y se escondían entre los listones de madera.

En el interior, la mitad de una pizarra estaba clavada a la pared. En ella aparecían dibujos muy elaborados de varios penes penetrando en sendas vaginas, aunque no estaban unidos a un cuerpo. Había hojas muertas y unas botellas de licor desparramadas por el suelo, junto a unas latas de cerveza oxidadas de los tiempos en que aún no las cerraban con chapas. Quedaban unos cuantos pupitres minúsculos. Uno de ellos estaba cubierto por un mantel, con un jarrón de rosas marchitas en el centro. Un lugar penoso para una cena romántica; esperaba que hubiese ido bien.

–Buen trabajo –comentó Richard, al tiempo que señalaba uno de los dibujos del encerado.

Su camisa de tela Oxford azul claro se le pegaba al cuerpo, y vi el contorno de un torso bien modelado.

–Aquí vienen sobre todo los adolescentes, obviamente –dije–, pero está cerca del arroyo, por eso he pensado que deberías verlo.

–Mmm... –Me miró en silencio–. Y dime, ¿qué haces en Chicago cuando no trabajas?

Se apoyó en el pupitre, extrajo una rosa mustia del jarrón y empezó a desmenuzar las hojas.

–¿Que qué hago?

–¿Tienes novio? Seguro que sí.

–No. Hace mucho tiempo que no tengo ningún novio.

Empezó a arrancar los pétalos de la rosa. No estaba segura de si le interesaba o no mi respuesta. Levantó la vista y sonrió.

178

–Eres muy dura de pelar, Camille; no eres muy abierta. Haces que tenga que esforzarme. Me gusta, es diferente. Con la mayoría de las chicas, es imposible conseguir que se callen. Sin ánimo de ofender...

–No intento ponerte las cosas difíciles, es sólo que no era la pregunta que esperaba –dije, recuperando mi papel en la conversación. Cháchara y conversación trivial, eso sé hacerlo–. ¿Tú tienes novia? Seguro que tienes dos, una rubia y otra morena, a juego con tus corbatas.

–Estás completamente equivocada. No tengo novia, y la última era pelirroja. No hacía juego con nada de lo que yo tenía. Tuvo que marcharse. Una buena chica, mala suerte.

Richard pertenecía a la clase de hombre al que yo, normalmente, no podía ni ver, alguien que había nacido y crecido entre algodones: guapo, inteligente, con encanto y seguramente con dinero. Aquellos hombres nunca me resultaban demasiado interesantes, pues no tenían aristas y por regla general eran todos unos cobardes. Huían instintivamente de cualquier situación que pudiera provocarles vergüenza o incomodidad. Sin embargo, Richard no me aburría. A lo mejor porque cuando sonreía, lo hacía con la boca un poco torcida. O porque se ganaba la vida enfrentándose a cosas muy feas.

–¿Venías aquí alguna vez cuando eras niña, Camille?

Hablaba con voz baja, casi tímida. Se puso de lado y el sol de primera hora de la tarde le arrancó destellos dorados a su pelo.

–Claro, es un lugar perfecto para actividades poco ortodoxas.

Richard se acercó a mí, me dio lo que quedaba de la rosa y me recorrió con el dedo la mejilla sudorosa.

–Eso ya lo veo –dijo–. Es la primera vez que he deseado haber crecido en Wind Gap.

–Tú y yo podríamos haber congeniado –dije, y lo decía en serio.

De repente me invadió cierto sentimiento de tristeza por no haber conocido a ningún chico como Richard cuando era pequeña, alguien que al menos hubiera supuesto un desafío.

–Sabes que eres muy guapa, ¿verdad? –preguntó–. Yo te lo diría, pero tengo la sensación de que es justo la clase de cosa por la que te reirías de mí en la cara. En cambio, he pensado que si...

Me levantó la barbilla con el dedo y me besó, primero despacio y luego, como no me aparté, me estrechó en sus brazos y me metió la lengua en la boca. Era la primera vez que me besaban en casi tres años. Enterré las manos entre sus omoplatos y la rosa fue desmenuzándose por su espalda. Le tiré de la camisa hacia fuera y le lamí el cuello.

–Creo que eres la mujer más guapa que he visto en mi vida –dijo, recorriéndome el borde de la mandíbula con el dedo–. La primera vez que te vi, ni siquiera pude pensar en otra cosa durante el resto del día. Vickery me envió a casa.

Se echó a reír.

–Tú también me resultas muy atractivo –dije, sujetándole las manos para que no vagasen al azar por mi cuerpo. Llevaba una camisa muy fina, no quería que me notase las cicatrices.

–«¿Tú también me resultas muy atractivo?» –Se echó a reír–. Por Dios, Camille, hace mucho tiempo que no te enrollas con nadie, ¿no?

–Es que me has pillado desprevenida. Para empezar, esto es una mala idea; tú y yo juntos.

–Horrible.

Me besó el lóbulo de la oreja.

–Además, ¿no querías echarle un vistazo a este sitio?

–«Señorita» Preaker, registré este lugar durante mi segunda semana aquí. Sólo quería ir a dar una vuelta contigo.

Richard también había cubierto los otros dos lugares que yo tenía en mente: en una cabaña abandonada en la zona del sur de los bosques habían encontrado una cinta de pelo amarilla a cuadros que ninguno de los padres de las chicas había podido identificar, y en los riscos al este de Wind Gap, donde se podía ir a sentarse y contemplar el lejano río Mississippi, habían detectado la huella de una zapatilla infantil de deporte que no coincidía con ninguna de las zapatillas de las niñas. Habían encontrado gotas de sangre seca en las briznas de hierba, pero el grupo sanguíneo tampoco coincidía con ninguna de las dos. Una vez más, mi aportación resultaba inútil, aunque bien mirado, a Richard no parecía importarle. Fuimos en coche hasta los riscos de todos modos, nos llevamos un *pack* de seis cervezas y nos sentamos al sol, viendo el gris del río Mississippi relucir como una serpiente perezosa.

Aquél había sido uno de los lugares favoritos de Marian cuando podía levántarse de la cama. Por un instante, sentí su peso de niña sobre mi espalda, el aliento de su risa cálida en mi oreja y unos brazos escuálidos que me rodeaban los hombros con fuerza.

—¿Adónde llevarías tú a una niña para estrangularla? —me preguntó Richard.

—A mi casa o a mi coche —respondí, volviendo al presente de golpe.

—¿Y para arrancarle los dientes?

—A alguna parte donde luego pudiese limpiarlo todo a conciencia. Un sótano, una bañera... A las dos las mataron antes, ¿verdad?

—¿Es ésa una de tus preguntas?

—Sí.

—Las dos estaban ya muertas.

—¿Y llevaban muertas el tiempo suficiente para que no saliese sangre cuando les quitaron los dientes?

Una barcaza que navegaba por el río empezó a virar de lado en la corriente y unos hombres salieron a cubierta con palos para volver a colocarla en la dirección correcta.

—Con Natalie hubo sangre. Los dientes fueron extraídos inmediatamente después del estrangulamiento.

Vi la imagen de Natalie Keene, con los ojos castaños paralizados y abiertos, tirada en una bañera mientras alguien le arrancaba los dientes de la boca. Sangre en la barbilla de Natalie y una mano que sostenía unas tenazas. Una mano de mujer.

—¿Crees la versión de James Capisi?

—La verdad es que no sé qué pensar, Camille, y te juro que no estoy echando balones fuera. Ese niño está muerto de miedo, su madre no para de llamarnos para que enviemos a alguien para protegerlo. El chico está convencido de que esa mujer va a ir a por él. Lo hice sudar un poco, lo llamé mentiroso para ver si cambiaba su versión, y nada. —Se volvió para mirarme de frente—. Te diré una cosa: James Capisi cree su historia, pero me parece imposible que sea cierta. No encaja con ningún perfil del que haya oído hablar nunca; no sé, no me convence. Instinto de policía. Bueno, tú hablaste con él, ¿a ti qué te parece?

–Estoy de acuerdo contigo. Me pregunto si no estará acojonado con lo del cáncer de su madre y será su manera de proyectar el miedo o algo así. No lo sé. ¿Y qué me dices de John Keene?

–En cuanto al perfil, encaja en el segmento de edad, pertenece a la familia de una de las víctimas y parece estar demasiado destrozado por lo ocurrido.

–Han asesinado a su propia hermana.

–Sí, ya, pero... Yo soy un tío, y te digo que los chicos de su edad prefieren morirse antes que llorar en público, y él ha estado llorando por todos los rincones de la ciudad.

Richard hizo sonar un pitido hueco con la botella de cerveza, una llamada de apareamiento a un remolcador que se deslizaba por el río.

Ya había salido la luna y las cigarras cantaban con clamorosa intensidad cuando Richard me dejó en casa. Su canto coincidía con el ritmo palpitante que me latía entre las piernas, en el lugar donde le había dejado tocarme. Con la cremallera bajada, su mano guiada por la mía hasta el clítoris y retenida para que no explorase y se tropezase con los bultos protuberantes de mis cicatrices. Nos pusimos a cien el uno al otro como un par de adolescentes en celo («novios» me palpitaba con fuerza y encendida en el pie izquierdo cuando me corrí) y yo estaba pegajosa y olía a sexo cuando abrí la puerta y me encontré a mi madre sentada al pie de la escalera con una jarra de *amaretto sour*.

Iba con un camisón rosa de niña con las mangas de farol y un ribete de raso en el cuello. Seguía llevando las manos innecesariamente vendadas con aquella gasa de color blanco níveo, que había conseguido conservar impoluta a pesar de estar del todo borracha. Se tambaleaba ligeramente cuando entré como un fantasma decidiendo si desvanecerse o no. Se quedó.

–Camille, ven a sentarte. –Me hizo señas con las manos envueltas–. ¡No! Antes ve a por un vaso a la cocina. Puedes tomarte una copa con mamá. Con tu madre.

«Esto va a ser un desastre», murmuré mientras cogía un vaso alto. Pero bajo aquella frase, un pensamiento: ¡tiempo a solas con ella al fin! Los restos de un eco de la infancia. Había que arreglarlo.

Mi madre me sirvió el licor de forma temeraria pero perfecta, llenando mi vaso hasta el borde justo antes de que rebosase. Pese a todo, un truco para que me lo llevase a la boca sin derramarlo. Esbozó una leve sonrisa petulante mientras me observaba. Recostada contra el poste inferior de la escalera, con los pies recogidos debajo del cuerpo, tomó un sorbo de su copa.

–Creo que al final me he dado cuenta de por qué no te quiero –dijo.

Ya sabía que no me quería, pero nunca la había oído admitirlo tan abiertamente. Intenté decirme a mí misma que estaba intrigada, como un científico a punto de realizar un descubrimiento sin precedentes, pero se me hizo un nudo en la garganta y tuve que forzarme a respirar.

–Me recuerdas a mi madre, a Joya. Fría y distante, y tan sumamente engreída. Mi madre tampoco me quiso nunca. Y si vosotras no me queréis, yo tampoco os quiero.

Me invadió una oleada de furia.

–Nunca he dicho que no te quiera, eso es ridículo. Es una ridiculez de mierda. Eres tú la que nunca me ha querido a mí, ni siquiera cuando era una niña. Nunca recibí de ti más que frialdad, así que no te atrevas a echarme la culpa de eso a mí.

Empecé a restregarme la palma con fuerza contra el borde de la escalera. Mi madre me dedicó una media sonrisa al verlo y dejé de hacerlo.

–Siempre fuiste tan cabezota... Nunca fuiste una niña dulce. Me acuerdo de cuando tenías seis o siete años. Quería ponerte rulos en el pelo para la foto del colegio. Pero tú te lo cortaste todo con mis tijeras de costura.

No me acordaba de haber hecho aquello. Recordaba haber oído que Ann había hecho aquello.

–Me parece que no fue así, mamá.

–Una cabezota. Como esas otras niñas. Intenté acercarme a esas niñas, esas niñas muertas.

–¿A qué te refieres con eso?

–Me recordaban a ti, paseándose por la ciudad como niñas salvajes. Como animales bellísimos. Creí que si me acercaba a ellas, podría entenderte mejor. Si conseguía sentir cariño por ellas, también lo sentiría por ti. Pero no pude.

–No, me lo imagino.

El reloj de pared dio las once. Me pregunté cuántas veces habría oído ese ruido mi madre mientras crecía en aquella casa.

–Cuando te llevaba dentro de mí, cuando era una cría, mucho más joven de lo que tú eres ahora, creía que tú me salvarías. Creía que tú me querrías, y que así mi madre me querría. Eso sí que fue una broma.

La voz de mi madre subió de tono, viva y cortante, como una bufanda roja en un vendaval.

–Yo era un bebé.

–Ya desde el principio fuiste desobediente. No querías comer. Como si me estuvieras castigando por haber nacido. Me hacías quedar como una idiota, como una niña.

–Es que eras una niña.

–Y ahora vuelves y en lo único que pienso es: ¿por qué Marian y no ella?

La furia se desinfló rápidamente y se transformó en una oscura desesperación. Mis dedos hallaron una grapa en los tablones de madera del suelo y tiré de ella con la parte inferior de la uña. No lloraría por aquella mujer.

–A mí tampoco me gusta la idea de haberme quedado aquí, mamá, si eso te hace sentirte mejor.

–Eres tan odiosa...

–Lo aprendí de ti.

Mi madre decidió entrar a fondo entonces y me agarró los brazos. Acto seguido alargó la mano hacia mi espalda y, con una sola uña, dibujó un círculo en el lugar donde no tenía cicatrices.

–El único sitio que te queda –susurró.

Tenía el aliento empalagoso y húmedo, como una ráfaga de aire que saliese del vientre de un manantial.

–Sí.

–Algún día grabaré ahí mi nombre a cuchillo.

Me zarandeó una vez, me soltó y luego me dejó en la escalera con los restos calientes de nuestro licor.

Me bebí el resto del alcohol y tuve unos sueños oscuros y viscosos. Mi madre me había abierto en canal y me estaba sacando los órganos, apilándolos en fila encima de mi cama mientras la carne se me desparramaba a uno y otro lado. Cosía sus iniciales en cada uno de ellos y luego volvía a metérmelos dentro, junto con una serie de objetos del pasado: una pelota de goma de color naranja fluorescente que me salió en una máquina de chicles de bola cuando tenía diez años, un par de leotardos de lana de color violeta que llevaba cuando tenía doce años, y un anillo barato de chapa de oro que me había regalado un chico en primer curso. Con cada objeto, sentía el alivio de que no se hubiese perdido para siempre.

Cuando me desperté, era más de mediodía y estaba desorientada y asustada. Tomé un trago de mi petaca de vodka para mitigar el miedo y luego corrí al cuarto de baño y lo vomité, junto con unos hilillos de saliva marrón azucarada del *amaretto sour*.

Me desnudé y me metí en la bañera, y la porcelana me obsequió con una agradable sensación de frescor en la espalda. Me tumbé, abrí el agua y dejé que el nivel fuera subiendo poco a poco y me inundase los oídos hasta que éstos se zambulleron con el grato sonido de un barco que se hunde, cuando al fin se sumerge. ¿Tendría alguna vez la disciplina necesaria para dejar que el agua me cubriese la cara, para ahogarme con los ojos abiertos? Sólo hace falta negarse a subir el cuerpo un palmo y ya está, no hay más.

El agua me hizo escocer los ojos, me cubrió la nariz y luego me envolvió por completo. Me imaginé a mí misma desde arriba: una piel fustigada y un rostro inmóvil titilando bajo una película de agua. Mi cuerpo renegaba de la quietud. «¡Corpiño, sucia, pelma, viuda!», gritaba. El estómago y la garganta me daban sacudidas, desesperados por conseguir algo de aire. «¡Dedo, puta, hueca!» Sólo unos momentos más de disciplina. Qué forma tan pura de morir... «Fresca, flor, florida.»

Salí a la superficie y aspiré un poco de aire. Entre jadeos, ladeé la cabeza hacia el techo. Tranquila, tranquila, me dije. Tranquila, pequeña, no va a pasar nada. Me di unas caricias cariñosas en la mejilla, me hablé a mí misma con lenguaje infantil (qué lamentable); pero mi respiración se apaciguó.

A continuación, un arrebato de pánico. Me llevé la mano a la espalda para buscar el círculo de piel. Todavía estaba liso.

Unas nubes negras emborronaban el horizonte de la ciudad; el sol se curvaba por los bordes y lo teñía todo de un amarillo enfermizo, como si fuéramos bichos debajo de unas lámparas fluorescentes. Aún me sentía débil por el episodio con mi madre, así que aquella luz inane me pareció de lo más apropiada. Tenía una cita en casa de Meredith Wheeler para hacerle una entrevista sobre los Keene. No estaba segura de que fuese a sacar nada de provecho, pero al menos obtendría alguna frase impactante, y la necesitaba: no había sabido nada de los Keene tras mi último artículo. Lo cierto era que ahora que John vivía detrás de la casa de Meredith, no tenía otra forma de acceder a él más que por mediación de la chica, y estaba segura de que eso a ella le encantaba.

Fui andando a Main Street a buscar mi coche, al lugar donde lo había abandonado durante la excursión con Richard del día anterior. Me dejé caer con movimiento cansino en el asiento del conductor y pese a todo logré llegar a la casa de Meredith con media hora de antelación. Consciente de las horas de acicalamiento y arreglos que la chica invertiría para mi visita, supuse que me haría esperar en el patio, y así tendría una oportunidad para hablar con John. Resultó que Meredith ni siquiera estaba allí todavía, pero oí una música procedente de la casa; la seguí y descubrí a las Cuatro Ninfas Rubias con biquinis fluorescentes en un extremo de la piscina, pasándose un canuto, y a John sentado en la sombra en el otro extremo, mirándolas. Amma estaba bronceada, muy rubia y espectacular, sin rastro de la resaca del día anterior. Era menudita y vistosa como un aperitivo.

Enfrentada a toda aquella carne tersa y lisa, sentí cómo mi piel se ponía en pie de guerra. No era capaz de exponerme al contacto directo en pleno pánico resacoso, así que me limité a espiar desde el lado de la casa. Cualquiera de ellos podría haberme visto, pero no estaban por la labor. Las tres amigas de Amma no tardaron en entrar en una espiral de marihuana y calor, tumbadas boca abajo en sus toallas.

Amma se quedó de pie, mirando fijamente a John y untándose aceite bronceador en los hombros, el escote y los pechos; deslizaba la mano por debajo de la parte superior de su biquini y observaba cómo John la observaba a ella. John no reaccionó de ningún modo especial, como un niño delante de su sexta hora de televisión. Cuanto más lascivamente se restregaba Amma el aceite, menos pestañeaba él. Uno de los triángulos de la parte superior del biquini se le había torcido y había dejado al aire el turgente pecho de debajo. Trece años, pensé para mis adentros, pero sentí una chispa de admiración por la chica. Cuando yo estaba triste, me hacía daño a mí misma; Amma se lo hacía a los demás. Cuando yo quería atención, me ofrecía a los chicos: «Haz lo que quieras, pero quiéreme». Los ofrecimientos sexuales de Amma parecían más bien una forma de agresión: piernas largas y delgadas, muñecas finas y voz aguda y aniñada, todo ello bien dirigido, como un arma. «Haz lo que quieras; puede que me gustes.»

−Oye, John, ¿a quién te recuerdo? −gritó Amma.

−A una niña que se porta mal y se cree más guapa de lo que es en realidad −repuso John.

Se sentó en el borde de la piscina en *shorts* y camiseta, con los pies sumergidos en el agua. Tenía las piernas cubiertas por una capa muy fina, casi femenina, de vello oscuro.

−¿Ah, sí? Entonces, ¿por qué no dejas de mirarme desde tu pequeño escondite? −dijo ella, y señaló con una pierna hacia la cochera, con su ventanuco en el altillo con cortinas de cuadros azules−. Meredith se pondrá celosa.

−Me gusta vigilarte, Amma. Que sepas que no te quito el ojo de encima.

A ver si lo adivino: mi hermanastra se había colado en el cuarto de John sin su permiso y había registrado sus cosas. O lo había esperado en la cama.

–Sí, como ahora mismo... –dijo Amma, riendo, con las piernas abiertas.

Tenía un aire truculento bajo la oscura luz, con aquellos rayos que dibujaban ajedrezados de sombra sobre su rostro.

–Algún día te llegará tu turno, Amma –le dijo él–. Pronto.

–Todo un hombre, según tengo entendido... –replicó Amma.

Kylie levantó la vista, fijó la mirada en su amiga y luego volvió a tumbarse.

–Y con mucha paciencia, también.

–La vas a necesitar.

Amma le lanzó un beso.

El *amaretto sour* me estaba encendiendo, y empezaba a estar harta de aquellas bromitas. No me gustaba ver a John Keene flirtear con Amma, daba igual lo mucho que ella lo provocase. Seguía teniendo sólo trece años.

–¿Hola? –exclamé, y sobresalté a Amma, que me saludó agitando los dedos. Dos de las tres rubias levantaron la cabeza y luego volvieron a bajarla. John recogió un poco de agua de la piscina con ambas manos y se la echó por la cara antes de torcer hacia arriba las comisuras de los labios para saludarme. Estaba tratando de calcular el fragmento de la conversación que habría oído yo. Me hallaba a la misma distancia de él que de ella, y me acerqué a John, sentado a casi dos metros–. ¿Leíste el artículo? –le pregunté.

Él asintió con la cabeza.

–Sí, gracias. Estaba muy bien. Al menos la parte sobre Natalie.

–He venido a charlar un rato con Meredith sobre Wind Gap; a lo mejor sale a relucir el nombre de Natalie –le expliqué–. ¿Te parece bien?

Se encogió de hombros.

–Sí, claro. Pero Meredith no ha llegado todavía. No había suficiente azúcar para preparar el té, así que se puso histérica y se fue corriendo a la tienda sin maquillaje.

–Una vergüenza.

–Para Meredith, sí.

–¿Qué tal van las cosas por aquí?

–Bueno, bien –dijo. Empezó a masajearse la mano derecha, para calmarse. Volví a sentir lástima por él–. No creo que las cosas puedan ir bien en ningún sitio, así que es difícil sopesar si por aquí van mejor o peor, ¿sabes lo que quiero decir?

–Es como pensar: este sitio es una mierda y quiero morirme, pero no se me ocurre ningún otro sitio donde preferiría estar –sugerí.

Se volvió y me miró de hito en hito, con unos ojos azules que reflejaban el óvalo de la piscina.

–Eso es justo lo que quiero decir.

«Pues acostúmbrate», pensé.

–¿Has pensado en buscar algún tipo de ayuda, en ir a ver a un psicólogo, por ejemplo? –le propuse–. Podría resultarte muy útil.

–Sí, John, eso podría sofocar algunos de tus «impulsos». Pueden ser... mortales, ¿sabes? No queremos que aparezcan más niñitas sin dientes... –Amma se había deslizado en el interior de la piscina y flotaba a tres metros de distancia.

John se levantó de golpe y, por un segundo, creí que se iba a tirar a la piscina e iba a ahogarla, pero en vez de eso, la apuntó con un dedo amenazador, abrió la boca, la cerró y se fue a su cuarto del altillo.

–Eso ha sido muy cruel, Amma –le dije.

–Pero divertido –señaló Kylie, que flotaba a su lado encima de una colchoneta rosa.

–Menudo *freaky* –añadió Kelsey, chapoteando junto a ellas.

Jodes estaba sentada en su toalla, con las rodillas recogidas a la altura de la barbilla y la mirada fija en la cochera.

–Fuiste tan amable conmigo la otra noche, y ahora estás tan cambiada... –le murmuré a Amma–. ¿Por qué?

Por una fracción de segundo, la pregunta pareció pillarla desprevenida.

–No lo sé. Ojalá pudiese arreglarlo. De verdad.

Se fue nadando hacia donde estaban sus amigas, cuando Meredith apareció por la puerta y me instó de malos modos a que entrara.

La casa de los Wheeler me resultaba familiar: un sofá de felpa con montones de relleno, una mesita del café con la réplica de un velero, una alegre otomana de terciopelo verde lima, una foto en blanco y negro de la torre Eiffel con el encuadre estándar. Pottery Barn, catálogo de primavera; hasta los mismísimos platos amarillo limón que Meredith estaba colocando en esos momentos en la mesa, con tartaletas de frutas del bosque en el centro.

Llevaba un vestido de tirantes de lino del color de un melocotón que no está maduro del todo; el pelo le cubría las orejas y se sujetaba después en la nuca con una cola de caballo suelta que habría requerido unos veinte minutos para alcanzar semejante grado de perfección. De repente, me recordó mucho a mi madre; podía haber sido la hija de Adora mucho más convincentemente que yo. Sentí cómo me crecía por dentro un brote de rencor e intenté mantenerlo a raya mientras Meredith nos servía un vaso de té a cada una con azúcar y sonreía.

–No tengo ni idea de qué era lo que te estaba diciendo mi hermana ahí fuera, pero estoy segura de que sólo podía ser una impertinencia o una ordinariez, así que me disculpo –dijo–. Aunque estoy segura de que ya sabes que Amma es la que ordena y manda ahí.

Miró la tartaleta, pero no parecía muy decidida a comérsela. Era demasiado bonita.

–Seguramente tú conoces a Amma mejor que yo –contesté–. Ella y John no parecen...

–Es una niña con muchas carencias –dijo; cruzó las piernas, las separó de nuevo y se alisó las arrugas del vestido–. A Amma le da miedo marchitarse y desaparecer del mapa si no recibe atención constantemente, sobre todo por parte de los chicos.

–¿Por qué no le cae bien John? Ha insinuado que fue él quien hizo daño a Natalie.

Saqué mi grabadora y pulsé el botón de encendido, en parte porque no quería perder el tiempo con jueguecitos egocéntricos y en parte porque esperaba que dijese algo sobre John que mereciese la pena llevar a imprenta. Si él era el principal sospechoso, al menos para las mentes de Wind Gap, necesitaba declaraciones.

–Amma es así. Tiene una vena maligna. A John le gusto yo y no ella, así que lo ataca. Eso cuando no está intentando robármelo. Como si eso pudiera suceder...

–Pero parece ser que mucha gente ha estado hablando; dicen que quizá John pueda tener algo que ver con todo esto. ¿Por qué crees que pensarían algo así?

Se encogió de hombros, dejó caer el labio inferior y observó runrunear la cinta unos segundos.

–Ya sabes cómo son estas cosas. Él no es del pueblo; es listo, tiene mucho mundo y es mil veces más guapo que cualquier otro chico de por aquí. A la gente le gustaría que hubiese sido él porque entonces eso significaría que... el mal no ha venido de Wind Gap sino de fuera. Cómete la tartaleta.

–¿Tú crees que es inocente?

Di un mordisco al dulce y la cobertura me goteó por el labio.

–Pues claro que es inocente. Todo eso no son más que habladurías malintencionadas. Sólo porque alguien vaya a dar una vuelta en coche... hay mucha gente que hace eso por aquí. John sólo lo hizo en un momento muy inoportuno.

–¿Y qué me dices de la familia? ¿Puedes decirme algo sobre cualquiera de las dos niñas?

–Eran unas niñas encantadoras, muy bien educadas y cariñosas. Es como si Dios hubiese escogido a las mejores niñas de Wind Gap para llevárselas con él al cielo.

Había estado practicando, pues las palabras poseían un ritmo ensayado. Hasta su sonrisa parecía perfectamente mesurada: demasiado pequeña era ser tacaña, demasiado grande era inapropiadamente complacida. Aquella sonrisa estaba en el punto medio. Valiente y esperanzada, decía.

–Meredith, sé que no es eso lo que pensabas de las niñas.

–Bueno, ¿y qué clase de comentario quieres? –soltó.

–Uno sincero.

–Eso no puedo hacerlo. John me odiaría.

–No tendría que nombrarte en el artículo.

–Entonces, ¿para qué iba a mantener esta entrevista contigo?

–Si sabes algo acerca de esas niñas que los demás se están callando, deberías decírmelo. Eso podría desviar la atención de John, en función de la clase de información de que se trate.

Meredith tomó un meditado sorbo de té y se limpió la comisura de sus labios de fresa con la servilleta.

–Pero ¿mi nombre todavía podría aparecer en algún lugar del artículo?

–Puedo citarte en cualquier otra parte con tu nombre.

–Quiero que salga lo de Dios llevándoselas al cielo –insistió Meredith, con un tono infantil; se retorció las manos y me dedicó una media sonrisa.

–No, eso no. Usaré la frase en que dices que John no es de aquí y por eso la gente murmura tanto sobre él.

–¿Y por qué no utilizas la que yo quiero?

Me imaginé a Meredith con cinco años, vestida de princesa y soltando pestes porque a su muñeca favorita no le gustaba su merienda imaginaria.

–Porque eso contradice un montón de cosas que he oído por ahí y porque nadie habla así en realidad. Suena falso.

Era el enfrentamiento más patético que había tenido con un entrevistado, y un modo nada ético de trabajar, pero quería su puta historia. Meredith se toqueteó la cadenita de plata que llevaba alrededor del cuello y me escudriñó el rostro.

–Podrías haber sido modelo, ¿sabes? –me espetó de improviso.

–Eso lo dudo –solté.

Cada vez que la gente me decía que era guapa, me acordaba de todas las cosas feas que bullían por debajo de la ropa.

–Sí que podrías. Siempre quería ser como tú cuando era pequeña. Me acuerdo de ti, ¿sabes? Bueno, como nuestras madres son amigas y todo eso, sabía que estabas en Chicago, y te imaginaba en una mansión enorme con unos cuantos retoños de pelo rubio y tirabuzones y con un adonis por marido, el rey de la banca de inversión. Os imaginaba a todos en la cocina bebiendo zumo de naranja por las mañanas, y él subiéndose a su Jaguar para ir a trabajar. Pero supongo que me equivocaba.

–Sí, te equivocabas. Aunque suena muy bien, la verdad. –Di otro mordisco a la tartaleta–. Bueno, háblame de las niñas.

–Siempre directa al grano, ¿eh? Nunca fuiste demasiado simpática. Sé lo de tu hermana. Tenías una hermana, que murió.

–Meredith, si quieres podemos hablar de eso otro día. Me gustaría, pero después de esto. Ahora vamos a hablar de esta historia; y luego podremos divertirnos.

No tenía intención de quedarme ni un minuto una vez que la entrevista hubiese acabado.

–Vale... Pues, ahí va. Creo que sé por qué... los dientes... –imitó una extracción.

–¿Por qué?

–Me parece increíble que no lo diga nadie –dijo.

Meredith miró a su alrededor.

–Yo no te he contado esto, ¿vale? –continuó–. Esas chicas, Ann y Natalie... les gustaba morder.

–¿Qué quieres decir con eso de que les gustaba morder?

–A las dos. Tenían muy mal carácter. Como para echar a correr. Un carácter de mil demonios, como de chico. Pero no pegaban, mordían. Mira.

Extendió la mano derecha. Justo debajo del pulgar había tres marcas blancas que relucían bajo la luz de mediodía.

–Ésta es de Natalie. Y esta de aquí también. –Se retiró el pelo hacia atrás y reveló una oreja izquierda con sólo la mitad del lóbulo–. Me mordió la mano mientras le pintaba las uñas. Cuando estábamos a medias decidió que no le gustaba, pero yo le dije que me dejase terminar, y cuando le sujeté la mano, me hincó los dientes.

–¿Y el lóbulo de la oreja?

–Me quedé allí una noche que no me arrancó el coche. Estaba durmiendo en el cuarto de invitados cuando de golpe, me desperté y me encontré las sábanas manchadas de sangre; tenía la oreja como si alguien le hubiese prendido fuego, sentí ganas de salir huyendo y alejarme de ella pero seguía pegada a mi cabeza. Y Natalie estaba chillando como si fuese ella la que estuviese en llamas. Aquellos gritos daban más miedo que el mordisco. El señor Keene tuvo que sujetarla e inmovilizarla. La cría tenía problemas graves. Buscamos el lóbulo de mi oreja para ver si se podía volver a coser, pero había desaparecido. Supongo que se lo tragó. –Soltó una risa que sonó como lo opuesto a una bocanada de aire–. Más que nada sentí lástima por ella.

«Mentira.»

–¿Y Ann? ¿También era así? –pregunté.

–Peor. Hay gente por toda la ciudad con marcas de sus mordiscos, tu madre incluida.

–¿Qué?

Me empezaron a sudar las manos y sentí un frío intenso en la zona de la nuca.

–Tu madre le daba clases particulares, pero Ann no entendía nada. Perdió el control por completo, tiró del pelo a tu madre y la mordió en la muñeca. Con mucha fuerza. Creo que tuvieron que darle puntos.

Imágenes del delgado brazo de mi madre atrapado entre unos dientes minúsculos, Ann sacudiendo la cabeza como un perro, la sangre aflorando en la manga de mi madre, en los labios de Ann... Un grito, se sueltan.

Un pequeño círculo de líneas irregulares, y en el interior, un círculo de piel perfecta.

11

El teléfono suena en mi habitación, no hay señales de mi madre. Oí a Alan abajo, reprendiendo a Gayla por trinchar mal los filetes.

–Sé que parece algo trivial, Gayla, pero considéralo desde este punto de vista: los detalles triviales son la diferencia entre una buena comida y una experiencia gastronómica.

Gayla emitió un sonido de asentimiento. Hasta sus «¡ajá!» eran gangosos.

Llamé a Richard al móvil, una de las pocas personas de Wind Gap que tenía uno, aunque no soy quién para criticarlo, porque yo soy una de las pocas personas de Chicago que aún se resisten a usar ese trasto. No me gusta estar tan disponible.

–Agente Willis.

De fondo, oí un altavoz llamando un nombre.

–¿Estás ocupado, agente?

Me sonrojé. Un exceso de naturalidad, como estar flirteando o como hacer el ridículo.

–Hola –me contestó en tono formal–. Estoy acabando unas cosas por aquí, ¿puedo llamarte luego?

–Sí, claro puedes llamarme al...

–El número aparece en la pantalla del móvil.

–Qué maravilla...

–Y que lo digas.

Veinte minutos más tarde:

–Perdona, estaba en el hospital de Woodberry con Vickery.

–¿Una pista?

–Algo así.

–¿Alguna declaración?

–Lo pasé muy bien anoche.

Me había escrito «Richard poli, Richard poli» doce veces en la pierna, y tuve que obligarme a parar porque me moría de ganas de coger una cuchilla.

–Yo también. Escucha, necesito hacerte una pregunta directa y necesito que me la contestes. Extraoficialmente. Luego necesito una declaración que pueda publicar para mi próximo artículo.

–Vale, intentaré ayudarte, Camille. ¿Qué necesitas preguntarme?

–¿Podemos quedar en ese bar tan hortera donde tomamos una copa la primera vez? Necesito hacer esto en persona, necesito salir de esta casa y sí, lo reconozco: necesito una copa.

Cuando llegué, había tres chicos de mi clase del Sensors, buenos chicos. Un año, uno de ellos se había llevado el segundo premio de la feria de ganado del estado por su cerda, obscenamente grande y con leche suficiente para amamantar a todo un regimiento de cochinillos. Uno de esos estereotipos de pueblo que habrían hecho las delicias de Richard. Nos intercambiamos cumplidos y detalles; ellos pagaron mis tres primeras rondas y me enseñaron las fotos de sus hijos, ocho en total. Uno de ellos, Jason Turnbough, seguía siendo tan rubio y conservaba la misma cara redonda de cuando era un chaval. Una lengua que le asomaba tímidamente por la comisura de la boca, unas mejillas sonrosadas y unos ojos azules que se desplazaban como locos de mi cara a mis pechos durante la mayor parte de la conversación. Dejó de hacerlo en cuanto saqué la grabadora y pregunté por los asesinatos. Luego fueron esas dos ruedecillas giratorias las que captaron toda su atención. A la gente le sube la adrenalina al ver su nombre publicado en un periódico: es como una prueba de su existencia. Me imaginé una pelea entre fantasmas que destrozan pilas de periódicos, señalando un nombre concreto en una página: «¿Lo ves? Ahí estoy. Ya te dije que existí. Ya te dije quién era».

196

–¿Quién nos lo iba a decir, cuando éramos críos en la escuela, que estaríamos aquí sentados hablando sobre asesinatos en Wind Gap? –se preguntó con asombro Tommy Ringer, que se había convertido en un hombre de pelo oscuro con una barba larga y rala.

–Y que lo digas. Pero si trabajo en un supermercado, por el amor de Dios... –dijo Ron Laird, un chico amable con cara de ratón y una voz atronadora.

Los tres rebosaban de orgullo mal entendido hacia su ciudad. La infamia había llegado a Wind Gap, y ellos le harían frente. Podrían seguir trabajando en el supermercado, la droguería y el criadero de pollos. Cuando muriesen, aquello (junto con el hecho de haberse casado y haber tenido hijos) pasaría a engrosar la lista de cosas que habían hecho. Y era algo que, simplemente, les había pasado a ellos; no, mejor dicho: era algo que había pasado en su ciudad. Yo no estaba del todo segura de compartir la opinión de Meredith: a algunos les habría encantado que el asesino fuese alguien nacido y criado en Wind Gap, alguien con quien hubiesen ido a pescar alguna vez, alguien que hubiese sido miembro del mismo club de boy scouts. Eso haría la historia más interesante.

Richard abrió la puerta del bar, que era asombrosamente liviana para el aspecto que tenía. Todos aquellos que no eran clientes habituales empleaban demasiada fuerza para abrirla, por lo que cada pocos minutos la puerta golpeaba contra la pared del establecimiento. Servía de interesante puntuación para la conversación.

Cuando entró, con la chaqueta echada por encima del hombro, los tres hombres emitieron un gruñido.

–Menudo tipejo.

–No sabes cuánto me impresionas, fantoche.

–Guárdate algunas neuronas para el caso, colega. Las vas a necesitar.

Me levanté del taburete de un salto, me humedecí los labios y sonreí.

–Bueno, chicos, ahora tengo que trabajar. Hora de hacer una entrevista. Gracias por las copas.

–Estaremos por aquí cuando te aburras –gritó Jason.

Richard se limitó a sonreírle, mascullando «idiota» entre dientes.

Apuré de un trago mi tercer bourbon, llamé a la camarera para que nos tomase nota, y una vez que tuvimos nuestras copas delante, apoyé la barbilla en las manos y me pregunté si de verdad quería hablar de trabajo. Richard tenía una cicatriz justo encima de la ceja derecha y un hoyuelo diminuto en el mentón. Me dio unos golpecitos en el pie con el suyo un par de veces, donde nadie pudiera verlo.

–¿Qué hay de nuevo, reportera?

–Escucha, necesito saber una cosa. Lo necesito en serio, y si no puedes decírmelo, entonces no me lo digas, pero por favor, piénsalo bien.

Asintió con la cabeza.

–Cuando piensas en la persona que cometió esos asesinatos, ¿tienes en mente a alguien en concreto? –pregunté.

–A varios posibles asesinos.

–¿Hombre o mujer?

–¿Por qué me lo preguntas con tanta urgencia, justo ahora, Camille?

–Necesito saberlo, simplemente.

Hizo una pausa, dio un sorbo a su copa y se frotó con la mano la barba de tres días.

–No creo que una mujer hubiese podido hacer eso a unas niñas. –Volvió a darme unos golpecitos en el pie–. Bueno, pero ¿qué pasa? Dime la verdad ahora mismo.

–No lo sé, es sólo que estoy muy confusa. Necesito saber hacia dónde canalizar mis energías.

–Déjame ayudarte.

–¿Sabías que las chicas tenían fama de morder a la gente?

–En la escuela me habían dicho que se había producido un incidente relacionado con Ann y el pájaro de unos vecinos –dijo–. Pero Natalie estaba muy controlada, por lo que pasó en la escuela a la que iba antes, en Filadelfia.

–Natalie le arrancó a alguien el lóbulo de la oreja de un mordisco.

–No, no consta ninguna denuncia contra Natalie desde que se mudó aquí.

198

—Entonces es porque no lo denunciaron. Yo misma vi la oreja, Richard; no tenía lóbulo, y esa persona no tenía ninguna razón para mentir. Y Ann también agredió a alguien. Mordió a alguien. Pero cada vez estoy más convencida de que esas chicas se toparon con la persona equivocada. Es como si las hubieran sacrificado, como se hace con un animal enfermo o rabioso. A lo mejor por eso les arrancaron los dientes.

—Vamos a ir por partes. Primero, ¿a quién mordió cada una de las chicas?

—No puedo decirlo.

—Maldita sea, Camille, no me vengas con gilipolleces. Tienes que decírmelo.

—No.

Me sorprendió su arrebato de ira. Esperaba que se echara a reír y me dijera lo guapa que estaba cuando me ponía rebelde.

—Es un puto caso de asesinato, ¿vale? Si tienes información, la necesito.

—Pues entonces haz tu trabajo.

—Es lo que intento, Camille, pero tonteando de esa manera conmigo no me ayudas mucho, ¿sabes?

—Ahora ya sabes lo que se siente —repuse, con actitud infantil.

—Vale. —Se frotó los ojos—. He tenido un día muy duro, así que... buenas noches. Espero haberte ayudado.

Se levantó y me acercó su copa medio llena con el dedo.

—Necesito una declaración oficial.

—Otro día. Necesito ver las cosas con un poco de perspectiva. Puede que tuvieras razón con lo de que es mala idea que tú y yo estemos juntos.

Se fue, y los chicos me llamaron para que me volviera a sentar con ellos. Negué con la cabeza, apuré mi copa y fingí tomar notas hasta que se fueron. Lo único que hice fue escribir «lugar de mierda, lugar de mierda» una y otra vez durante doce páginas.

Esta vez era Alan quien me esperaba cuando volví a casa. Estaba sentado en el confidente victoriano, de brocado blanco y madera de nogal negro, vestido con pantalones deportivos blancos y camisa de seda, y unas delicadas zapatillas también de seda en los pies. Si hubiese aparecido en una fotografía, habría sido imposible ubicarlo en una época concreta: ¿un caballero victoriano, un dandi eduardiano o un atildado figurín de la década de los cincuenta? Un amo de casa del siglo xxi que nunca trabajaba, a menudo bebía y de vez en cuando le hacía el amor a mi madre.

Alan y yo raras veces hablábamos si no era en presencia de mi madre. De niña, una vez me tropecé con él en el pasillo y él se agachó con aire rígido hasta colocarse a la altura de mis ojos y me dijo: «Hola, espero que estés bien». Llevábamos más de cinco años viviendo en la misma casa y eso fue lo único que se le ocurrió decir. «Sí, gracias», fue todo lo que acerté a contestarle yo.

En ese momento, sin embargo, Alan parecía estar listo para enfrentarse a mí: no pronunció mi nombre; se limitó a dar unas palmaditas en el sofá, a su lado. Sostenía en equilibrio encima de la rodilla un plato de postre con varias sardinas plateadas enormes. Se olían desde el recibidor.

–Camille –dijo, cogiendo la cola de una de las sardinas con un tenedor diminuto–, estás haciendo enfermar a tu madre. Si la situación no mejora, voy a tener que pedirte que te marches.

–¿Cómo voy a hacer yo que enferme?

–Atormentándola, sacando constantemente a relucir el tema de Marian. No puedes teorizar con la madre de una niña muerta sobre el aspecto que tendrá el cuerpo de ésta bajo tierra ahora mismo. No sé si es algo a lo que tú puedas sentirte ajena, pero Adora no puede.

Un trozo de pescado le cayó por delante, y le dejó en los pantalones un reguero de lamparones grasientos del tamaño de botones.

–No puedes hablarle de los cadáveres de esas niñas muertas ni de cuánta sangre debió de salir de sus bocas cuando les arrancaron los dientes, ni de cuánto tiempo tardó una persona en estrangularlas.

–Alan, nunca le he dicho ninguna de esas cosas a mi madre. Nunca le he hablado de nada remotamente parecido. No tengo ni idea de qué estás hablando, de verdad.

Ni siquiera estaba indignada, sólo cansada.

–Por favor, Camille, ya sé lo tensa que es la relación con tu madre, y sé los celos que has sentido siempre de la felicidad de otras personas. Es verdad, ¿sabes? Eres exactamente igual que la madre de Adora. Montaba guardia en esta casa como una... bruja, vieja y furiosa. La risa la ofendía. Las pocas veces en las que sonreía era cuando te negabas a mamar, cuando rechazabas el pecho de Adora.

Esa palabra en los labios oleosos de Alan me encendió en diez sitios distintos. «Chupa», «zorra» y «goma»: las tres prendieron fuego.

–Y eso lo sabes porque te lo ha contado Adora –dije.

Asintió, frunciendo los labios con gesto beatífico.

–Como sabes por Adora que yo he dicho todas esas cosas horribles sobre Marian y las niñas muertas.

–Exacto –respondió, remarcando muy bien las sílabas.

–Adora es una mentirosa, y si no lo sabes es que eres idiota.

–Adora ha tenido una vida muy dura.

Solté una carcajada forzada. Alan se quedó impertérrito.

–Su madre solía entrar en su habitación en plena noche a pellizcarla cuando era niña –explicó, mirando con aire lastimero el último trozo de sardina–. Decía que era porque le daba miedo que Adora muriese mientras dormía, pero yo creo que lo hacía porque le gustaba hacerle daño, sencillamente.

El destello de un recuerdo: Marian al fondo del pasillo en su habitación de inválida, palpitante y llena de máquinas. Un dolor agudo en el brazo. Mi madre de pie junto a mí en su camisón borroso, preguntándome si estaba bien. Besándome el círculo rosa y diciéndome que volviese a dormirme.

–Es sólo que creo que deberías saber estas cosas –dijo Alan–. A lo mejor así serías un poco más amable con tu madre.

No tenía ninguna intención de ser más amable con mi madre, sólo quería poner fin a aquella conversación.

–Intentaré marcharme cuanto antes.

–Puede que sea una buena idea, si no puedes cambiar de actitud –sugirió Alan–, pero tal vez te sentirías mejor contigo misma si lo intentases. Podría ayudarte a curar heridas. Las de tu mente al menos.

Alan cogió la última sardina blanda y se la metió entera en la boca. Me imaginé el crujido de las diminutas espinas entre sus dientes.

Cogí un vaso lleno de hielo y una botella entera de bourbon robada de la despensa de la cocina y subí a mi habitación. El alcohol me subió a la cabeza muy rápido, seguramente porque fue así como me lo bebí. Tenía las orejas ardiendo y la piel había dejado de parpadear. Pensé en la palabra de mi nuca: «desaparecer». «Desaparecer» conseguirá desvanecer todos mis males, pensé en un arranque demencial. «Desaparecer» conseguirá desvanecer todos mis problemas. ¿Seríamos una familia tan odiosa si Marian no hubiese muerto? Otras familias superaban esa clase de traumas, lloraban la pérdida y salían adelante. Ella aún seguía flotando entre nosotros, una niñita rubia acaso un pelín demasiado adorable para su propia desgracia, acaso un pelín demasiado adorada. Eso antes de que cayese enferma, realmente enferma. Tenía un amigo imaginario, un oso de peluche gigante al que llamaba *Ben*. ¿Qué clase de niña tiene como amigo imaginario a un animal de peluche? Coleccionaba cintas de pelo y las ordenaba alfabéticamente según el nombre del color. Era la clase de niña que explotaba su gracia con tanta alegría que no podías guardarle rencor por ello: agitando las pestañas, meneando los tirabuzones... Llamaba a mi madre «Made» y a Alan... Bueno, tal vez llamaba Alan a Alan, no lo ubico en la habitación en esos recuerdos. Siempre limpiaba su bandeja, mantenía la habitación extraordinariamente ordenada y se negaba a llevar otra cosa que no fuesen vestidos y zapatos merceditas. A mí me llamaba Mille y no podía quitarme las manos de encima.

Yo la adoraba.

Borracha pero sin parar de beber, me llené un vaso y

avancé por el pasillo en dirección al cuarto de Marian. La puerta de Amma, una sola habitación más allá, llevaba horas cerrada. ¿Qué se sentiría al crecer junto a la habitación de una hermana muerta a la que no habías llegado a conocer? Sentí una punzada de lástima por Amma. Alan y mi madre ocupaban el dormitorio principal de la esquina, pero la luz estaba apagada y el ventilador en funcionamiento. No existía el aire centralizado en aquellas viejas mansiones victorianas y a mi madre los aparatos de aire acondicionado le parecían chabacanos, así que pasábamos los veranos sudando a mares. Treinta y cinco grados, pero el calor me hacía sentir a salvo, como caminar por debajo del agua.

La almohada todavía conservaba la forma de una pequeña concavidad, y encima de la cama había extendida una serie de prendas de ropa como si cubrieran el cuerpo de una niña viva: un vestido lila, medias blancas, zapatos negros brillantes. ¿Quién había hecho aquello? ¿Mi madre? ¿Amma? El soporte del goteo que había seguido a Marian tan implacablemente durante su último año de vida estaba allí, a un lado, alerta y reluciente, junto al resto del instrumental médico: la cama medio metro más alta que las normales, para permitir el acceso al paciente; el monitor para el corazón; la cuña... Me indignaba que mi madre no se hubiese deshecho de aquellas cosas. Era una habitación de hospital, carente de vida por completo. La muñeca favorita de Marian había sido enterrada con ella, una muñeca de trapo gigantesca con rizos rubios de hilo a juego con los de mi hermana. *Evelyn*. ¿O era *Eleanor*? Las demás estaban colocadas una junto a otra, apoyadas en la pared en una serie de estanterías, como aficionados en las gradas; había unas veinte, con caras blancas de porcelana y ojos de mirada profunda y vidriosa.

Me la imaginaba tan vivamente allí... con las piernas cruzadas en aquella cama, menuda y cubierta de sudor, con unas ojeras amoratadas alrededor de los ojos. Barajando un mazo de naipes, o peinando el pelo de su muñeca, o coloreando con movimiento frenético. Casi oía el sonido: un lápiz de cera que atravesaba con trazo duro un papel, unos garabatos oscuros apretando tanto el lápiz de cera que el papel se rompe. Levantó la vista para mirarme, respirando entrecortadamente y con dificultad.

–Estoy harta de morirme.

Me fui corriendo a mi habitación como si me persiguiera un fantasma.

El teléfono sonó seis veces antes de que Eileen contestase. Cosas que los Curry no tienen en casa: un microondas, un aparato de vídeo, un lavaplatos, un contestador automático. Respondió con soltura pero tensa. Supongo que no los suelen llamar a menudo pasadas las once de la noche. Fingió que no se habían ido a dormir todavía, que simplemente, no habían oído el teléfono, pero tardó otros dos minutos en hacer que Curry se pusiera al aparato. Me lo imaginé limpiando los cristales de las gafas con el pijama, poniéndose unas viejas pantuflas de cuero y mirando la esfera iluminada de un despertador. Una imagen tranquilizadora.

Luego me di cuenta de que me estaba acordando del anuncio de una farmacia que abría toda la noche en Chicago.

Habían pasado tres días desde que hablé con Curry la última vez, casi dos semanas desde que llegué a Wind Gap. En cualquier otra circunstancia, Curry me habría estado llamando tres veces al día para que lo pusiera al corriente, pero no se atrevía a llamarme a casa de un particular, a la casa de mi madre nada menos, en Missouri, que en su mente de habitante de Chicago era lo mismo que decir el Sur más profundo. En cualquier otra circunstancia, me habría saltado a la yugular a través del teléfono por no mantenerlo informado, pero no aquella noche.

–Cachorrilla, ¿estás bien? ¿Cómo va todo?

–Bueno, todavía no he conseguido una declaración oficial, pero la tendré: definitivamente, la policía cree que el asesino es un hombre y que es de Wind Gap, y no tienen ADN ni hay escenario del crimen propiamente dicho. La verdad es que tienen muy poco. O el asesino es un verdadero cerebro o un genio accidental. Los vecinos parecen centrar sus sospechas en el hermano de Natalie Keene, John, y cuento con la declaración oficial de la novia defendiendo su inocencia.

–Muy bien, buen trabajo, pero en realidad me refería... Estaba preguntando por ti. ¿Todo va bien por ahí abajo? Tienes que decírmelo, porque no te veo la cara. No te hagas la fuerte.

–No estoy demasiado bien, pero ¿qué importa eso? –Me salió un tono más agudo y más amargo de lo que esperaba–. Es una buena historia y creo que estoy a punto de descubrir algo importante. Presiento que de aquí a unos días, una semana... no sé. Las niñas mordían a la gente. Eso es lo que he averiguado hoy, y el poli con el que he estado colaborando ni siquiera lo sabía.

–¿Y se lo has dicho? ¿Cuál ha sido su respuesta oficial?

–No ha habido respuesta oficial.

–¿Qué? ¿Y por qué coño no le has sacado una respuesta oficial, jovencita?

«Verás, Curry: al agente Willis le ha parecido que le ocultaba información relevante, así que se ha cabreado, como hacen todos los hombres cuando no obtienen lo que quieren de las mujeres con las que han estado tonteando.»

–La he cagado. Pero lo arreglaré, no te preocupes. Sólo necesito unos días más para acabar el artículo, Curry. Tengo que conseguir un poco más de color local, trabajarme a ese poli. Creo que están casi convencidos de que un poco de publicidad ayudaría a aclarar las cosas. Aunque no es que haya mucha gente que lea nuestro periódico por aquí.

O por allí arriba.

–Lo harán. Vas a obtener un gran reconocimiento con esto, Cachorrilla. El material que has enviado se acerca a algo bueno de verdad. Métete un poco más; habla con alguna de tus antiguas amistades, puede que ellas se muestren más receptivas. Además, es bueno para el artículo: en aquellos reportajes sobre las inundaciones en Texas que ganaron el Pulitzer había un artículo desde la perspectiva del tipo que regresa a su ciudad natal durante una tragedia. Un reportaje de primera. Y una cara amiga y unas cuantas cervezas podrían sentarte bien. Me parece que ya te has tomado unas cuantas esta noche, ¿no?

–Unas cuantas.

–¿Estás...? ¿Crees que esta situación puede perjudicarte? ¿Puede interferir con tu recuperación?

Oí cómo se encendía un mechero, el chirrido de una silla de la cocina al arrastrarse por el suelo de linóleo, un crujido al sentarse Curry.

–Oh, no tienes que preocuparte.

–Pues claro que sí. No te hagas la mártir, Cachorrilla. No pienso castigarte si al final tienes que irte antes de lo previsto. Debes cuidar de ti misma. Creí que el hecho de volver a casa te ayudaría, pero... a veces se me olvida que los padres no son siempre... buenos para sus hijos.

–Cada vez que vengo aquí... –Hice una pausa, tratando de encontrar las palabras exactas–. Siempre que vengo aquí tengo la sensación de que soy una mala persona.

A continuación me eché a llorar, con lágrimas silenciosas, mientras Curry tartamudeaba al otro lado del hilo. Me lo imaginé presa del pánico, llamando a Eileen con la mano para que se ocupara ella de aquella niña llorona. Pero no.

–Vaaamos, Camille... –susurró–. Tú eres una de las mejores personas que conozco. Y no hay mucha gente buena en el mundo, ¿sabes? Sin contar a mis padres, que están muertos, básicamente sólo quedáis tú y Eileen.

–Yo no soy una buena persona.

La punta del bolígrafo me estaba garabateando palabras hondas y ásperas en el muslo. «Mala», «mujer», «dientes».

–Camille, sí lo eres. Veo cómo tratas a las personas, incluso a la gentuza más miserable e indigna que me pueda imaginar. Les brindas un poco de... dignidad. Comprensión. ¿Por qué crees que aún te tengo aquí conmigo? No es porque seas una gran reportera.

Silencio y unos gruesos lagrimones en mi extremo del hilo. «Mala», «mujer», «dientes».

–¿Te ha hecho gracia eso? Porque pretendía que te resultase gracioso.

–No.

–Mi abuelo actuaba en vodeviles, pero supongo que yo no he heredado ese gen.

206

–¿Ah, sí?

–Huy, sí, justo desde el momento en que se bajó del barco que lo traía de Irlanda a Nueva York. Era un tipo hilarante; tocaba cuatro instrumentos...

Otra vez la chispa del mechero. Me arrebujé bajo las delgadas sábanas, cerré los ojos y escuché la historia de Curry.

12

Richard vivía en el único bloque de apartamentos de Wind Gap, un recinto industrial construido para dar alojamiento a cuatro inquilinos. Sólo estaban ocupados dos de los pisos. Las columnas bajas que sostenían la estructura del aparcamiento exhibían pintadas de *spray* rojo, cuatro en una fila, en las que se leía: «Paremos a los demócratas, paremos a los demócratas, paremos a los demócratas», y luego, de pronto: «Quiero a Louie».

Miércoles por la mañana. La tormenta aún seguía acechando la ciudad desde una nube, e impregnaba la atmósfera con una luz caliente y ventosa, de color amarillo orina. Llamé a la puerta golpeándola con el canto de una botella de bourbon. Lo mejor es llevar regalos si no puedes llevar otra cosa. Ya no me ponía faldas, porque eso deja mis piernas demasiado accesibles para alguien con tendencia al manoseo. Si es que aún conservaba esa tendencia.

Cuando abrió la puerta olía a sueño, llevaba el pelo revuelto, unos *boxers* y una camiseta del revés. No sonreía. Tenía la casa helada. Lo percibí por el aire que llegaba hasta donde yo estaba, de pie al otro lado de la puerta.

–¿Quieres entrar o quieres que salga yo? –preguntó, rascándose la barbilla. Luego vio la botella–. Ah, bueno, pasa. Supongo que vamos a emborracharnos, ¿verdad?

El piso era un completo desorden, lo que me sorprendió. Había pantalones tirados por encima de las sillas, una papelera a punto de rebosar, cajas de papeles apiladas en lugares estrambóticos por los pasillos, que te obligaban a ponerte de lado para pasar... Me guió hasta un sofá de cuero agrietado y volvió con una bandeja con hielo y dos vasos. Sirvió una generosa cantidad para ambos.

–Bueno, no debería haber sido tan brusco anoche, ¿no te parece? –dijo.

–Sí. Tengo la sensación de que te estoy dando una buena dosis de información, mientras que tú no me das nada a mí.

–Yo trato de resolver un asesinato y tú escribes sobre ello. En mi opinión, yo tengo prioridad. Hay ciertas cosas, Camille, que no puedo decirte, sencillamente.

–Y viceversa. Tengo derecho a proteger a mis fuentes.

–Lo cual, a su vez, podría ayudar a proteger a la persona responsable de esos crímenes.

–Puedes resolverlo solito, Richard. Te lo he dado casi todo. Joder, puedes trabajar un poco por tu cuenta, ¿no?

Nos miramos de hito en hito.

–Me encanta cuando te haces la reportera dura conmigo. –Richard sonrió y negó con la cabeza. Luego me dio un golpecito con el pie descalzo–. Lo digo completamente en serio.

Sirvió otra copa para cada uno. A ese paso estaríamos borrachos antes de mediodía. Me atrajo hacia sí, me besó en el lóbulo de la oreja y me metió la lengua en el oído.

–Bueno, chica de Wind Gap, y tú... ¿cómo eras de mala exactamente? –me susurró–. Háblame de tu primera vez.

La primera vez fue la segunda vez, y también la tercera vez y la cuarta, todo gracias a mi encuentro en octavo curso. Decidí dejarlo como si hubiera sido la primera vez.

–Tenía dieciséis años –mentí. El ser unos años mayor me parecía más apropiado–. Me tiré a un jugador de fútbol en el lavabo, en una fiesta.

Yo toleraba el alcohol mucho mejor que Richard, quien ya tenía los ojos vidriosos y empezaba a juguetear con mi pezón, duro debajo de la camisa.

–Mmm... ¿y te corriste?

Asentí. Recuerdo que fingí haberme corrido. Recuerdo el murmullo de un orgasmo, pero eso no fue hasta que le tocó el turno al tercer tío. Recuerdo haber pensado que era todo un detalle que no dejase de repetirme al oído: «¿Te gusta así? ¿Te gusta así?».

–¿Quieres correrte ahora? ¿Conmigo? –murmuró Richard.

Asentí con la cabeza y se echó sobre mí. Sus manos estaban por todas partes, intentando subirme la camisa y luego luchando por desabrocharme los pantalones, para bajármelos.

–Espera, espera, espera un momento. A mi manera –susurré–. Me gusta con la ropa puesta.

–No, quiero tocarte.

–No, cielo, a mi manera.

Me bajé un poco los pantalones, sólo lo justo, mantuve el estómago cubierto con la camisa y le distraje plantándole besos en los lugares estratégicos. A continuación lo guié hacia mi interior y follamos, completamente vestidos, mientras la grieta del sofá de cuero me raspaba el culo. «Zorra, dale, niña, pequeña.» Era la primera vez que estaba con un hombre en diez años. «¡Zorra, dale, niña, pequeña!» Sus gemidos no tardaron en apagar los alaridos de mi piel. Sólo entonces pude disfrutarlo, sólo en aquellas últimas dulces embestidas.

Se quedó tumbado mitad junto a mí, mitad encima de mí, y jadeó cuando acabó, agarrando todavía el cuello de mi camisa con el puño. El día se había ensombrecido. Estábamos temblando al borde de una tormenta.

–Dime quién crees que lo hizo –dije.

Me miró perplejo. ¿Acaso esperaba oír «te quiero»? Enredó mi pelo en sus dedos un momento y me metió la lengua en la oreja. Cuando se les niega el acceso a otras partes del cuerpo, los hombres se obsesionan con la oreja; algo había aprendido durante la década anterior. Richard no podía tocarme las tetas o el culo, los brazos ni las piernas, pero por el momento parecía conformarse con mi oreja.

–Entre tú y yo: fue John Keene. Ese chico estaba unido a su hermana... de una forma muy malsana. No tiene coartada. Creo que tiene algún tipo de problema con las niñas pequeñas, un problema que trata de combatir, pero al final acaba matándolas y arrancándoles los dientes por placer. Pero no podrá seguir aguantando mucho tiempo, esto se va a precipitar. Estamos haciendo comprobaciones en Filadelfia para descubrir algún tipo de comportamiento anormal. Tal vez los problemas de Natalie no fuesen la única razón por la que se vinieron a vivir aquí.

–Necesito algo oficial.

–¿Quién te habló de las mordeduras y a quién mordieron las niñas? –me susurró él con su aliento cálido en la oreja.

Fuera, la lluvia empezó a golpear la calzada como si alguien estuviera meando.

–Meredith Wheeler me dijo que Natalie le arrancó el lóbulo de la oreja de un mordisco.

–¿Y qué más?

–Ann mordió a mi madre. En la muñeca. Eso es todo.

–¿Lo ves? No era tan difícil... Buena chica –susurró, y volvió a acariciarme el pezón.

–Y ahora dame alguna declaración oficial.

–No. –Me sonrió–. A mi manera.

Richard me folló otra vez esa tarde, y al final, aunque a regañadientes, me dio unas declaraciones sobre un giro inesperado en el caso y una probable detención. Lo dejé dormido en su cama y corrí bajo la lluvia en dirección a mi coche. Un pensamiento repentino me cruzó la cabeza: Amma le habría sacado más información.

Fui hasta Garrett Park y me quedé en el interior del coche viendo llover porque no quería volver a casa. Al día siguiente aquel sitio estaría repleto de críos que empezaban su largo e indolente verano. En ese momento sólo estaba yo, sintiéndome pegajosa y estúpida. No estaba segura de haber sido maltratada: por Richard, por aquellos chicos que me quitaron la virginidad, por cualquiera... En realidad, yo misma nunca estaba de mi parte en ninguna discusión; me gustaba la malicia de la frase «recibió su merecido» del Antiguo Testamento. A veces algunas mujeres lo reciben.

Un silencio absoluto, que de repente se vio interrumpido. El Camaro amarillo aparcó a mi lado; Amma y Kylie compartían el asiento del acompañante y un chico de melena desgreñada, gafas de sol de gasolinera y una camiseta interior sucia ocupaba el asiento del conductor, su escuálido gemelo en la parte de atrás. Del coche salía humo, junto con el olor a cítrico de algún licor.

–Sube, vamos a una fiesta –dijo Amma.

Me ofreció una botella de vodka barato con sabor a naranja. Sacó la lengua y dejó que una gota de lluvia le cayera en ella. Ya tenía el pelo y la camiseta chorreando.

–Estoy bien, gracias.

–Pues no lo parece. Venga, estamos patrullando el parque. Te pondrán una multa por conducir borracha; puedo olerlo, ¿sabes?

–Venga, *chiquita*[1] –intervino Kylie–. Puedes ayudarnos a mantener a estos chicos a raya.

Sopesé mis opciones: irme a casa, seguir bebiendo sola; ir a un bar, beber con los tíos que pululasen por allí; irme con aquellos chavales, a lo mejor oír algún chisme interesante, como mínimo. Una hora. Luego, a casa a dormirla. Además, estaba Amma y su misteriosa camaradería conmigo. Odiaba tener que admitirlo, pero me estaba obsesionando con aquella chica.

Los chavales lanzaron exclamaciones de alegría cuando me metí en el asiento de atrás. Amma hizo circular una botella distinta, de ron caliente, que sabía a loción de bronceado. Me preocupaba que me pidieran que les comprase alcohol. No porque no fuese a comprárselo, y es que, con todo mi patetismo, quería que aquellos chicos me aceptaran, como si hubiese vuelto a ser popular, como si hubiese dejado de ser un bicho raro. Aprobada por la chica más guay de todo el instituto. La sola idea casi bastó para hacerme salir corriendo del coche e irme andando a casa, pero entonces Amma volvió a pasar la botella. El borde estaba manchado de pintalabios rosa.

Me presentaron al chico sentado junto a mí simplemente como Nolan; me saludó con la cabeza y se limpió el sudor del labio superior. Unos brazos escuálidos con costras y la cara llena de acné. Speed. Missouri es el segundo estado con mayor nivel de adicción de todo el país: nos aburrimos mucho por aquí abajo, y tenemos un montón de productos químicos para uso agrícola. Cuando era más joven, eran sobre todo los yonquis quienes la tomaban, pero ahora era una droga muy popu-

1. En español en el original. (*N. de la T.*)

lar en las fiestas. Nolan recorría hacia arriba y hacia abajo con el dedo el ribete de vinilo del asiento que tenía delante, pero se me quedó mirando el tiempo suficiente para decirme:

–Tienes la edad de mi madre. Me gusta.

–Dudo mucho que tenga la edad de tu madre.

–¿Qué tiene ella, treinta y tres, treinta y cuatro?

Casi.

–¿Cómo se llama?

–Casey Rayburn.

La conocía. Era unos años mayor que yo. Del área de la fábrica. Demasiada gomina en el pelo y una debilidad por los matarifes mexicanos de pollos de más al sur, en la frontera con Arkansas. Durante unas convivencias espirituales, les dijo a las de su grupo de la iglesia que había intentado suicidarse. Las chicas de la clase empezaron a llamarla Casey Cuchillas.

–Debía de ser de antes de mi promoción.

–Tío, esta tía era demasiado enrollada para ir por ahí con la puta drogadicta de tu madre –dijo el conductor.

–Verte a la mierda –repuso Nolan.

–Camille, mira qué tenemos. –Amma giró el cuerpo hacia atrás de manera que rozaba con el trasero la cara de Kylie. Agitó un frasco de pastillas–. Es OxyContin. Te hace sentir muuuy bien. –Sacó la lengua, se metió tres a la vez como si fueran botones blancos, y luego las masticó y se las tragó con un sorbo de vodka–. Pruébalas.

–No, gracias, Amma.

La oxicodona era material de primera, muy bueno. Lo que no lo era tanto era tomártelo con tu hermana pequeña.

–Venga, Mille, sólo una... –insistió–. Te sentirás mejor. Yo ahora mismo estoy tan contenta y tan bien... Tú también tienes que estarlo.

–Estoy bien, Amma. –El hecho de que me llamara Mille me recordó a Marian–. Te lo prometo.

Se volvió y lanzó un suspiro, con una expresión irremediablemente lúgubre.

–Vamos, Amma, no puede ser que te importe tanto –le dije, tocándole el hombro.

–Pues sí que me importaba.

No podía soportarlo; estaba perdiendo terreno, sintiendo esa peligrosa necesidad de agradar y complacer, como en los viejos tiempos. Y además, no me iba a morir por tragarme una.

–Vale, vale, dame una. Sólo una.

Se le iluminó la cara de inmediato y se volvió de golpe para mirarme.

–Saca la lengua, como en la comunión. La comunión de las drogas.

Saqué la lengua y Amma me puso la pastilla en la punta y soltó un grito de entusiasmo.

–Buena chica.

Sonrió.

Ya me estaba cansando de oír esa expresión.

Aparcamos en la puerta de una de las mansiones victorianas de Wind Gap, reformada y pintada en ridículos tonos azules, rosas y verdes que se suponía que debían de ser modernos y originales. En vez de eso, la casa parecía el hogar de un heladero loco. Un chico sin camisa estaba vomitando entre los arbustos en el lateral de la casa, había dos críos peleándose en lo que quedaba de un jardín de flores, y una pareja joven estaba en plena faena en un columpio infantil. Abandonamos a Nolan en el coche; seguía deslizando los dedos hacia arriba y hacia abajo por el ribete. El conductor, Damon, lo había dejado encerrado «para que no le joda nadie». Me pareció todo un detalle.

Gracias a la oxicodona estaba muy animada, y cuando entramos en la mansión me sorprendí buscando rostros de mi juventud: chicos con el pelo cortado al rape y chaquetas de universitario, chicas con la permanente y pendientes de oro macizo. Olor a Drakkar Noir y Georgio.

No quedaba ni rastro de todo aquello. Los chicos de allí eran mocosos con *shorts* holgados de *skater* y zapatillas de deporte, las chicas llevaban camisetas sin espalda, minifalda y *piercings* en el ombligo, y todos me miraban como si fuese una poli. «No, pero me he follado a uno esta tarde.» Yo sonreía y los saludaba con la cabeza. «Soy una tía súper alegre», pensé mecánicamente.

En el comedor, enorme y tenebroso, habían empujado a un lado la mesa para dejar espacio a la pista de baile y las neveras. Amma se metió bailando en el corro y se restregó contra un chico hasta que la nuca de éste se puso roja. Le susurró algo al oído, y cuando éste asintió, abrió una nevera y sacó cuatro cervezas, que se apretó con fuerza contra el pecho húmedo, fingiendo que le costaba hacer malabarismos con ellas mientras se reía al pasar junto a un grupo de chicos que la miraban con admiración.

Las chicas no la admiraban tanto. Vi la pólvora de la crítica explotar por la fiesta como un reguero de petardos, pero las cuatro rubias tenían dos puntos a su favor: en primer lugar, estaban con el camello local, que a buen seguro repartiría más de un golpe, y en segundo lugar, eran más guapas que casi cualquier otra chica que hubiese en la fiesta, lo que significaba que los chicos no las pondrían de patitas en la calle. Y aquella fiesta estaba organizada por un chico, como deduje de las fotos que había sobre la repisa de la chimenea; un chico de pelo oscuro, de una belleza anodina, posaba con toga y birrete para su foto del último curso; junto a él, una foto de sus orgullosos progenitores. Conocía a la madre; era la hermana mayor de una de mis amigas del instituto. La idea de que yo estuviese en la fiesta de su hijo me provocó la primera oleada de nervios.

–Madremíamadremíamadremía... –Una morena de ojos saltones y una camiseta que exhibía *The Gap* con orgullo pasó corriendo por nuestro lado y agarró del brazo a una chica de aspecto igual de anfibio–. Han venido. ¡Han venido!

–Mierda –repuso su amiga–. Qué fuerte... ¿Los saludamos?

–Creo que será mejor esperar a ver qué pasa. Si J. C. no los quiere aquí, entonces tendremos que quedarnos al margen.

–Sí, claro.

Lo supe antes de verle. Meredith Wheeler entró en el salón, arrastrando a John Keene tras de sí. Algunos chicos lo saludaron con la cabeza y unos cuantos le dieron unas palmaditas en la espalda, mientras que otros, de forma harto elocuente, les dieron la espalda y cerraron sus corros. Ni John ni Meredith advirtieron mi presencia, de lo que me alegré. Meredith vio a un grupo de chicas flacas y de piernas arqueadas, com-

pañeras animadoras, supuse, de pie junto a la puerta de la cocina. Soltó un chillido y se acercó a ellas dando saltitos y dejó
a John solo en el salón. Las chicas fueron aún más frías de lo
que habían sido los chicos.

–Hola –dijo una de ellas, sin sonreír–. Creía que habías dicho que no vendríais.

–Sí, pero luego lo he pensado mejor y he visto que era una
estupidez. Cualquiera con dos dedos de frente sabe que John
es un buen tío. No vamos a ser unos parias de mierda por culpa de toda esta... tontería. No pasa nada.

–No es ninguna tontería, Meredith. Y para J. C., sí que
pasa –dijo una pelirroja que, o bien era la novia de J. C. o pretendía serlo.

–Hablaré con él –repuso Meredith, lanzando un suspiro de
resignación–. Déjame hablar con él.

–Sinceramente, creo que deberíais iros y ya está.

–¿De verdad se llevaron la ropa de John? –preguntó una
tercera chica, diminuta y con cierto aire maternal, la que acababa sujetándoles la melena cuando sus amigas vomitaban en
el váter.

–Sí, pero eso fue para descartarlo por completo. No es porque esté involucrado ni nada parecido.

–Sí, ya –le espetó la pelirroja.

Empecé a odiarla.

Meredith examinó la habitación en busca de caras conoci-
das; me vio a mí y compuso una expresión perpleja, luego vio
a Kelsey y su expresión se volvió furiosa.

Dejó a John junto a la puerta, y éste se puso a consultar
la hora en su reloj, a atarse los cordones de los zapatos y a fingir cierto aire de despreocupación mientras los presentes esta-
llaban al fin en un sonoro murmullo de escándalo. Meredith se
acercó a nosotros.

–¿Se puede saber qué hacéis aquí?

Con los ojos llenos de lágrimas y perlas de sudor en la
frente, la pregunta no parecía ir dirigida a ninguno de nosotros
en particular. Acaso se la formulaba a sí misma.

–Nos ha traído Damon –contestó Amma alegremente. Sal-
tó dos veces sobre las puntas de los dedos–. No me puedo

creer que estés aquí. Y desde luego, no me puedo creer que ese cabrón haya tenido la cara dura de venir.

–¿Qué sabrás tú, enana de mierda? Puta folladrogadictos...

A Meredith le temblaba la voz, como si fuera una peonza girando hacia el borde de una mesa.

–Mejor follarme a un drogadicto que a quien te follas tú –dijo Amma–. Holaaa asesinooo.

Saludó con la mano a John, quien pareció advertir su presencia por primera vez y pareció haber recibido un puñetazo de repente.

Estaba a punto de acercarse cuando J. C. salió de otra habitación y se llevó a John aparte: dos chicos altos hablando de muerte y fiestas particulares. La habitación retumbó con un murmullo grave, expectante. J. C. dio una palmadita a John en la espalda, de forma que lo dirigió directamente hacia la puerta. John hizo una señal a Meredith con la cabeza y se fue hacia la salida. La chica lo siguió rápidamente, con la cabeza agachada y tapándose la cara con las manos. Justo antes de que John alcanzara la puerta, un chico gritó con un chillido agudo y burlón:

–¡Asesino de niñas!

Se oyeron unas risas nerviosas y algunas exclamaciones de desaprobación.

Meredith soltó un alarido salvaje, se volvió y, enseñando los dientes, gritó:

–¡A la mierda todos!

Acto seguido, salió dando un portazo.

El mismo chico la imitó para el público, y soltó un «¡A la mierda todos!» tímido y afeminado, empujando exageradamente la cadera hacia un lado. J. C. volvió a subir el volumen de la música, la voz pop sintetizada de una adolescente que cantaba algo sobre mamadas.

Me dieron ganas de salir detrás de John y abrazarlo. Nunca había visto a nadie con aquel aspecto de soledad y desamparo, y no era muy probable que Meredith fuese capaz de consolarlo. ¿Qué haría, a solas en aquella cochera vacía? Antes de que pudiera echar a correr tras él, Amma me agarró de la mano y me arrastró arriba, a la «sala VIP» donde ella, las rubias y dos chicos del instituto con sendas cabezas rapadas estaban registrando el vestidor de la madre de J. C., arrancando sus mejores vestidos de las perchas para construirse un nido. Se encaramaron a la cama y se metieron en el círculo de satén y pieles, y Amma me hizo sentarme junto a ella. Se sacó del sostén una pastilla de éxtasis.

–¿Has jugado alguna vez al juego de «la ruleta que rula»? –me preguntó. Negué con la cabeza–. Te pasas la *pasti* de lengua en lengua, y la lengua en la que se disuelve del todo es la afortunada. Esta mierda es de lo mejorcito que tiene Damon, así que a todos nos tiene que tocar un poquito.

–No, gracias, yo paso –dije.

Había estado a punto de decir que sí, hasta que vi la expresión de alarma en los rostros de los chicos. Debía de recordarles a sus madres.

–Venga, Camille... No diré nada, joder... –insistió Amma mientras se hurgaba en una uña–. Hazlo conmigo, hermanita.

–¡Por favooor, Camille! –gimotearon Kylie y Kelsey al unísono.

Jodes me miró en silencio.

La oxicodona, el alcohol, el sexo de antes, la tormenta que aún se cernía húmeda y amenazante fuera, mi piel destrozada («nevera» me palpitaba con fuerza en un brazo) y los pensamientos renegridos de mi madre... No sé cuál de esas cosas me golpeó con más fuerza, pero de pronto me sorprendí dejando que Amma me besara en la mejilla, entusiasmada. Asentí con la cabeza y la lengua de Kylie se rozó con la de un chico, quien le pasó la pastilla con nerviosismo a Kelsey, quien lamió al segundo chico, con una lengua enorme como la de un lobo, quien se abalanzó sobre Jodes, que a su vez ofreció una lengua vacilante a Amma... quien recogió la pastilla y, con una lengua suave, pequeña y cálida, me metió el éxtasis en la boca, me rodeó con los brazos y me empujó la pastilla hacia abajo con fuerza hasta que sentí cómo se me deshacía en la boca. Se disolvió como el algodón de azúcar.

–Bebe mucha agua –me susurró antes de echarse a reír con ganas y envolverse en un abrigo de visón.

–Joder, Amma, el juego no había hecho más que empezar... –protestó el chico lobo, con las mejillas encendidas.

–Camille es mi invitada –dijo Amma con fingida altane-
ría–. Además, le conviene un poco más de diversión. Ha tenido una vida muy dura. Tenemos una hermana muerta, igual
que John Keene. Camille nunca lo ha superado.

Lo anunció como si estuviera ayudando a romper el hielo
entre los invitados a un cóctel: «David tiene su propia tienda
de tejidos y confección, James acaba de volver de una estancia por trabajo en Francia y... Ah, sí, Camille nunca ha superado la muerte de su hermana. ¿Alguien quiere que le traiga
otra copa?».

–Tengo que irme –dije al tiempo que me levantaba demasiado bruscamente, con un vestido rojo de raso pegado en el
trasero.

Faltaban unos quince minutos para que empezase el viaje de verdad, y no era allí donde quería estar cuando sucediese. Sin embargo, una vez más, tenía el mismo problema: aunque a Richard le gustaba beber, no era probable que aprobase
el consumo de cosas más fuertes, y desde luego, lo último que
pensaba hacer era encerrarme en mi cuarto sudoroso, sola y
colocada, esperando oír a mi madre.

–Ven conmigo –me propuso Amma.

Se metió la mano en el sujetador de relleno, se sacó una
pastilla del forro y se la metió en la boca; luego esbozó una sonrisa radiante y cruel hacia el resto de los presentes, quienes parecían esperanzados pero intimidados. No había nada para
ellos.

–Iremos a nadar, Mille, será tan increíble cuando empece-
mos a flipar...

Sonrió y me mostró unos dientes blancos y perfectos. No
me quedaban fuerzas para pelear; parecía más fácil dejarse llevar. Bajamos la escalera para ir a la cocina, donde unos chicos
jóvenes con la piel de melocotón nos repasaron de arriba abajo con expresión confusa: una, un pelín demasiado joven, la
otra, definitivamente demasiado vieja. Sacamos unas botellas
de agua mineral de la nevera (esa palabra volvió a jadearme
de nuevo en la piel, como un cachorro que acaba de ver a un
perro adulto), que estaba repleta de zumos y carne estofada,
fruta fresca y pan blanco, y de pronto me sentí conmovida por

aquel frigorífico familiar, tan saludable e inocente, tan absolutamente ajeno al desenfreno que se había apoderado de todos los demás rincones de la casa.

–¡Vamos! ¡Qué ganas tengo de ir a nadar! –exclamó Amma como una loca, tirándome del brazo como si fuera una niña... que lo era.

«Estoy colocándome con mi hermana de trece años», pensé para mis adentros, pero ya habían pasado diez minutos largos, y la idea sólo me provocó una palpitación de felicidad. Era una chica muy divertida, mi hermanita, la chica más popular de Wind Gap, y quería salir por ahí conmigo. «Me quiere de verdad, igual que Marian.» Sonreí. El éxtasis había liberado su primera oleada de optimismo químico y sentí cómo se hinchaba en mi interior como un gigantesco globo cautivo y estallaba al llegar al techo de la boca, inundándolo todo de buen rollo. Casi podía saborearlo, como gelatina rosa efervescente.

Kelsey y Kylie hicieron ademán de seguirnos a la puerta y Amma se volvió, riendo.

–No quiero que vengáis –les soltó–. Vosotras os quedáis aquí a ayudar a Jodes a ligar: le hace falta echar un buen polvo.

Kelsey frunció el ceño para mirar a Jodes, que aguardaba nerviosa en la escalera. Kylie miró el brazo de Amma alrededor de mi cintura y las dos se intercambiaron una mirada. Kelsey se arrimó a Amma y apoyó la cabeza en su hombro.

–No queremos quedarnos aquí, queremos ir contigo –lloriqueó–. Por favor...

Amma la apartó bruscamente y le sonrió como si fuera un poni idiota.

–Hazme un favor y apártate de mi vista de una puta vez, ¿vale? –repuso Amma–. Estoy hasta las narices de todas vosotras. Sois unos muermos.

Kelsey retrocedió un paso, confusa, con los brazos extendidos aún. Kylie se encogió de hombros y volvió a mezclarse con la multitud, cogió una cerveza de las manos de un chico mayor y se relamió los labios delante de él para, acto seguido, volverse a ver si Amma la miraba. No era así.

En vez de eso, Amma me estaba acompañando a la puerta como un novio atento, luego me guió por la escalera y bajamos a la acera de la calle, donde unas diminutas aleluyas amarillas brotaban entre las grietas.

Las señalé con el·dedo.

–Qué bonitas...

Amma me señaló a mí y asintió.

–A mí me encanta el amarillo cuando me da el subidón. ¿Notas ya algo?

Asentí; su cara aparecía y desaparecía al pasar junto a las farolas de la calle, olvidadas las ganas de nadar, con el piloto automático en dirección a casa de Adora. Notaba cómo la noche iba cayendo sobre mí como un camisón húmedo y suave, y me vino a la cabeza una imagen fugaz del hospital de Illinois, me vi a mí misma despertando entre mares de sudor, un silbido desesperado en el oído. Mi compañera de habitación, la animadora, tendida en el suelo, lívida y dando sacudidas, con el bote de limpiacristales junto a ella. Un cómico chiflido agudo y prolongado: un pedo post mórtem. Un estallido de risa sofocada, mío, ahí, en ese momento, en Wind Gap, un eco del que había soltado en aquella habitación deprimente una mañana amarillo pálido.

Amma puso su mano en la mía.

–¿Qué piensas de... Adora?

Sentí cómo se me aceleraba el pulso y luego volvía a normalizarse.

–Creo que es una mujer muy desgraciada –dije–. Y con muchos problemas.

–La oigo gritar nombres en sueños, cuando duerme la siesta: Joya, Marian... tú.

–Pues me alegro de no tener que oírlos– repuse, dando una palmadita a Amma en la mano–, pero siento que tú los oigas.

–Le gusta cuidar de mí.

–Estupendo.

–Pero es raro –dijo Amma–; después de que me cuide, siempre me entran ganas de practicar el sexo.

Se levantó la falda por detrás y me enseñó un tanga rosa chillón.

–Creo que no deberías dejar que los chicos te hagan cosas, Amma; porque eso es lo que haces, ¿sabes? A tu edad, no es recíproco.

222

–A veces, cuando dejas que la gente te haga cosas, en realidad tú se las haces a ellos –contestó Amma, sacándose otro chupa-chup del bolsillo con aire virginal–. ¿Sabes lo que quiero decir? Si alguien quiere hacerte cosas muy jodidas, y le dejas que las haga, consigues que sea él el que acabe jodido. Entonces tú tienes el control, siempre y cuando no te vuelvas loca.

–Amma, yo sólo...

Pero ya había empezado a parlotear sin cesar.

–Me gusta nuestra casa –me interrumpió Amma–. Me gusta su dormitorio. El suelo es famoso, lo vi en una revista una vez. Lo llamaron *La Posta de Marfil: vida sureña de una época desaparecida*. Porque ahora, por supuesto, no se puede comprar marfil. Qué pena, es una verdadera lástima.

Se metió el chupa-chup en la boca y atrapó una luciérnaga, la sujetó entre dos dedos y le arrancó el extremo posterior. Se pasó la luz por el dedo para hacerse un anillo reluciente, y luego tiró el bicho moribundo a la hierba y se miró la mano con admiración.

–¿Les caías bien a las chicas cuando eras joven y vivías aquí? –preguntó–. Porque, decididamente, a mí no me tratan bien.

Traté de relacionar la idea de Amma, con su desparpajo, tan autoritaria que daba miedo a veces (pisándome los talones en el parque... ¿qué clase de chica de trece años provoca a un adulto de esa manera?), con la de una chica con quien todo el mundo se mostrase abiertamente antipático. Vio mi expresión y me leyó el pensamiento.

–No quiero decir que me traten mal exactamente; hacen todo lo que yo les digo, pero no les caigo bien. En cuanto la cague, en cuanto haga algo que no sea muy enrollado, serán los primeros en ir a por mí. A veces me siento en la habitación antes de irme a la cama y me pongo a escribir todo lo que he dicho y hecho durante el día. Luego lo puntúo: una A para una maniobra perfecta, una F para «tendría que suicidarme de lo gilipollas que soy».

Cuando yo iba al instituto, llevaba una especie de registro de todos y cada uno de los modelitos que me ponía cada día. No repetía hasta que había pasado un mes.

–Como lo de esta noche: Dave Rard, que es un tío de tercero que está buenísimo, me ha dicho que no sabía si podía esperar un año, ya sabes, para estar conmigo... hasta que vaya al instituto, ¿sabes? Y yo le he dicho: «Pues no esperes». Y me he ido, y todos los tíos han soltado un «Uaaau...». Así que eso se merece una A. Pero ayer, en cambio, tropecé en Main Street y me caí delante de las chicas y se echaron a reír. Eso es una F. A lo mejor una D, porque luego me pasé tanto con ellas el resto del día que Kelsey y Kylie acabaron llorando a lágrima viva. Jodes siempre llora, así que en realidad eso no cuenta.

–Siempre es preferible que te teman a que te quieran –comenté.

–Maquiavelo –alardeó, y echó a correr dando saltitos y riendo; no pude distinguir si imitaba burlonamente una actitud propia de su edad, o era por pura energía juvenil.

–¿Y tú cómo sabes eso?

Estaba impresionada, y cada minuto que pasaba, me caía cada vez mejor: una niña lista y estaba hecha un puto lío. Me resultaba familiar.

–Sé montones de cosas que no debería saber –dijo, y me puse a dar saltitos a su lado.

Estaba en pleno subidón de éxtasis, y aunque era consciente de que en circunstancias normales no estaría haciendo aquello, estaba demasiado contenta para que me importase. Mis músculos cantaban.

–La verdad es que soy más lista que la mayoría de mis profes. Hice un test de inteligencia y se supone que tendría que ir a décimo curso, pero Adora cree que necesito estar con chicos de mi edad. Total, que me voy a marchar para ir al instituto, a Nueva Inglaterra.

Lo dijo con el leve deje de asombro de alguien que conoce la zona sólo a través de fotos, de una chica que alberga imágenes patrocinadas por la Ivy League: «Nueva Inglaterra es el lugar adonde va la gente inteligente». Aunque no soy quién para juzgarlo; yo tampoco he estado nunca allí.

–Tengo que largarme de aquí –anunció Amma con la afectación exhausta de un ama de casa mimada–. Me aburro todo el santo día, por eso me comporto así a veces. Ya sé que puedo ser un poco... mala.

–¿Te refieres a lo del sexo?

Me detuve, con el corazón bailándome pasos de rumba en el pecho. El aire olía a lirios, y sentí que el olor se acercaba flotando y me penetraba en la nariz, en los pulmones, en la sangre... Mis venas olerían a morado.

–Me refiero a... ya sabes. Cuando me suelto. Sé que sabes a qué me refiero.

Me tomó de la mano y me obsequió con una sonrisa tierna y pura; luego me acarició, y me produjo tal vez la mejor sensación que había experimentado jamás por el contacto con otro ser humano. La palabra «freak» lanzó un suspiro repentino en mi pantorrilla izquierda.

–¿Y cómo te sueltas?

Ya casi habíamos llegado a casa de mi madre, y yo estaba en pleno apogeo. El pelo se me derramaba sobre los hombros como agua cálida y me puse a balancearme hacia un lado y al otro al son de ninguna música en especial. Había una concha de caracol en el bordillo de la acera y mis ojos se arremolinaron en su espiral.

–Ya sabes... cuando a veces necesitas hacer daño.

Dijo aquello como si estuviese vendiendo un nuevo producto para el pelo.

–Hay maneras mejores de aliviar el aburrimiento y la claustrofobia que haciendo daño –repuse–. Eres una chica lista, eso ya lo sabes.

Advertí que Amma había metido los dedos en el interior de los puños de mi camisa, y que estaba tocando los bordes de mis cicatrices. No se lo impedí.

–¿Haces cortes, Amma?

–¡Hago daño! –chilló y se puso a dar vueltas sobre sí misma en la calle, girando sin cesar, con un movimiento amplio y exuberante, la cabeza echada hacia atrás y estirando los brazos como si fuera un cisne–. ¡Me encanta! –gritó.

El eco resonó calle abajo, donde la casa de mi madre montaba guardia, en la esquina.

Amma siguió girando hasta que cayó sobre la calzada; una de sus pulseras de plata se le cayó y rodó por la calle haciendo eses.

Quise hablarle en serio de todo aquello, ser la adulta, pero el éxtasis me catapultó hacia arriba de nuevo y en su lugar la recogí del suelo –ella reía; el codo se le había abierto y sangraba– y nos fuimos las dos dando vueltas agarradas de las manos hacia casa de mi madre. Tenía la cara partida en dos por su sonrisa, con unos dientes largos y húmedos, y me di cuenta de lo fascinantes que podían llegar a ser para un asesino: bloques cuadrados de hueso brillante, los delanteros como teselas de mosaico con las que recubrir una mesa.

–Qué feliz soy contigo... –Amma se echó a reír, con su aliento cálido y dulcemente borrachín en mi rostro–. Eres como mi alma gemela.

–Y tú eres como mi hermana –dije.

¿Blasfemia? Me daba igual.

–¡Te quiero! –gritó Amma.

Girábamos tan rápido que las mejillas me golpeteaban, me hacían cosquillas. Reía como una cría. «Nunca he sido tan feliz como en este instante», pensé. La luz de la farola era casi color de rosa, y el pelo largo de Amma me ponía plumas en los hombros; sus pómulos bien marcados sobresalían como cucharadas de mantequilla en su tez bronceada. Extendí el brazo para tocarle uno; al soltarle la mano nuestro círculo se rompió y caímos al suelo en una vorágine alocada y salvaje.

Sentí cómo el hueso del tobillo chocaba contra la acera... ¡Plop! Un estallido de sangre se extendió por toda la pierna. Unas burbujas rojas afloraron en el pecho de Amma como resultado de su propia magulladura en la calzada. Bajó la vista, me miró con sus ojos azules de husky encendidos, se pasó los dedos por la telaraña sanguinolenta del pecho y soltó un alarido prolongado antes de apoyar la cabeza en mi regazo, riendo.

Hundió el dedo en el pecho, recogió una perla plana de sangre con la yema y, antes de que pudiera impedírselo, me la restregó en los labios. Probé su sabor, a hojalata y miel. Levantó la cabeza para mirarme, me acarició la cara y yo la dejé.

–Ya sé que crees que Adora me quiere más a mí, pero no es cierto –dijo.

Y como si fuera una señal, las luces del porche de nuestra casa, arriba en lo alto de la colina, se encendieron.

226

–¿Quieres dormir en mi habitación? –sugirió Amma, en un tono de voz un poco más bajo.

Nos imaginé a ambas en su cama, bajo su edredón de topos, cuchicheándonos secretos, quedándonos dormidas abrazadas la una a la otra, y entonces me di cuenta de que estaba imaginándonos a mí y a Marian. Ella se habría escapado de su cama de hospital, dormiría junto a mí, emitiría cálidos ronroneos al arrebujarse en mi vientre... Tendría que devolverla a su habitación antes de que se despertase mi madre, a la mañana siguiente. Algo peligroso en una casa silenciosa, aquellos cinco segundos, arrastrándola pasillo abajo, cerca del dormitorio de mi madre, temiendo que la puerta se abriese justo entonces, y sin embargo casi deseándolo. «No está enferma, mami –es lo que planeaba gritarle si nos pillaba–. No pasa nada por que haya salido de su cama porque no está enferma de verdad.» Se me había olvidado lo desesperada y completamente convencida que estaba de aquello.

Sin embargo, gracias a las drogas, en ese momento aquéllos eran sólo recuerdos felices que pasaban uno tras otro por mi cerebro como las páginas de un cuento para niños. En aquellos recuerdos Marian adoptaba un aura de conejito, un pequeño tapetí vestido como mi hermana. Era casi como si notase su pelaje cuando volví al presente y descubrí a Amma restregándome el pelo por la pierna.

–Dime, ¿quieres? –preguntó.

–Esta noche no, Amma. Estoy muerta de cansancio y quiero dormir en mi cama.

Era verdad. La droga pegaba fuerte y deprisa, y luego el efecto desaparecía. Me quedaban diez minutos para volver a estar sobria y no quería a Amma a mi lado cuando me diese el bajón.

–¿Puedo dormir contigo entonces?

Estaba de pie bajo la farola, con la falda vaquera colgando de sus huesos diminutos de la cadera y la camiseta sin espalda torcida y rasgada. Una mancha de sangre cerca de sus labios; una mirada esperanzada.

–No. Será mejor que durmamos separadas. Ya nos veremos mañana.

No dijo nada, se limitó a dar media vuelta y echó a correr a toda velocidad hacia la casa, dándose patadas en el trasero con los talones como si fuera un potro de dibujos animados.

–¡Amma! –la llamé a gritos–. Espera, puedes quedarte a dormir conmigo, ¿vale?

Eché a correr tras ella. Detectarla a través de las drogas y la oscuridad era como intentar localizar a alguien mirando hacia atrás en un espejo. No me di cuenta de que su silueta veloz había dado media vuelta y que de hecho corría hacia mí. Contra mí. Chocamos de cabeza; me golpeó con la frente en la mandíbula y volvimos a caernos, esta vez en la acera. Mi cabeza emitió un sonido brusco al estrellarse contra el suelo, como si se hubiese resquebrajado, y los dientes inferiores empezaron a arderme de dolor. Me quedé tendida un segundo en el suelo, con el pelo de Amma agarrado en el puño, y una luciérnaga palpitando al ritmo de mi sangre. Entonces Amma se echó a reír, se frotó la frente y tocó el morado, que ya estaba de un azul oscuro, como el contorno de una ciruela.

–Mierda, creo que me has abollado la frente.

–Y yo creo que me has abollado la nuca –susurré. Me incorporé y me quedé como atontada, mientras un coágulo de sangre que la acera había contenido empezaba a resbalarme por el cuello–. Joder, Amma, qué bruta eres...

–Creí que te gustaba a lo bruto. –Extendió el brazo y me ayudó a levantarme, mientras la sangre de la cabeza me caía de atrás hacia delante. A continuación se quitó del dedo medio un diminuto anillo de oro con un olivino verde claro y me lo puso en el meñique–. Ten, quiero que lo tengas.

Negué con la cabeza.

–Quienquiera que te haya regalado ese anillo, querrá que lo tengas tú.

–Fue Adora quien me lo regaló... o algo así. A ella no le importa, créeme. Iba a dárselo a Ann, pero... Bueno, ahora Ann no está, así que estaba ahí, olvidado. ¿A que es feo? Solía fingir que Adora me lo había regalado, lo cual es poco probable, teniendo en cuenta que me odia.

–No te odia.

Echamos a andar hacia la casa; la luz del porche brillaba con toda su intensidad desde lo alto de la colina.

–Tú no le gustas –se atrevió a decir Amma.

–No, no le gusto.

–Bueno, yo tampoco le gusto; pero es distinto.

Subimos la escalera, aplastando moras con los pies. El aire olía al glaseado de un pastel infantil.

–¿Le gustabas más o menos después de la muerte de Marian? –preguntó, entrelazando su brazo con el mío.

–Menos.

–Así que no ayudó.

–¿Cómo dices?

–Su muerte no ayudó a mejorar las cosas.

–No. Y ahora estate calladita hasta que lleguemos a mi habitación, ¿vale?

Subimos la escalera; yo con la mano en la base del cuello para contener la sangre, mientras que Amma me seguía peligrosamente: se detenía a oler una rosa en el jarrón del pasillo, esbozaba una sonrisa ante su imagen en el espejo... Silencio como de costumbre en el dormitorio de Adora; el ventilador chirriando en la oscuridad, tras la puerta cerrada.

Cerré la puerta de mi propia habitación cuando entramos, me quité las zapatillas empapadas por la lluvia (con trozos de la hierba recién cortada), me limpié el jugo de las moras de la pierna y empecé a quitarme la camisa antes de sentir la mirada de Amma clavada en mi piel. Volví a bajarme la camisa y fingí tambalearme hasta la cama, demasiado exhausta para desnudarme. Me tapé con el embozo de las sábanas y me hice un ovillo lejos de Amma, a quien di las buenas noches en un susurro. La oí tirar su ropa al suelo y al cabo de un segundo apagó la luz y se metió en la cama acurrucada junto a mí, completamente desnuda excepto por las bragas. Me dieron ganas de llorar ante la idea de poder dormir junto a alguien sin ropa, sin que importase qué palabra podía escaparse de debajo de una manga o una pernera del pantalón.

–¿Camille? –habló en voz baja, aniñada e insegura–. ¿Sabes cuando hay personas que dicen que tienen que hacer daño porque si no lo hacen, están tan apáticos que no sienten nada?

–Mmm...

–¿Y si es todo lo contrario? –susurró Amma–. ¿Y si haces daño sólo porque eso te hace sentirte bien? Como si sintieses un hormigueo, como si alguien hubiese dejado un interruptor encendido en tu cuerpo y nada pudiese apagar el interruptor más que el dolor... ¿Qué significa eso?

Fingí que me había quedado dormida, fingí que no sentía cómo sus dedos trazaban «desaparecer» una y otra vez en mi nuca.

Un sueño. Marian, con el camisón blanco pegajoso por el sudor y con un tirabuzón rubio adherido a la mejilla. Me coge de la mano e intenta sacarme de la cama.

–Este lugar no es seguro –susurra–. No estás segura aquí.

Le contesto que me deje en paz.

13

Eran las dos pasadas cuando me desperté, con el estómago enroscado como una serpiente y un dolor atroz en la mandíbula de tanto apretar los dientes durante cinco horas seguidas. Puto éxtasis de mierda... Amma también tenía problemas, supuse. Había dejado una pila diminuta de pestañas en la almohada a mi lado, que aplasté con la palma de la mano. Endurecidas por el rímel, me dejaron una mancha azul oscuro en el hueco de la mano. Las eché en un plato pequeño que había en mi mesilla de noche. Luego me fui al baño y vomité. No me importa nada vomitar. De niña, cuando me ponía enferma, recuerdo a mi madre sujetándome el pelo hacia atrás y hablándome con voz tranquilizadora: «Echa fuera toda esa porquería, cariño. No pares hasta que haya salido todo». Resulta que me gustan todas esas arcadas, y la debilidad y el esputo. Previsible, lo sé, pero cierto.

Cerré la puerta con llave, me quité toda la ropa y volví a meterme en la cama. El dolor me bajaba desde la cabeza, en la oreja izquierda, a través del cuello y por toda la columna vertebral. Tenía los intestinos en danza constante, apenas podía mover la boca del dolor y me ardía el tobillo. Y seguía sangrando, lo supe por las manchas rojas que había en las sábanas. El lado de Amma también estaba teñido de sangre, un pequeño reguero donde se había rascado el pecho y una mancha más oscura en la almohada.

Tenía el corazón demasiado acelerado y no podía respirar. Necesitaba ir a ver si mi madre se había enterado de lo ocurrido; ¿habría visto a Amma? ¿Me habría metido en un lío? Me invadió el pánico; algo horrible estaba a punto de suceder. A través de mi paranoia, sabía exactamente qué estaba pasando:

mis niveles de serotonina, disparados por la droga la noche anterior, habían caído en picado y me habían dejado en el lado oscuro. Me dije todo eso a mí misma mientras enterraba la cabeza en la almohada y empezaba a sollozar. Me había olvidado de aquellas niñas, joder; no había llegado a pensar en ellas siquiera, en Ann, muerta, y en Natalie, muerta también. Lo que era aún peor, había traicionado a Marian, la había reemplazado por Amma, no le había hecho caso en sueños. Todo aquello tendría consecuencias. Lloré de la misma forma purificadora y acompasada en que había vomitado, hasta que la almohada estuvo húmeda y la cara se me hubo hinchado como la de un borracho. Entonces, el tirador de la puerta se movió. Traté de serenarme acariciándome la mejilla, y esperé que el silencio consiguiese que se marchase.

–Camille, abre.

Mi madre, pero no estaba enfadada. Conciliadora, dulce incluso. Seguí callada. Más movimiento en el tirador. Unos golpecitos. Luego, silencio cuando sus pasos se alejaron.

«Camille, abre.» La imagen de mi madre sentada en el borde de mi cama, con una amenazadora cucharada de jarabe de olor agrio. Su medicina siempre me hacía sentirme más enferma que antes. Un estómago flojo. No tan malo como el de Marian, pero flojo al fin y al cabo.

Me empezaron a sudar las manos. «Por favor, que no vuelva...» Tuve una visión fugaz de Curry, con una de sus chabacanas corbatas que se balancean frenéticamente por delante de su barriga, irrumpiendo de golpe en la habitación para salvarme; llevándome consigo en su Ford Taurus humeante, Eileen acariciándome el pelo en el camino de vuelta a Chicago.

Mi madre deslizó una llave en el ojo de la cerradura. No sabía que tenía una llave. Entró en la habitación con aire de suficiencia, con la barbilla bien alta como de costumbre, y la llave colgando de una larga cinta rosa. Llevaba un vestido de tirantes de color azul pastel y un bote de alcohol para friegas, una caja de pañuelos de papel y un neceser de belleza satinado.

–Hola, cielo –dijo, lanzando un suspiro–. Amma me ha contado lo que os pasó anoche, pobrecillas. Lleva devolviendo toda la mañana. Sé que va a sonar muy jactancioso, pero a excepción de nuestro pequeño negocio, no te puedes fiar de la carne de ningún sitio hoy en día. Amma ha dicho que seguramente fue el pollo, ¿no?

–Supongo –dije.

Sólo podía seguir la corriente de cualquiera que fuese la mentira que había contado Amma. Estaba claro que ella sabría desenvolverse mucho mejor que yo.

–No me puedo creer que las dos os hayáis desmayado justo en nuestras propias escaleras mientras yo estaba dentro durmiendo. Qué fatalidad... –exclamó Adora–. ¡Y qué morados llevaba Amma! Parecía que se hubiese peleado a puñetazo limpio...

Era imposible que mi madre se hubiese tragado esa patraña; era una experta en enfermedades y heridas, y no iba a creerse algo así a menos que ella quisiese. Ahora iba a ocuparse de mí, y yo estaba demasiado débil y desesperada para impedírselo. Me eché a llorar otra vez, sin poder parar.

–Me encuentro muy mal, mamá.

–Ya lo sé, cariño.

Me arrancó la sábana, bajándomela hasta los dedos de los pies de un solo movimiento, eficiente, y cuando me tapé instintivamente con las manos, me las separó y las puso con firmeza a ambos lados de mi cuerpo.

–Tengo que ver dónde te has hecho daño, Camille.

Me movió la mandíbula de un lado al otro y me tiró del labio inferior hacia abajo, como si estuviese examinando un caballo. Me levantó despacio cada uno de los brazos y me inspeccionó las axilas, metiendo los dedos en las concavidades, y luego me frotó el cuello en busca de ganglios inflamados. Me acordé entonces de todo el ritual. Me metió la mano entre las piernas, rápida y profesionalmente; era la mejor manera de tomar la temperatura, decía siempre. A continuación, con suavidad y movimiento ligero me recorrió las piernas hacia abajo con los dedos fríos y me introdujo el pulgar directamente en la herida abierta de mi tobillo destrozado. Unas manchas de color verde brillante me estallaron delante de los ojos y automáticamente encogí las piernas y me tumbé de costado. Aprovechó la ocasión para palparme la cabeza hasta que dio con el punto machacado de la coronilla.

–Sólo un poquito más, Camille, y habremos terminado.

Empapó los pañuelos en alcohol y me los restregó en el tobillo hasta que no pude ver nada por la mucosidad y las lágrimas. Acto seguido, lo vendó con fuerza con unas gasas que cortó con unas tijerillas diminutas de su neceser de belleza. La herida empezó a sangrar y a traspasar la gasa inmediatamente, por lo que la venda no tardó en parecerse a la bandera de Japón: de un blanco inmaculado con un círculo rojo y desafiante en el centro. A continuación me hizo bajar la cabeza con una mano y noté cómo me tiraba del pelo: me lo estaba cortando alrededor de la herida. Traté de zafarme.

–Ni lo intentes, Camille. Te cortaré. Vuelve a bajar la cabeza y sé una buena chica.

Me apretó la mejilla con una mano fría, me sujetó la cabeza contra la almohada y siguió cortando y cortando con las tijeras hasta que sentí una liberación: una extraña exposición al aire a la que mi cuero cabelludo no estaba acostumbrado. Me toqué con la mano y palpé una zona punzante del tamaño de una moneda de cincuenta centavos. Mi madre me apartó la mano rápidamente, me la apretó contra el costado y empezó a darme friegas de alcohol en el cuero cabelludo. Volví a quedarme sin aliento por el insoportable dolor.

Me hizo tumbarme de espaldas y me pasó un paño húmedo por las extremidades como si estuviera postrada en cama. Tenía los ojos sonrosados en los lugares donde se había estado arrancando las pestañas, y las mejillas estaban teñidas con aquel rubor aniñado. Sacó su neceser de belleza y empezó a rebuscar entre varios pastilleros y tubos hasta que encontró un pañuelo de papel doblado en el fondo, apretado y un poco manchado. Sacó del centro una píldora azul eléctrico.

–Un segundo, cielo.

La oí bajar los escalones muy aprisa y supe que se dirigía a la cocina. Luego, esos mismos pasos apresurados regresaron a mi habitación. Llevaba un vaso de leche en la mano.

–Ten, Camille, bébetelo con esto.

–¿Qué es?

–Una medicina. Evitará la infección y eliminará cualquier bacteria que pudiese haber en esa comida.

234

–¿Qué es? –volví a preguntarle.

El pecho de mi madre se volvió de un tono rosa borroso y su sonrisa empezó a titilar como una vela en una corriente de aire. Desapareció y reapareció, y volvió a desaparecer y reaparecer en el espacio de un segundo.

–Camille, soy tu madre y estás en mi casa.

Unos ojos rosados vidriosos. Le volví la cara y me invadió otra oleada de pánico. Algo malo, algo que había hecho.

–Camille, abre la boca.

Una voz tranquilizadora, persuasiva. «Cuidar» empezó a palpitarme cerca de la axila izquierda.

Me recordé de niña, rechazando todas aquellas píldoras y medicinas, y cómo la perdí por ello. Mi madre me hizo pensar en Amma y su éxtasis, engatusándome porque necesitaba que me tomase lo que me ofrecía. Negarse tiene muchas más consecuencias que rendirse. La piel me ardía en los lugares donde me había limpiado; era como el agradable calor que se sentía después de un corte. Pensé en Amma y en lo satisfecha que había parecido, envuelta en los brazos de mi madre, frágil y sudorosa.

Me volví de nuevo y dejé que mi madre me metiese la píldora en la lengua, me echase la leche espesa en la garganta y me besase.

Al cabo de pocos minutos me quedé dormida, con el hedor de mi aliento flotando hacia el interior de mis sueños como una niebla agria. Mi madre se acercaba a mi cama en el dormitorio y me decía que estaba enferma. Se tumbaba encima de mí y ponía su boca sobre la mía. Podía sentir su aliento en mi garganta. Después empezaba a darme pequeños besos. Cuando se apartó, me sonrió y me acarició el pelo. Luego escupió mis dientes en sus manos.

Mareada y acalorada, me desperté al anochecer, con un reguero de baba seco que me bajaba por el cuello. Débil. Me eché una bata delgada por encima de los hombros y me puse a llorar de nuevo al recordar el círculo de mi coronilla. «Lo que te pasa es que te ha dado el bajón del éxtasis –me susurré a mí misma, dándome unas palmaditas en la mejilla–. Un mal corte de pelo no es el fin del mundo. Te haces una cola de caballo y ya está.»

Avancé por el pasillo arrastrando los pies; mis articulaciones se desencajaban y volvían a encajarse, y los nudillos estaban hinchados por alguna razón que no era capaz de recordar. En el piso de abajo, mi madre cantaba. Llamé a la puerta de Amma y oí un gemido de bienvenida.

Estaba sentada desnuda en el suelo frente a su enorme casa de muñecas, con el pulgar en la boca. Tenía las ojeras de un color casi morado y mi madre le había puesto vendas en la frente y el pecho. Amma había envuelto a su muñeca favorita en papel de seda, le había pintado topos rojos por todas partes con rotulador y la había colocado en la cama.

–¿Qué te ha hecho a ti? –dijo con voz soñolienta, sonriendo a medias.

Me volví para que viera mi tonsura.

–Y me dio algo que me dejó grogui y me puso enferma de verdad –añadí.

–¿Azul?

Asentí con la cabeza.

–Sí, ésa le gusta –murmuró Amma–. Te duermes con mucho calor y babeando, y luego trae a sus amigas para que te vean.

–¿Ha hecho esto antes?

Sentí cómo se me enfriaba el cuerpo bajo el sudor. Yo tenía razón: algo horrible estaba a punto de suceder.

Se encogió de hombros.

–A mí no me importa. A veces no me la tomo, sólo lo finjo. Así estamos contentas las dos. Me pongo a jugar con mis muñecas o a leer y cuando la oigo venir, me hago la dormida.

–Amma… –Me senté en el suelo a su lado y le acaricié el pelo. Tenía que tratarla con delicadeza–. ¿Te da pastillas y cosas así muy a menudo?

–Sólo cuando estoy a punto de caer enferma.

–¿Y qué pasa entonces?

–A veces me entra mucho calor y me pongo como a delirar y entonces tiene que darme baños fríos. A veces vomito. Y otras veces me dan escalofríos y estoy muy débil y cansada y sólo quiero dormir.

Estaba sucediendo otra vez. Igual que Marian. Sentí la cólera agolparse en la parte posterior de mi garganta, agarrotándose. Empecé a llorar otra vez, me levanté y volví a sentarme. Tenía un nudo en el estómago. Enterré la cabeza en las manos. Amma y yo estábamos enfermas... igual que Marian. Tenía que presentarse ante mí de una forma tan evidente para que al fin lo entendiera... casi veinte años demasiado tarde. Me dieron ganas de gritar de vergüenza.

–Juega a las muñecas conmigo, Camille.

O no se percató de mis lágrimas o hizo caso omiso de ellas.

–Ahora no puedo, Amma; tengo que trabajar. Recuerda hacerte la dormida para cuando vuelva mamá.

Me puse la ropa sobre la piel dolorida y me miré en el espejo. «Eso que estás pensando es una locura. Estás siendo irracional. Pero no. Mi madre mató a Marian. Mi madre había matado a esas niñas.»

Me tambaleé hacia el baño y vomité un reguero de agua caliente y salada; las salpicaduras del váter me jaspearon la cara al arrodillarme. Cuando se me relajó el estómago, me di cuenta de que no estaba sola: mi madre estaba de pie detrás de mí.

–Pobrecita mía –murmuró.

Me incorporé y me alejé de ella a cuatro patas. Me apoyé contra la pared y levanté la vista para mirarla.

–¿Por qué estás vestida, cariño? –dijo–. No puedes ir a ninguna parte.

–Necesito salir. Necesito trabajar un poco. El aire fresco me sentará bien.

–Camille, vuelve a la cama –hablaba con voz apremiante y aguda. Se acercó a mi cama, retiró las sábanas y dio unas palmadas en el colchón–. Venga, tesoro. Tienes que tomarte en serio tu salud.

Me levanté como pude, cogí las llaves del coche de encima de la mesa y pasé junto a ella en dirección a la puerta como una exhalación.

–No puedo, mamá. No tardaré mucho.

Dejé a Amma arriba con sus muñecas enfermas, y salí con el coche por el camino a tanta velocidad que abollé el parachoques delantero en el lugar en que la colina caía abruptamente hacia el nivel del suelo. Una mujer obesa que empujaba un cochecito me miró con aire de reprobación.

Conduje sin dirigirme a ningún lugar en concreto, tratando de poner en orden mis pensamientos, recordando las caras de las personas que conocía en Wind Gap. Necesitaba que alguien me dijera claramente que me equivocaba con respecto a Adora, o bien que tenía razón. Alguien que conociese a Adora, que tuviese una visión de adulto de mi infancia, que hubiese permanecido allí todo el tiempo que yo había estado fuera. De repente me acordé de Jackie O'Neele y de su chicle Juicy Fruit, y de su afición a la bebida y a los chismes. Sus estrambóticas muestras de afecto maternal hacia mí y el comentario que ahora me sonaba como una advertencia: «Han pasado tantas cosas malas...». Necesitaba a Jackie, rechazada por Adora, sin ningún tipo de filtro, una mujer que conocía a mi madre de toda la vida. Alguien que, claramente, había querido decirme algo.

La casa de Jackie estaba a escasos minutos de distancia, una mansión moderna diseñada para que pareciese una plantación de antes de la guerra de Secesión. Había un chico escuálido y pálido reclinado sobre un cortacésped, fumando y paseándose arriba y abajo mientras trazaba líneas muy estrechas. Tenía la espalda agujereada por unos granos furiosos y protuberantes tan enormes que parecían verdaderas heridas. Otro forofo del *speed*. Pensé que Jackie debería eliminar al intermediario y darle los veinte pavos directamente al camello.

Conocía a la mujer que me abrió la puerta: Geri Shilt, una alumna del Calhoon que iba sólo un curso por delante de mí. Llevaba un uniforme almidonado de enfermera, igual que el de Gayla, y todavía tenía en la mejilla la verruga rosa y redonda por la que siempre la había compadecido. Al ver a Geri, un rostro tan prosaico del pasado, me dieron ganas de dar media vuelta, subirme al coche y hacer caso omiso de todas mis preocupaciones. Ver a alguien tan vulgar en mi mundo me hizo cuestionarme en qué estaba pensando. Sin embargo, no me marché.

–Hola, Camille, ¿en qué puedo ayudarte?

No parecía interesarle en absoluto qué me había traído hasta aquella puerta, una evidente falta de curiosidad que la separaba del resto de las mujeres de Wind Gap. Seguramente no tenía amigas con las que chismorrear.

–Hola, Geri. No sabía que trabajases para los O'Neele.

–No tenías por qué saberlo –contestó lacónicamente.

Los tres hijos de Jackie, que habían nacido con escasos meses de diferencia, debían de rondar la veintena: veintiún, veintidós, puede que veintitrés años. Me acordé de que eran tres chicos fornidos con el cuello recio que siempre llevaban pantalones cortos de deporte de poliéster y sortijas enormes de oro del instituto Calhoon con gemas azul brillante en el centro. Tenían los ojos inusitadamente redondos de Jackie y unos dientes salidos, blancos y brillantes. Jimmy, Jared y Johnny. En ese momento oía al menos a dos de ellos, que habían vuelto a casa de la universidad a pasar el verano, pasándose la pelota de fútbol en el jardín. Por la mirada extraordinariamente resignada de Geri, debía de haber decidido que la mejor forma de tratar con ellos era apartándose de su camino.

–He vuelto... –empecé a decir.

–Ya sé por qué estás aquí –dijo, ni en tono acusador ni con generosidad, tan sólo constatando un hecho. Yo era un mero obstáculo más en su jornada laboral.

–Mi madre es amiga de Jackie y he pensado...

–Sé muy bien quiénes son las amigas de Jackie, créeme –repuso Geri.

No parecía muy dispuesta a dejarme pasar; se limitó a mirarme de arriba abajo y luego a mirar al coche, detrás de mí.

–Jackie es amiga de muchas de las amigas de tu madre –añadió Geri.

–Mmm... Yo ya no tengo muchas amigas por aquí, la verdad sea dicha. –Era un hecho del que me sentía orgullosa, pero pronuncié las palabras con un tono deliberadamente decepcionado. Cuanto menos me odiase ella, más rápido entraría yo en la casa, y sentía una necesidad imperiosa de hablar con Jackie antes de que pudiera disuadirme a mí misma–. En realidad, creo que ni siquiera cuando vivía aquí tenía demasiadas amigas.

–Katie Lacey. Su madre sale con todas ellas.

La buena de Katie Lacey, la que me había llevado a rastras a la Fiesta de Llorar y luego la había tomado conmigo. Me la imaginé recorriendo la ciudad montada en su monovolumen, con sus preciosas niñitas subidas en la parte de atrás, vestidas a la perfección, listas para imponer su autoridad sobre los demás párvulos. Mamá les había enseñado a ser especialmente crueles con las niñas feas, pobres niñas, niñas que sólo querían que las dejaran en paz. Eso era pedir demasiado.

–Katie Lacey es una chica de la que me avergüenza haber sido amiga.

–Sí, bueno, tú no eras de las malas –dijo Geri.

Justo entonces me acordé de que Geri había tenido un caballo que se llamaba *Mantequilla:* el chiste era que, por supuesto, hasta la mascota de Geri engordaba.

–Sí lo era, un poco.

Nunca había participado directamente en actos de crueldad, pero nunca los impedí tampoco. Siempre me mantenía al margen, como una sombra inquieta, y fingía reírme.

Geri seguía de pie en el umbral de la puerta, estirando del reloj barato que llevaba ceñido en la muñeca como una goma elástica, a todas luces absorta en sus recuerdos, malos recuerdos.

Entonces, ¿por qué se había quedado en Wind Gap? Me había tropezado con tantas caras de antes desde que había vuelto... Chicas con las que había crecido y que nunca habían tenido el coraje o la energía suficiente para marcharse. Era una ciudad que emanaba autocomplacencia a través de la televisión por cable y un supermercado abierto las veinticuatro horas. Los que se habían quedado allí seguían habitando mundos aparte: las chicas guapas y odiosas como Katie Lacey, que ahora vivían, muy previsiblemente, en una mansión victoriana reformada a escasas manzanas de nosotras, jugaban en el mismo club de tenis de Woodberry que Adora y realizaban el mismo peregrinaje trimestral a Saint Louis para ir de compras, mientras las chicas feas y discriminadas como Geri Shilt seguían atrapadas limpiando las casas de las guapas, agachando la cabeza con tristeza, esperando a sufrir más abusos. Mujeres que no eran lo suficientemente fuertes o lo suficientemente inteligentes para marcharse de allí, mujeres sin imaginación: se quedaban en Wind Gap y seguían con su misma vida de adolescentes en un bucle infinito. Y ahora yo me había quedado atrapada con ellas, incapaz de salir de aquella situación.

–Iré a decirle a Jackie que estás aquí.

Geri se fue dando un rodeo hacia la escalera de la parte de atrás, pasando por la sala de estar en lugar de atravesar la cocina acristalada por la que podrían verla los chicos de Jackie.

La habitación a la que me hizo pasar era de un blanco obsceno con salpicaduras deslumbrantes de color aquí y allá, como si un niño travieso hubiese estado pintando con las manos: cojines rojos, cortinas amarillas y azules, un jarrón verde brillante con flores rojas de cerámica. Encima de la chimenea había colgado un absurdo retrato en blanco y negro de una Jackie de mirada insinuante, con el pelo ahuecado, los dedos como garras entrelazados con coqueta timidez bajo la barbilla. Era como un perrito faldero repeinado. Aun en mi estado de enferma desesperación me eché a reír.

–¡Camille, corazón! –Jackie atravesó la sala con los brazos extendidos. Llevaba una bata de raso y unos pendientes de diamantes enormes–. Por fin has venido a hacerme una visita... Estás espantosa, querida. ¡Geri, prepáranos unos *bloody mary*, de inmediato!

Lanzó un alarido, literalmente, primero a mí y luego a Geri. Supongo que era una carcajada. Geri se quedó inmóvil en la puerta hasta que Jackie dio unas palmadas.

–Te lo digo en serio, Geri, acuérdate de poner sal en el borde esta vez. –Se volvió para dirigirse a mí–: De verdad... hay que ver lo que cuesta encontrar una buena asistenta hoy en día –rezongó muy seria, sin darse cuenta de que nadie decía eso más que en la tele.

Estaba segura de que Jackie veía la televisión a todas horas, con una copa en la mano y el mando a distancia en la otra, las cortinas echadas mientras los magazines de la mañana daban paso a las teleseries, seguidas de los juicios televisados, a los que les sucedían, a su vez, las reposiciones, las telecomedias, los melodramas policíacos y las películas de madrugada sobre mujeres violadas, acosadas, engañadas o asesinadas.

Geri trajo los *bloody mary* en una bandeja, junto con unos platitos con apio, pepinillos y aceitunas y, obedeciendo instrucciones, corrió las cortinas y se marchó. Jackie y yo nos quedamos sumidas en la penumbra, en la habitación blanca y gélida por el aire acondicionado, y nos quedamos mirándonos la una a la otra unos segundos. Luego Jackie se inclinó y abrió el cajón de la mesita del café, que contenía tres frascos de laca de uñas, una Biblia hecha pedazos y más de media docena de botes de píldoras de medicinas. Me acordé de Curry y sus rosas con las espinas arrancadas.

–¿Te apetece un analgésico? Tengo varios muy buenos.

–Creo que prefiero mantener la cabeza despejada –dije, sin estar muy segura de si bromeaba o no–. Pero parece como si fueras a abrir tu propia farmacia.

–Sí, ¿verdad? Tengo una suerte... –Olí su ira mezclada con el zumo de tomate–. OxyContin, Percocet, Percodan... Lo último en pastillas que mi médico de turno tenga en *stock*, pero tengo que reconocerlo, hacen que lo pase muy bien.

Se echó unas cuantas pastillas redondas y blancas en la palma de la mano, se las tragó de golpe y luego me sonrió.

–¿Qué tienes? –le pregunté, casi temiendo la respuesta.

–Eso es lo mejor, corazón, que nadie tiene ni puta idea de lo que tengo. Uno dice lupus, el otro artritis, algún síndrome autoinmune, dice el tercero... y el cuarto y el quinto dicen que todo es psicológico.

–¿Y tú qué crees?

–¿Que qué creo yo? –exclamó y puso los ojos en blanco–. Creo que mientras me sigan recetando las medicinas probablemente no me importe demasiado. –Se echó a reír de nuevo–. Me lo paso en grande tomándomelas.

No supe distinguir si se estaba haciendo la fuerte o verdaderamente era una adicta.

–Me sorprende que Adora no se haya subido al carro de las

242

enfermedades –ironizó–. Pensaba que en cuanto cayera yo, ella no podría ser menos, ¿no? Aunque ella no se pondría enferma con algo tan vulgar como el lupus, no. Seguro que encontraría la forma de tener... no sé, un tumor cerebral, ¿verdad?

Dio otro sorbo al *bloody mary* y le quedó una marca de rojo y sal en el labio superior, lo que la hacía parecer hinchada. Ese segundo sorbo la sosegó, e igual que había hecho en el funeral de Natalie, me miró como intentando memorizar mi rostro.

–Dios santo, es tan raro verte tan mayor... –comentó, dándome unas palmaditas en la rodilla–. ¿Por qué has venido, cariño? ¿Va todo bien en casa? Probablemente no. ¿Es... es por tu madre?

–No, no tiene nada que ver.

Odiaba ser tan transparente.

–Ah.

Pareció consternada. Se llevó la mano a la bata revoloteando como en una escena salida de una película en blanco y negro. La había interpretado mal; se me olvidaba que allí se daba alas abiertamente a las habladurías.

–No, quiero decir... Lo siento, no estaba siendo sincera hace un momento. Sí, he venido a hablar de mi madre.

Jackie se animó inmediatamente.

–No la acabas de entender del todo, ¿eh? No sabes si es un ángel o un demonio o las dos cosas a la vez, ¿verdad? –Jackie se puso un almohadón de raso verde debajo de su diminuto trasero y colocó los pies en mi regazo–. Corazón, ¿me haces un masaje, por favor? Están limpios. –Extrajo una bolsa de barritas de chocolate en miniatura, de las que se reparten en Halloween, y se las puso en la barriga–. Dios, luego tendré que deshacerme de tanto azúcar, pero es que están tan ricas...

Aproveché aquel momento feliz.

–¿Mi madre siempre ha sido... así, como es ahora?

Se me encogió el estómago por lo incómodo de aquella pregunta, pero Jackie soltó una carcajada estridente, como si fuera una bruja.

–¿Y cómo es, corazón? ¿Guapa? ¿Encantadora? ¿Adorable? ¿Mala? –Meneó lo dedos de los pies mientras le quitaba el envoltorio a una de las chocolatinas–. Hazme el masaje. –Empecé a frotarle los pies helados, con unas plantas duras como el caparazón de una tortuga–. Adora. Bueno, joder... Adora era rica y guapa, y los tarados de sus padres eran los amos de la ciudad. Trajeron esa puta granja porcina a Wind Gap, nos dieron cientos de puestos de trabajo... y luego también una planta de producción de nueces. Ellos siempre tenían la última palabra. Todo el mundo les lamían el culo a los Preaker.

–¿Y cómo era la vida para ella... en casa?

–Adora era una niña... demasiado apegada a su madre. Nunca vi a tu abuela Joya sonreírle ni tocarla de forma cariñosa, pero no le quitaba las manos de encima. Siempre estaba atusándole el pelo, alisándole la ropa y... ah, sí, también hacía aquello: en lugar de lamer su pulgar para borrar una mancha, por ejemplo, lamía el de Adora. Le cogía la cabeza y se la lamía. Y cuando a Adora se le pelaba la piel por haberse quemado con el sol (en aquella época todas nos quemábamos; no sabíamos tanto de filtros solares como vuestra generación), Joya se sentaba junto a tu madre, le quitaba la camisa y le arrancaba la piel a tiras largas. A Joya le encantaba eso.

–Jackie...

–No te miento. Imagínate, ver a tu amiga en cueros delante de ti y... ver cómo la acicalan. Por supuesto, tu madre siempre estaba enferma, siempre llevaba tubos y agujas y cosas así clavadas por todo el cuerpo.

–¿Y qué clase de enfermedades sufría?

–Un poco de todo. Buena parte causadas por el estrés de tener que vivir con Joya. Aquellas uñas largas y sin pintar, como las de un hombre... Y la melena larga que dejaba que se le fuera encaneciendo, hasta la cintura...

–¿Y dónde estaba mi abuelo?

–No lo sé. Ni siquiera me acuerdo de cómo se llamaba. ¿Herbert? ¿Herman? Nunca estaba en casa, y cuando lo estaba, siempre se quedaba callado y como... ido. Ya sabes, como Alan.

Se echó a la boca otra barrita de chocolate y agitó los dedos de los pies en mis manos.

–¿Sabes? Tenerte a ti debería haber destrozado la vida de tu madre –hablaba en tono de reproche, como si yo no hubiese conseguido hacer una tarea muy sencilla–. Cualquier otra

244

chica, preñada antes del matrimonio, en Wind Gap y en aquella época... todo se habría acabado para ella –prosiguió Jackie–; pero tu madre siempre se las arreglaba para que la gente la mimase... toda clase de gente, no sólo los chicos sino también las chicas, las madres, las maestras...

–¿Y por qué?

–Camille, cariño, una chica guapa puede conseguir lo que le dé la gana si se lo sabe ganar. Seguro que lo sabes. Piensa en todas las cosas que los chicos han hecho por ti a lo largo de los años y que no habrían hecho si no hubieses tenido esa cara bonita. Y si los chicos se portan bien, las chicas también se portan bien. Adora supo llevar lo del embarazo magníficamente, orgullosa pero también compungida, y muy en secreto. Tu padre llegó aquí para esa fatídica visita y luego nunca más volvieron a verse. Tu madre nunca habló de ello. Fuiste toda suya desde el principio. Eso es lo que acabó con Joya: su hija al fin tenía algo dentro a lo que Joya no podía tener acceso.

–¿Y mi madre dejó de estar enferma una vez desaparecida Joya?

–Estuvo bien durante un tiempo –contestó Jackie por encima del vaso–. Pero no tardó mucho en llegar Marian, y lo cierto es que no tenía mucho tiempo para estar enferma entonces.

–¿Era mi madre...? –Sentí cómo se me hacía un nudo en la garganta, así que me lo tragué con mi vodka aguado–. ¿Era mi madre... una buena persona?

Jackie soltó otra carcajada. Se metió otra barrita en la boca, y esta vez el caramelo se le quedó adherido a los dientes.

–¿Es eso lo que quieres saber? ¿Si era buena persona? –Hizo una pausa–. ¿Tú qué crees? –añadió, imitándome.

Jackie volvió a meter la mano en el cajón, abrió el tapón de tres botes de pastillas, sacó un comprimido de cada uno de ellos y los colocó ordenadamente por tamaño en el dorso de su mano izquierda.

–No lo sé, nunca me he sentido muy cerca de ella.

–Pero sí has estado cerca de ella, ¿no? No me vengas con ésas, Camille, eso me agota. Si creyeses que tu madre es una buena persona no estarías aquí sentada con su mejor amiga preguntándome si es una buena persona.

Jackie cogió las píldoras de una en una, de mayor a menor, las metió en la barra de chocolate y se la comió. Tenía el pecho lleno de envoltorios, la mancha roja todavía le cubría el labio, y una capa gruesa de caramelo se obstinaba en seguir pegada a sus dientes. Le habían empezado a sudar los pies en mis manos.

–Lo siento. Tienes razón –dije–. Pero ¿crees que está... enferma?

Jackie dejó de masticar, apoyó su mano en la mía y lanzó un hondo suspiro.

–Deja que lo diga en voz alta porque llevo pensándolo demasiado tiempo, y los pensamientos pueden ser un poco tramposos en mi caso... se me escurren, ¿sabes? Como cuando intentas atrapar un pez con las manos. –Alzó la mano y me apretó el brazo–. A Adora le gusta devorar, y si no le dejas que lo haga, será aún peor para ti. Mira si no lo que le está pasando a Amma. Mira lo que le pasó a Marian.

Sí. Justo debajo de mi pecho izquierdo, «ligado» empezó a producirme un cosquilleo.

–Entonces, ¿lo crees? –insistí. «Dilo de una vez.»

–Creo que está enferma, y creo que lo que tiene es contagioso –susurró Jackie, y sus manos temblorosas hicieron que tintineasen los cubitos de hielo de su vaso–. Y creo que es hora de que te vayas, corazón.

–Lo siento, no pretendía abusar de tu hospitalidad.

–Me refiero a que te vayas de Wind Gap. No estás segura aquí.

Al cabo de menos de un minuto, cerré la puerta y dejé a Jackie contemplando la foto de sí misma, que le devolvía la sonrisa insinuante desde encima de la chimenea.

14

Las piernas me temblaban tanto que estuve a punto de trastabillar y caerme en los escalones de la casa de Jackie. A mi espalda oí sus hijos tararear el himno del equipo de fútbol del Calhoon. Conduje hasta la siguiente esquina, aparqué el coche bajo un bosquecillo de moreras y apoyé la cabeza en el volante.

¿Había estado mi madre enferma de verdad? ¿Y Marian? ¿Y Amma y yo? A veces creo que la enfermedad yace agazapada en el interior de todas las mujeres, esperando el momento oportuno para aflorar. He conocido a tantísimas mujeres «enfermas» en mi vida... Mujeres con dolores crónicos, con enfermedades en fase de incubación, mujeres con «trastornos»... Sí, claro, los hombres sufren fracturas óseas, dolores de espalda, pasan una o dos veces por un quirófano, les quitan las amígdalas, les insertan una brillante cadera de plástico... A las mujeres las consume la enfermedad. No es de extrañar, teniendo en cuenta la cantidad de tráfico que soporta el cuerpo de una mujer: tampones y espéculos; pollas, dedos, vibradores y más cosas entre las piernas, por detrás, en la boca... A los hombres les encanta meter cosas dentro de las mujeres, ¿no es así? Pepinos, plátanos y botellas; un collar de perlas, un rotulador, un puño... Una vez un tío quiso meterme un *walkie-talkie*. Yo me negué.

Enfermas, más enfermas y las más enfermas. ¿Qué era real y qué era falso? ¿Estaba Amma realmente enferma y necesitaba la medicina de mi madre, o era la medicina la que ponía enferma a Amma? ¿Su píldora azul me hizo vomitar o impidió que me pusiera más enferma de lo que habría estado sin ella?

¿Estaría muerta Marian si no hubiese tenido por madre a Adora?

Sabía que debía llamar a Richard, pero no se me ocurría nada que decirle. Tengo miedo. Tengo miedo justificado. Quiero morirme. Dejé atrás la casa de mi madre y luego seguí en coche en dirección este hacia la granja porcina y aparqué en Heelah's, ese reconfortante bar con barra y sin ventanas donde cualquiera que reconociese a la hija de la jefa la dejaría muy sabiamente a solas con sus pensamientos.

El lugar apestaba a sangre de cerdo y orines, y hasta las palomitas de maíz en los cuencos que había encima de la barra olían a carne. Un par de hombres ataviados con gorra de béisbol y chaqueta de cuero, bigotes finos y ceño fruncido levantaron la vista y luego volvieron a concentrarla en sus jarras de cerveza. El camarero me sirvió mi bourbon sin pronunciar una sola palabra. Por los altavoces sonaba una canción de Carole King. En mi segunda ronda, el camarero señaló un punto tras de mí y me preguntó:

–¿Lo está buscando?

John Keene estaba sentado con el cuerpo encorvado sobre una copa en el único reservado del establecimiento, rascando el borde astillado de la mesa. Tenía la piel blanca manchada de gotas rosas de licor, y por sus labios húmedos y la forma en que chascaba la lengua, deduje que ya había vomitado una vez. Cogí mi copa y me senté enfrente de él, sin decir nada. Me sonrió y alargó la mano por encima de la mesa para tocar la mía.

–Hola, Camille. ¿Cómo estás? Qué guapa y limpia estás... –Miró a su alrededor–. Aquí está todo tan... sucio.

–Estoy bien, creo, John. ¿Y tú? ¿Estás bien?

–Sí, claro, estupendamente. Han asesinado a mi hermana, están a punto de arrestarme, y mi novia, que lleva pegada a mí con pegamento desde que me mudé a esta ciudad de mierda, empieza a darse cuenta de que ya no soy ninguna bicoca. No es que me importe mucho en realidad. Es una buena chica, pero no...

–No te sorprende –sugerí.

–Eso es. Eso es. Estaba a punto de cortar con ella antes de lo de Natalie. Ahora no puedo.

Semejante decisión sería analizada minuciosamente por la ciudad al completo, incluido Richard. «¿Qué significa eso? ¿Cómo demuestra eso que es culpable?»

–No pienso volver a la casa de mis padres –murmuró–. Prefiero irme al puto bosque y suicidarme antes que quedarme allí dejando que me miren todas las cosas de Natalie.

–No te culpo.

Cogió el salero y empezó a hacerlo girar encima de la mesa.

–Eres la única persona que lo entiende, creo –dijo–. Que entiende qué se siente al perder a una hermana y que los demás esperen de ti que lo aceptes, sin más. Que sigas adelante. ¿Lo has superado tú? –pronunció las palabras con tanta amargura que pensaba que la lengua se le teñiría de amarillo.

–Eso es algo que no se llega a superar nunca –repuse–. Te infecta. A mí me destrozó.

Sentaba bien decirlo en voz alta.

–¿Por qué a todo el mundo le parece tan raro que llore la muerte de Natalie?

John volcó el salero y éste se cayó repiqueteando al suelo. El camarero nos lanzó una mirada contrariada. Lo recogí, lo deposité en mi lado de la mesa y arrojé una pizca de sal por encima de mi hombro en nombre de ambos.

–Supongo que cuando eres joven la gente espera que aceptes las cosas más fácilmente –dije–, y tú eres un chico. Se supone que los chicos no sois blandos.

Lanzó un resoplido.

–Mis padres me compraron un libro sobre cómo enfrentarse a la muerte: *Los hombres que lloran*. Decía que a veces necesitas abandonarte, que hay que negarlo sin más. Ese sentimiento de negación puede ser bueno para los hombres, así que intenté dedicar a eso una hora y fingir que no me importaba. Y durante un rato, la verdad es que no me importó. Me quedé sentado en mi habitación en casa de Meredith pensando en... gilipolleces. Me puse a mirar por la ventana un trocito cuadrado de cielo azul y a repetir: «Todo irá bien, todo irá bien, todo irá bien». Como si fuese un crío otra vez. Y cuando acabé, supe con total seguridad que nada volvería a ir bien nunca más. Aunque atrapen al que lo hizo, nada volverá a ir bien. No sé por qué todo el mundo insiste en que nos sentiremos mejor cuando detengan al culpable. Ahora parece que al que van a detener es a mí. –Se echó a reír con un gruñido y negó con la cabeza–. Todo esto es de locos, es una puta locura. –Y a continuación, bruscamente, añadió–: ¿Quieres otra copa? ¿Quieres tomar otra copa conmigo?

Estaba completamente borracho, no lograba mantener la espalda recta en el asiento, pero yo nunca privaría a un compañero de penas y sufrimiento del alivio que supone perder el conocimiento. A veces ésa es la ruta más lógica. Siempre he pensado que la sobriedad de mirada nítida y transparente es para los que tienen un corazón más resistente. Me tomé un chupito en la barra para ponerme a su nivel y luego regresé a la mesa con dos bourbons. El mío, doble.

–Es como si hubieran elegido a las dos chicas de Wind Gap que tenían ideas propias y las hubiesen liquidado –dijo John. Tomó un trago de bourbon–. ¿Crees que tu hermana y mi hermana habrían sido amigas?

En ese lugar imaginario donde las dos estaban vivas, donde Marian nunca había envejecido.

–No –contesté, y de repente me dio la risa; él también se rió.

–Conque tu hermana muerta es demasiado buena para mi hermana muerta, ¿eh? –soltó.

Los dos nos echamos a reír otra vez y luego rápidamente nos cortamos y volvimos a concentrarnos en nuestras copas. Empezaba a estar mareada.

–Yo no maté a Natalie –susurró.

–Lo sé.

Me cogió la mano y la puso alrededor de la suya.

–Llevaba las uñas pintadas. Cuando la encontraron. Alguien le pintó las uñas –murmuró.

–A lo mejor se las pintó ella.

–Natalie odiaba esas cosas. Apenas si dejaba que un cepillo le tocase el pelo.

Silencio durante varios minutos. Carole King había dado paso a Carly Simon. Voces femeninas de resonancias folk en un bar para matarifes.

–Eres muy guapa –dijo John.

–Y tú también.

John jugueteó con sus llaves en el aparcamiento y me las dio sin rechistar cuando le dije que estaba demasiado borracho para conducir. No es que yo estuviese mucho más sobria. Lo llevé en un trayecto difuminado y borroso de vuelta a la casa de Meredith, pero se puso a negar con la cabeza cuando nos aproximamos y me pidió que le llevara al motel de las afueras, el mismo donde me había alojado en el camino de ida hacia allí, un pequeño refugio donde uno podía prepararse para Wind Gap y toda su enormidad.

Condujimos con las ventanillas bajadas, el cálido aire de la noche colándose en el interior, pegándole a John la camiseta al pecho, mis mangas largas ondeando al viento. Aparte de la espesa mata de pelo de su cabeza, por lo demás era completamente lampiño, y hasta sus brazos apenas exhibían una fina pelusilla. Parecía casi desnudo, como si necesitara ponerse a cubierto.

Pagué la habitación número nueve, porque John no tenía tarjetas de crédito, y le abrí la puerta, lo senté en la cama y le serví un poco de agua tibia en un vaso de plástico. Se limitó a mirarse los pies y se negó a bebérsela.

–John, tienes que beber un poco de agua.

Apuró el agua de un sorbo y dejó que el vaso rodara por la cama hasta caer. Me cogió de la mano. Intenté zafarme, más por instinto que por otra cosa, pero me la sujetó con más fuerza.

–También te lo vi el otro día –dijo, trazando con el dedo la «e» de «horrible», metida justo debajo de mi manga izquierda. Levantó la otra mano y me acarició la cara–. ¿Puedo verlo?

–No.

Intenté zafarme de nuevo.

–Déjame verlo, Camille.

Siguió sujetándome.

–No, John. No dejo que lo vea nadie.

–Pues a mí sí vas a dejarme.

Me arremangó la tela de la camisa y entrecerró los ojos, tratando de descifrar los trazos de mi piel. No sé por qué le dejé hacerlo. Tenía una expresión inquisitiva y tierna en el rostro. Yo me sentía débil por los acontecimientos del día, y estaba tan sumamente harta de esconderme... Más de una década dedicada en cuerpo y alma a la ocultación: nunca había mantenido un intercambio –con un amigo, con un informante, con la cajera del supermercado–, en el que no me hubiese obsesionado anticipando qué cicatriz iba a descubrirse. Deja que John las vea. Por favor, deja que las vea. No tenía por qué esconderme de alguien que buscaba el olvido tan fervientemente como yo.

Me subió la otra manga y allí quedaron expuestos mis brazos, tan desnudos que me dejaron sin aliento.

–¿Nadie ha visto esto?

Negué con la cabeza.

–¿Cuánto tiempo llevas haciendo esto, Camille?

–Mucho tiempo.

Me miró los brazos fijamente y luego me subió aún más las mangas. Me besó en el centro de «cansada».

–Así me siento yo –dijo, recorriendo con los dedos las cicatrices hasta que se me puso la carne de gallina–. Déjame verlo todo.

Me quitó la camisa sacándola por la cabeza mientras yo permanecía sentada como una niña obediente. Después me quitó los zapatos y los calcetines y me bajó los pantalones. En bragas y sujetador, tirité en la habitación congelada, el aire acondicionado paralizándome con su helor. John retiró la colcha, me hizo señas para que me metiera entre las sábanas y así lo hice, sintiendo un calor abrasador y un frío glacial al mismo tiempo.

Me levantó los brazos, las piernas y me tumbó de espaldas. Me leyó. Dijo las palabras en voz alta, enfadadas y absurdas a un tiempo: «horno», «mareo», «castillo». Se desvistió él también, como percibiendo una asimetría, arrojó la ropa al suelo haciendo una bola y siguió leyendo. «Bollo», «malicia», «maraña», «rasguño». Me desabrochó el sujetador por delante con un rápido movimiento con los dedos y me lo arrancó. «Flor», «dosis», «bote», «sal». Tenía una erección. Me puso la boca en los pezones, la primera vez desde que había empezado a lesionarme en serio que permitía a un hombre hacer eso. Catorce años.

Sus manos recorrieron cada centímetro de mi piel, y yo se lo permití: la espalda, los pechos, los muslos, los hombros...

Su lengua en mi boca, en el cuello, en los pezones, entre mis piernas, y luego de vuelta a la boca. Probé mi sabor en él. Las palabras permanecían en silencio. Me sentía exorcizada.

Lo guié hasta mi interior y se corrió enseguida, y se le puso dura de nuevo y se corrió otra vez. Sentí sus lágrimas en mis hombros mientras se estremecía dentro de mí. Nos quedamos dormidos con los cuerpos entrelazados (una pierna asomando por aquí, un brazo detrás de una cabeza por allá) y tan sólo una palabra emitió un leve murmullo, «presagio». No sabía si bueno o malo. En ese momento opté por pensar que bueno. Qué idiota.

A primera hora de la mañana, el alba hizo que las ramas de los árboles relucieran como centenares de manos diminutas al otro lado de la ventana del dormitorio. Caminé desnuda hacia el lavabo para volver a llenar nuestro vaso de agua, los dos con resaca y sedientos, y la débil luz del sol me golpeó en las cicatrices y las palabras cobraron vida de nuevo. Se había acabado el período de remisión. De forma involuntaria, el labio superior se me torció de asco al verme la piel, y me envolví con una toalla antes de volver a meterme en la cama.

John bebió un sorbo de agua, me echó la cabeza hacia atrás y vertió un poco en mi boca; luego apuró el resto. Sus dedos tiraron de la toalla. Yo la retuve con fuerza, sujetándola firmemente como si fuera un paño de cocina sobre mis pechos, e hice un movimiento negativo con la cabeza.

–¿Qué es esto? –me susurró al oído.

–Esto es la luz implacable de la mañana –le contesté, también en un susurro–. Es la hora de romper la ilusión.

–¿Qué ilusión?

–La ilusión de que todo va a ir bien –dije, y le besé la mejilla.

–No hagamos eso todavía –replicó, y me rodeó con los brazos, con aquellos brazos delgados e imberbes: unos brazos de niño.

Me dije a mí misma esas cosas, pero lo cierto es que me sentía bien. Guapa y limpia. Apoyé la cara en su cuello y olí el aroma de su cuerpo, a licor y a loción de afeitado intensa, de la de color azul hielo. Cuando volví a abrir los ojos, vi las luces giratorias rojas de una sirena de policía al otro lado de la ventana.

Toc, toc, toc. La puerta retumbó como si pudiera haberse roto fácilmente.

–Camille Preaker, soy el comisario Vickery. Abra si está ahí dentro.

Recogimos la ropa desperdigada por el suelo, los ojos de John tan asustados como los de un pajarillo. Los sonidos de cinturones abrochándose y los susurros de las camisas que nos delatarían al otro lado de la puerta, sonidos frenéticos, sonidos culpables... Volví a echar las sábanas por encima de la cama, me atusé el pelo con los dedos y, mientras John se colocaba en una postura torpemente despreocupada detrás de mí, con los dedos enganchados en las trabillas de la cintura del pantalón, abrí la puerta.

Richard. Con una camisa blanca recién planchada, una impecable corbata de rayas y una sonrisa que se desvaneció en cuanto vio a John. Vickery estaba a su lado, rascándose el bigote como si tuviera un sarpullido, mirándome primero a mí y luego a John antes de volverse y mirar fijamente a Richard de frente.

Richard no dijo nada, sólo me fulminó con la mirada, se cruzó de brazos e inspiró hondo una sola vez. Estoy segura de que la habitación olía a sexo.

–Bueno, pues por lo visto, estás bien –sentenció. Esbozó una sonrisa de ironía forzada. Supe que era forzada porque tenía la piel por encima del cuello de la camisa tan roja como la de un personaje de dibujos animados furioso–. ¿Tú cómo estás, John? ¿Estás bien?

–Estoy bien, gracias –respondió John, y se acercó a mí.

–Señorita Preaker, su madre nos llamó hace unas horas al ver que no regresaba a casa –murmuró Vickery–. Dijo que había estado usted un poco indispuesta, que se había caído o algo así. Estaba muy preocupada. Pero que muy preocupada. Además, con todo lo que está pasando últimamente, toda precaución es poca. Supongo que se alegrará de saber que está usted... aquí.

Formuló la última parte como una pregunta a la que yo no tenía intención de responder. A Richard le debía una explicación, pero a Vickery, no.

–Puedo llamar yo misma a mi madre, gracias. Le agradezco que me hayan estado buscando.

Richard se miró los pies y se mordisqueó el labio, la única vez que lo había visto verdaderamente abatido. Se me hizo un nudo en el estómago, grasiento y temeroso. Soltó aire una vez, con una prolongada y severa exhalación, apoyó las manos en las caderas, me miró fijamente y luego miró a John. Dos críos sorprendidos haciendo travesuras.

–Venga, John, te llevaremos a casa –se ofreció Richard.

–Camille puede llevarme, pero se lo agradezco, agente Willis.

–¿Qué edad tienes, hijo? –inquirió Vickery.

–Dieciocho –contestó Richard.

–Bueno, en ese caso, que paséis un buen día –dijo Vickery; luego soltó una risotada en dirección a Richard y masculló un «ya han pasado una buena noche» entre dientes.

–Te llamaré luego, Richard –dije.

Levantó una mano y me hizo un movimiento de despedida mientras regresaba al coche.

John y yo permanecimos casi todo el tiempo en silencio durante el trayecto a casa de sus padres, donde él iba a intentar dormir un poco en la sala de juegos del sótano. Estuvo tarareando el fragmento de una tonada de *be-bop* de los cincuenta y siguiendo el ritmo con los dedos en la manija de la puerta del coche.

–¿Qué harán ahora? ¿Crees que esto nos traerá malas consecuencias? –dijo al fin.

–Para ti puede que no sea malo. Demuestra que eres un buen chico americano, con un interés saludable por las mujeres y el sexo ocasional.

–Eso no ha sido sexo ocasional. No me ha parecido que eso fuera sexo ocasional en absoluto, ¿y a ti?

–N me he equivocado de palabra. Ha sido justo lo contrario –dije–. Pero soy más de diez años mayor que tú, y estoy cubriendo la noticia de un crimen en el que... Es un conflicto de intereses. Han despedido a mejores reporteros que yo por cosas como ésta.

Era consciente del impacto de los rayos del sol sobre mi cara, las arrugas en las comisuras de mis ojos, la edad que me pesaba. La cara de John, a pesar de la noche de alcohol y de la falta de sueño, estaba tersa y lisa como un pétalo de rosa.

–Anoche... tú me salvaste. Eso me salvó. Si no te hubieses quedado conmigo, habría hecho algo malo. Lo sé, Camille.

–Tú también me hiciste sentir muy segura, John –dije, y lo decía de corazón, pero las palabras salieron con el sonsonete impostado de mi madre.

Dejé a John a una manzana de distancia de la casa de sus padres, y su beso aterrizó en mi mejilla al apartarme en el último momento. «Nadie puede demostrar que ha pasado algo», pensé en ese instante.

Volví a Main Street en coche y aparqué delante de la comisaría. Aún había una farola encendida. Eran las 5.47 de la mañana. Todavía no había ninguna recepcionista de servicio en el vestíbulo, así que llamé al timbre nocturno. El ambientador que había junto a mi cabeza expelía un aroma a limón justo en mi hombro. Volví a llamar al timbre y Richard apareció detrás del panel de cristal de la pesada puerta que conducía a los despachos. Se quedó mirándome un segundo y pensé que iba a volverse y a darme la espalda; casi deseé que lo hiciese, pero entonces abrió la puerta y entró en el vestíbulo.

–¿Por dónde quieres empezar, Camille?

Se sentó en uno de los sillones acolchados y enterró la cabeza entre las manos, con la corbata colgándole entre las piernas.

–No es lo que parecía, Richard –dije–. Ya sé que suena a tópico, pero es cierto.

«Niégalo todo, niégalo todo, niégalo todo.»

–Camille, cuarenta y ocho horas después de que tú y yo nos acostáramos juntos, te encuentro en una habitación de hotel con el principal sospechoso de mi caso por el asesinato de unas niñas. Aunque no sea lo que parece, sigue siendo muy malo.

–Él no lo hizo, Richard. Sé con absoluta certeza que no lo hizo él.

–¿De verdad? ¿Es eso de lo que hablabais mientras te metía la polla?

«Bien, está enfadado –pensé . Sé cómo enfrentarme a eso, mejor que a la desesperación de enterrar la cabeza entre las manos.»

–No ha pasado nada de eso, Richard. Me lo encontré borracho en el Heelah's, completamente borracho, y creí de veras que podía hacerse daño a sí mismo. Lo llevé al motel porque quería quedarme a su lado y oír lo que pudiera decirme. Lo necesito para mi artículo. ¿Y sabes lo que he averiguado? Que tu investigación ha destrozado a ese chico, Richard. Y lo que es peor, ni siquiera pienso que creas de verdad que él lo hiciera.

Sólo la última frase era completamente cierta, y no me di cuenta de eso hasta que las palabras hubieron salido de mi boca. Richard era un tipo listo, un gran policía, extremadamente ambicioso, en su primer caso importante con una comunidad entera que clamaba a gritos que se produjese alguna detención, y él todavía no tenía a quién arrestar. Si hubiese tenido contra John algo más que el mero deseo de que fuese él, lo habría detenido hacía días.

–Camille, a pesar de lo que pienses, no lo sabes todo acerca de esta investigación.

–Richard, créeme, nunca he creído saberlo. Nunca he sentido que fuese algo más que una intrusa del todo inútil. Has conseguido meterte en mi cama y seguir siendo hermético. Contigo no hay filtraciones posibles.

–Ah, entonces... ¿todavía estás cabreada por eso? Creía que ya eras mayorcita.

Silencio. Una nueva oleada de fragancia de limón. Oía vagamente el tictac del reloj de plata en la muñeca de Richard.

–Deja que te demuestre lo comprensiva que puedo llegar a ser –dije.

Había vuelto a activar el piloto automático, como en los viejos tiempos: estaba desesperada por rendirme a él, por hacer que se sintiera mejor, por conseguir volver a gustarle. La noche anterior, me había sentido muy cómoda y tranquila por espacio de unos minutos, y la aparición de Richard en la puerta de esa habitación de hotel había hecho añicos lo que quedaba de los restos de esa calma. Quería recuperarla.

Me hinqué de rodillas en el suelo y empecé a bajarle la cremallera de la braguta. Por un segundo colocó la mano en mi nuca, pero acto seguido me agarró con brusquedad por el hombro.

–Camille, ¿qué coño estás haciendo?

Se dio cuenta de la fuerza con que me estaba agarrando y aflojó la presión antes de ayudarme a levantarme.

–Sólo quiero arreglar las cosas entre nosotros.

Me puse a juguetear con un botón de su camisa y me negué a mirarlo a los ojos.

–Pues así no lo vas a conseguir, Camille –dijo. Me dio un beso casi casto en los labios–. Tienes que saberlo antes de que lleguemos más lejos. Sólo necesitas saberlo, punto.

Luego me pidió que me marchara.

Traté de dormir durante unas horas en la parte de atrás de mi coche; pasaron rapidísimo, el equivalente a leer un cartel entre los vagones de un tren que pasa. Me desperté acalorada, cansada y de mal humor. Me compré un *kit* con cepillo de dientes en un súper, además de la crema corporal y la laca más olorosas que pude encontrar. Me lavé los dientes en el lavabo de una gasolinera, me restregué la crema por las axilas y entre las piernas y me rocié el pelo con la laca. El olor resultante era una mezcla de sudor y sexo bajo una nube hinchada de fresa y áloe.

No podía enfrentarme a mi madre, así que cometí la insensatez de pensar que podía trabajar en vez de volver a casa (como si de veras fuese a escribir ese artículo, como si no se fuese a ir absolutamente todo a la mierda). Como aún tenía fresco en la memoria el nombre de Katie Lacey mencionado por Geri Shilt, decidí ir a hacerle una visita. Era voluntaria en la escuela de primaria, tanto en la clase de Natalie como en la de Ann. Mi propia madre también había sido voluntaria, una posición de élite y muy codiciada a la que sólo las mujeres que no trabajaban podían acceder: irrumpir en las clases dos veces por semana y ayudar a organizar actividades de plástica, artesanía, música y, para las niñas, los jueves, costura. Al menos en mis tiempos había sido costura, aunque ahora seguramente se tratara de algo más unisex y moderno, como informática o cocina con microondas para principiantes.

Katie, como mi madre, vivía en lo alto de una imponente colina. La sinuosa escalera de la casa atravesaba la hierba y estaba flanqueada por girasoles. En la cima se alzaba una catalpa de porte esbelto y elegante, la pareja femenina del corpulento roble que había a su derecha. Aún no eran las diez, pero Katie, delgada y morena, ya estaba tomando el sol en la terraza de arriba, con un ventilador que la refrescaba con su brisa. El sol sin el calor. Ahora sólo le faltaba encontrar cómo broncearse sin desarrollar un cáncer. O al menos sin desarrollar las arrugas. Me vio subiendo por la escalera, un irritante movimiento en el verde oscuro de su césped, y se hizo visera con la mano para divisarme desde los doce metros que nos separaban.

–¿Quién anda ahí? –preguntó.

Su pelo, que era de un color parecido al trigo en la época en que íbamos juntas al instituto, era ahora de un rubio platino, y lo llevaba recogido en una cola de caballo en lo alto de la cabeza.

–Hola, Katie. Soy Camille.

–¡Ca-miiille! Oh, Dios mío, ahora mismo bajo.

Era un recibimiento mucho más caluroso de lo que esperaba de Katie, de quien no había vuelto a saber nada desde la noche de la Fiesta de Llorar de Angie. Sus enfados siempre iban y venían como la marea.

Se acercó dando saltitos a la puerta, sus ojos azul brillante resplandeciendo como luceros en aquella tez bronceada. Tenía los brazos morenos y escuálidos como los de una chiquilla; me recordaron los cigarrillos franceses a los que Alan se había aficionado un invierno. Mi madre lo había confinado al sótano, que había rebautizado con grandilocuencia como su habitación de fumador. Alan no tardó en dejar el hábito y volver al redil.

Katie se había puesto por encima del biquini una camiseta sin espalda de color rosa fluorescente, de las que llevaban las chicas en South Padre a finales de la década de los ochenta, souvenirs de los concursos de Miss Camiseta Mojada en las vacaciones de primavera. Me rodeó con sus brazos untados en mantequilla de cacao y me hizo pasar al interior de la casa. Tampoco había aire acondicionado en ésta, igual que en la de mi madre, según me explicó, aunque sí tenían un aparato en el dormitorio principal. Las niñas, supuse, podían sudar la gota gorda. Aunque no es que no tuviesen todas sus necesidades cubiertas: la totalidad del ala este semejaba un patio de juegos, con su casa de plástico amarillo y todo, un tobogán y un caballo balancín de diseño. Nada de todo aquello parecía haber sido utilizado para jugar alguna vez, ni siquiera remotamente. Unas enormes letras de colores decoraban una pared. Mackenzie. Emma. Fotos de niñas rubias y sonrientes, con la nariz chata y los ojos vidriosos; dos muñequitas muy guapas. No había un solo primer plano de sus caras; siempre estaban enfocadas de modo que se viera la ropa que llevaban en ese momento: monos de color rosa con margaritas, vestidos rojos con bombachos de topos, gorritos con lazo y zapatos merceditas. Unas niñas muy monas para una ropa monísima. Acababa de crear un eslogan para las pequeñas compradoras de Wind Gap.

A Katie Lacey Brucker no parecía importarle por qué estaba yo en su casa aquel viernes por la mañana. Charlamos sobre la biografía de una famosa que se estaba leyendo y sobre cómo lo sucedido a JonBenet había estigmatizado para siempre a las participantes en los concursos de belleza infantiles.

–Mackenzie se muere de ganas de hacer de modelo.

–Bueno, es igual de guapa que su madre, así que ¿quién va a reprochárselo?

–Caramba, Camille, es todo un halago que digas eso... Nunca creí que me consideraras guapa.

–Pues claro que sí, no seas tonta.

–¿Te apetece algo de beber?

–Pues sí, muchas gracias.

–No tenemos alcohol en casa.

–No, claro, no lo he supuesto en ningún momento.

–¿Quieres un té frío con azúcar?

–Un té frío me sentará de maravilla, es imposible encontrarlo en Chicago. Desde luego, ésas son las pequeñas cosas que se echan de menos; tendrías que ver cómo preparan el jamón dulce allí arriba... Es estupendo estar en casa.

Katie regresó con una jarrita de cristal llena de té frío con azúcar. Curioso, teniendo en cuenta que desde el salón la había visto sacar una jarra de plástico de cinco litros de la nevera. Un detalle de pedantería, seguido del recordatorio a mí misma de que yo tampoco estaba siendo del todo sincera. De hecho, había disimulado mi propio estado natural con el intenso aroma artificial de una planta. No era sólo el áloe mezclado con la fresa, sino también la leve fragancia de ambientador de limón que me emanaba del hombro.

–Este té está buenísimo, Katie. Te juro que podría beber té frío con azúcar con cada comida.

–¿Cómo preparan el jamón dulce ahí arriba?

Escondió los pies debajo de las piernas e inclinó el cuerpo hacia delante. Me recordó al instituto, esa mirada seria, como si intentase memorizar la combinación de una caja fuerte.

Yo no como jamón, no lo he hecho desde que de niña fui a visitar la explotación familiar. Ni siquiera era día de matanza, pero la simple imagen me quitó el sueño durante varias noches: centenares de animales enjaulados, apretujados unos junto a otros, sin espacio para moverse siquiera, el olor bronco y dulzón a sangre y mierda. Una imagen fugaz de Amma, observando atentamente aquellas jaulas.

–No le echan suficiente azúcar moreno.

–Mmm... Hablando de eso, ¿quieres que te prepare un bocadillo o algo así? Tengo jamón de la fábrica de tu madre, ternera de los Deacon, pollo de los Covey. Ah, y pavo de Lean Cuisine.

Katie pertenecía a la clase de mujeres que preferían pasarse el día yendo de aquí para allá, limpiando los azulejos de la cocina con un cepillo de dientes y arrancando la borra del suelo con un palillo antes que hablar demasiado de un tema incómodo. Al menos estando sobria. Pese a todo, fui encauzando la conversación hacia el tema de Ann y Natalie, le garanticé el anonimato de sus declaraciones y puse en marcha mi grabadora. Las niñas eran una monería, una ricura y una preciosidad, la historia feliz de rigor. Y entonces:

–Aunque sí hubo un incidente con Ann, el día de costura.

–El día de costura, aún en vigor. Bueno, era reconfortante que se mantuviese, supuse–. Pinchó a Natalie Keene en la mejilla con su aguja. Creo que quería pincharla en el ojo, ya sabes, como había hecho Natalie con aquella niña en Ohio. –«Filadelfia»–. Estaban tranquilamente sentadas la una junto a la otra... No eran amigas, iban a cursos diferentes, pero la clase de costura está abierta a todos los cursos. Ann estaba tarareando algo para sí misma y cosía como una madre en miniatura cuando, de repente, zas, sucedió.

–¿Y le hizo mucho daño a Natalie?

–Mmm... No, no mucho. Gracias a mí y a Rae Whitescarver; ahora es la maestra de segundo. Antes se llamaba Rae Little, iba unos cuantos cursos por detrás de nosotras... y desde luego, no hacía honor a su apellido. Al menos no entonces; ahora ha perdido unos cuantos kilos. Bueno, el caso es que Rae y yo apartamos a Ann y vimos que Natalie tenía una aguja clavada en la mejilla, apenas dos centímetros debajo del ojo. No lloró ni nada, se limitó a resoplar una sola vez como un caballo furioso.

Una imagen de Ann con el pelo trasquilado y atravesando un retal de tela con su aguja, rememorando una historia sobre Natalie y unas tijeras, una violencia que la convertía en alguien diferente. Y antes de pensarlo dos veces, le pincha con la aguja en la carne, más sencillo de lo que parece, y se la clava en el hueso de un solo movimiento. Natalie con el metal sobresaliendo de su piel, como un arpón de plata en miniatura.

–¿Y Ann lo hizo sin ningún motivo aparente?

–Si hay algo que saqué en claro de esas dos es que no necesitaban motivos para atacar.

–¿Se metían con ellas las demás niñas? ¿Estaban sometidas a mucho estrés?

–¡Ja, ja, ja!

Era una risa de sorpresa genuina, pero le salió un perfecto e improbable «Ja, ja, ja». Como cuando un gato te mira y te dice «miau».

–Bueno, yo no diría que les chiflase ir a la escuela, exactamente –dijo–, pero eso deberías preguntárselo a tu hermana.

–Ya sé que dices que Amma se metía con ellas...

–Que Dios nos asista cuando vaya al instituto.

Esperé en silencio a que Katie Lacey Brucker calentase motores y empezase a hablar de mi hermana. Malas noticias, supuse. Con razón se había alegrado tanto de verme.

–¿Te acuerdas de cómo eran las cosas cuando íbamos al Calhoon? ¿Cuando todo lo que a nosotras nos gustaba se ponía de moda, y a los que no nos caían bien todos los demás los odiaban?

Hablaba en un tono de ensoñación, de cuento de hadas, como si estuviera recordando una tierra de jauja, helados y conejitos. Me limité a asentir con la cabeza. Recordé un gesto especialmente cruel por mi parte: una chica que se lo tomaba todo muy a pecho llamada LeeAnn, una amiga que me quedaba de la escuela primaria, había mostrado una preocupación excesiva por mi salud mental y había sugerido que tal vez estuviese deprimida. La rechacé desdeñosamente un día que se acercó corriendo a hablar conmigo antes de clase. Todavía me acuerdo de ella: con una pila de libros bajo los brazos, la falda con aquel estampado tan raro y la cabeza un tanto gacha cada vez que se dirigía a mí. Le di la espalda, le bloqueé el paso hacia el grupo de chicas con las que yo estaba, hice algún chiste sobre su conservadora forma de vestir, como de monja. Las demás me siguieron la corriente. Durante el resto de la semana, fue objeto de toda clase de burlas y mofas. Se pasó los últimos dos años de instituto comiendo en compañía de los profesores para el almuerzo. Yo podría haber puesto fin a aquello con sólo una palabra, pero no lo hice. Necesitaba mantenerla alejada.

–Tu hermana es como nosotras elevada al cubo. Y además es una mala pécora.

–¿Por qué lo dices?

Katie sacó un paquete blando de cigarrillos del cajón de la mesa rinconera y se encendió uno con una cerilla larga para la chimenea. Seguía fumando a escondidas.

–Pues verás, ella y esas tres chicas, esas tres rubitas que ya tienen tetas, son las que mandan en la escuela, y Amma es la que las manda a ellas. En serio, es muy mala. A veces es divertido, pero la mayor parte de las veces, es sólo maldad. Obligan a una chica gordita a traerles el almuerzo todos los días, y antes de que se vaya, le hacen comer algo sin usar las manos, la fuerzan a enterrar la cara directamente en el plato. –Frunció la nariz pero, por lo demás, no parecía excesivamente molesta–. Otro día acorralaron a una niña y la obligaron a subirse la camiseta delante de los chicos. Porque era plana. La obligaron a decir guarradas mientras lo hacía. Corre el rumor de que un día cogieron a una de sus viejas amigas, una chica llamada Ronna Deel con quien se habían enemistado, la llevaron a una fiesta, la emborracharon y... más o menos se la dieron como regalo a algunos de los chicos mayores. Montaron guardia en la puerta de la habitación hasta que los chicos hubieron acabado con ella.

–Pero si acaban de cumplir trece años... –dije.

Pensé en lo que había hecho yo a esa edad y por primera vez me di cuenta de lo ofensivamente joven que era entonces.

–Son niñas precoces. Nosotras también hicimos unas cuantas salvajadas cuando no éramos mucho mayores que ellas.

La voz de Katie se volvió más ronca con el humo del cigarrillo. Lo aspiró y lo exhaló, y miró cómo quedaba suspendido en una nube de color azul por encima de nuestras cabezas.

–Nunca hicimos algo tan cruel.

–Pero nos acercamos muy peligrosamente, Camille.

«Tú sí, yo no.»

Nos miramos a los ojos un momento, catalogando en privado nuestros juegos de poder.

–Bueno, el caso es que Amma se metía mucho con Ann y Natalie –dijo Katie–. Fue un detalle que tu madre se interesara tanto por ellas.

–Mi madre daba clases particulares a Ann, lo sé.

–Huy, sí. Trabajaba con ellas como madre voluntaria, las invitaba a tu casa, les daba de comer después de clase... A veces venía incluso a la hora del recreo, y la veías al otro lado de la valla, observando cómo jugaban.

Una imagen de mi madre, agarrando con los dedos los rombos de alambre de la valla, mirando al interior del patio con avidez. Una imagen de mi madre de blanco, de un blanco cegador, agarrando a Natalie con un brazo y llevándose un dedo a los labios para pedir silencio a James Capisi.

–¿Hemos acabado? –preguntó Katie–. Es que estoy un poco cansada de hablar de todo esto. –Apagó el botón de la grabadora con el dedo–. Bueno, me han llegado rumores de que hay algo entre tú y ese poli guapo –añadió sonriendo.

Se le soltó un mechón de pelo de la cola de caballo y de pronto me acordé de ella, con la cabeza inclinada sobre los pies, pintándose las uñas y preguntándome por mí y uno de los jugadores de baloncesto que había querido para ella. Intenté no estremecerme al oír hablar de Richard.

–Bah, rumores, rumores... –repuse, sonriendo–. Un chico soltero, una chica soltera... Mi vida no es ni de lejos tan interesante.

–Pues John Keene no diría lo mismo.

Sacó otro cigarrillo, se lo encendió, inhaló y exhaló el humo mientras me miraba fijamente con aquellos ojos azules de porcelana. No hubo sonrisa esta vez. Sabía que aquello podía ir de dos maneras: podía darle unas migajas de información y hacerla feliz; si la historia ya había llegado a oídos de Katie a las diez, el resto de Wind Gap se enteraría hacia mediodía. O también podía negarlo todo, correr el riesgo de que se enfadara y renunciar a que colaborase conmigo. Ya tenía la entrevista y desde luego, me importaba un bledo seguir contando con su beneplácito y el dudoso honor de su amistad.

–Bah, más rumores. La gente se aburre mucho por aquí; debería encontrar mejores pasatiempos.

–¿De verdad? Pues a mí me ha parecido muy típico de ti: siempre has estado muy dispuesta a pasar un buen rato.

Me levanté, más que lista para irme. Katie me siguió afuera, mordiéndose el interior de los carrillos.

–Gracias por tu tiempo, Katie. Me he alegrado mucho de verte.

–Y yo de verte a ti, Camille. Disfruta del resto de tu estancia aquí.

Ya había salido por la puerta y empezaba a bajar los escalones cuando volvió a llamarme.

–¿Camille?

Me volví y vi a Katie con la pierna izquierda doblada hacia dentro, como si fuera una niña pequeña, un gesto que ya tenía incluso en el instituto.

–Un consejo de amiga: ve a casa y date una ducha. Apestas.

Me fui a casa. El cerebro me mostraba una imagen tras otra de mi madre, todas ellas premonitorias. «Presagio.» La palabra volvió a palpitarme en la piel. La imagen fugaz de Joya con el pelo revuelto y las uñas largas, arrancando tiras de piel a mi madre. La imagen fugaz de mi madre y sus pastillas y sus pociones, cortándome el pelo. La imagen fugaz de Marian, ahora toda huesos en un ataúd, un lazo de raso blanco atado alrededor de unos tirabuzones rubios secos, como un ramo de flores marchitas. Mi madre ocupándose de aquellas chiquillas violentas. O intentando hacerlo. Natalie y Ann no parecían de las que les gusta mucho eso. Adora odiaba a las niñas que no se rendían ante su peculiar forma de mimarlas. ¿Le habría pintado las uñas a Natalie antes de estrangularla? ¿Después?

«Estás loca por pensar lo que estás pensando. Estás loca si no lo piensas.»

15

Había tres bicicletas pequeñas de color rosa aparcadas en el porche, adornadas con tres cestitas de mimbre y con varias cintas atadas al manillar que ondeaban al viento. Miré en una de las cestas y vi una barra extragrande de brillo de labios y un porro en una bolsa de bocadillo.

Me colé por una puerta lateral y subí la escalera sin hacer ruido. Las chicas estaban en el cuarto de Amma, riéndose a carcajadas y soltando grititos de entusiasmo. Abrí la puerta sin llamar. Brusco, pero no podía soportar ese murmullo de movimientos clandestinos, esas prisas por adoptar una pose de inocencia angelical para los adultos. Las tres rubias estaban de pie en un corro alrededor de Amma, los pantalones cortos y las minifaldas exhibiendo sus piernas de palillo afeitadas. Amma estaba en el suelo toqueteando la casa de muñecas, con un tubo de pegamento fuerte a su lado y el pelo recogido en la coronilla y atado con un enorme lazo azul. Volvieron a soltar unos grititos cuando dije hola, y esbozaron unas sonrisas escandalizadas y entusiastas, como pajarillos asustados.

–Hola, Mille –dijo Amma, que ya no llevaba ninguna venda pero parecía dolorida y febril–. Sólo estamos jugando a las muñecas. ¿A que tengo la casa de muñecas más bonita del mundo?

Hablaba con voz almibarada, imitando a la niña de un programa familiar de televisión de la década de los cincuenta. Era difícil reconocer en aquella Amma a la que me había dado drogas hacía sólo dos noches. Mi hermana, la que supuestamente había entregado a sus amigas a los chicos mayores sólo por diversión.

–Sí, Camille, ¿a que te encanta la casa de muñecas de Amma? –repitió la rubia platino con voz ronca.

Jodes era la única que no me miraba. En vez de eso tenía la mirada fija en el interior de la casa de muñecas, como si pudiese meterse dentro con sólo desearlo.

–¿Te encuentras mejor, Amma?

–Huy, sí, hermanita querida –exclamó ella, pletórica–. Espero que tú también te encuentres bien.

Las chicas estallaron en grititos de nuevo, retorciéndose de risa. Cerré la puerta, enfadada con ese juego que no entendía.

–A lo mejor deberías llevarte contigo a Jodes –dijo una de ellas desde detrás de la puerta cerrada.

Jodes no iba a durar mucho en el grupo.

Preparé un baño de agua caliente pese al calor –hasta la porcelana de la bañera estaba sonrojada– y me metí dentro, desnuda, con el mentón en las rodillas mientras el agua iba envolviéndome poco a poco. La habitación olía a jabón de menta y al aroma viscoso y dulzón del sexo femenino. Sentía escozor después de tanta actividad, y era una sensación muy agradable. Cerré los ojos, me hundí en el agua y dejé que me entrara en los oídos. «Sola.» Deseé haber trazado eso en mi piel, sorprendida de repente de que esa palabra no decorase mi cuerpo. El redondel desnudo de cuero cabelludo que me había dejado Adora se me erizó de golpe, como ofreciéndose voluntario para la tarea. También se me enfrió la cara de repente; abrí los ojos y descubrí a mi madre asomada por encima del óvalo del borde de la bañera, con el pelo largo y rubio rodeándole la cara.

Me incorporé, me tapé los pechos y al hacerlo le salpiqué de agua el vestido rosa de algodón a cuadros.

–¿Dónde has estado, cariño? Estaba desesperada. Habría salido en tu busca yo misma, pero Amma ha pasado una mala noche.

–¿Qué le pasaba a Amma?

–¿Dónde estuviste anoche?

–¿Qué le pasaba a Amma, mamá?

Hizo ademán de tocarme la cara y yo la aparté. Frunció el ceño e insistió de nuevo, me dio unas palmaditas en la mejilla y me alisó el pelo húmedo hacia atrás. Cuando retiró la mano,

268

pareció aturdida por que estuviese mojada, como si se hubiese estropeado la piel.

–Tuve que ocuparme de ella –dijo, lacónicamente. Se me puso la carne de gallina en los brazos–. ¿Tienes frío, cielo? Tus pezones están duros.

Llevaba un vaso de leche azulada en la mano y me lo ofreció en silencio. «O la bebida me enferma y así sabré que no estoy loca, o no me hace nada y sabré que soy una persona odiosa.» Me bebí la leche mientras mi madre tarareaba y se pasaba la lengua por el labio inferior, un gesto tan ferviente que era casi obsceno.

–Nunca fuiste buena de pequeña –dijo–. Siempre eras muy testaruda. Quizás ahora se ha suavizado ese rasgo de tu carácter. En el buen sentido. En el sentido necesario.

Se marchó y esperé en la bañera durante una hora a que pasara algo: dolor de estómago, un mareo, fiebre... Me quedé tan inmóvil como cuando viajo en avión y tengo miedo de que un movimiento brusco nos haga entrar en barrena. Nada. Amma estaba en mi cama cuando abrí la puerta.

–Eres asquerosa –dijo, con los brazos cruzados con aire indolente–. No me puedo creer que te hayas tirado a un asesino de niñas. Eres tan repugnante como dijo ella.

–No escuches a mamá, Amma; no es una persona de fiar. Y no... –«¿Qué? ¿No tomes nada de lo que te dé? Dilo si es eso lo que piensas, Camille»–. No la tomes conmigo ahora, Amma. En esta familia somos muy dados a herirnos con una rapidez asombrosa.

–Háblame de su polla, Camille. ¿La tiene bonita?

Empleaba el mismo tono falso y empalagoso que antes, pero esta vez no era un tono distante: se retorcía bajo mis sábanas, con la mirada un poco desencajada y el rostro encendido.

–Amma, no quiero hablar de esto contigo.

–Hace unas noches no parecías tan adulta, hermanita. ¿Es que ya no somos amigas?

–Amma, tengo que descansar un poco.

–Una noche dura, ¿eh? Bien, pues espera, porque va a ir de mal en peor.

Me dio un beso en la mejilla, salió de la cama y se fue taconeando por el pasillo con sus enormes sandalias de plástico.

Al cabo de veinte minutos empezaron los vómitos, los dolores y los calambres sudorosos en los que me imaginaba a mi estómago contrayéndose y explotando como en un ataque al corazón. Me senté en el suelo junto al váter entre espasmos, apoyando la espalda en la pared y con una camiseta pequeña por toda vestimenta. Fuera oía a las urracas peleándose. Dentro, mi madre gritaba el nombre de Gayla. Una hora más tarde seguía vomitando, una bilis verdosa que me salía como un jarabe espeso, lenta y vigorosamente.

Me puse algo de ropa y me cepillé los dientes con sumo cuidado, porque cada vez que me introducía demasiada pasta de dientes en la boca me daban arcadas de nuevo.

Alan estaba sentado en el porche delantero de la casa leyendo un libro encuadernado en piel con el sencillo título de *Caballos*. En el brazo de su mecedora descansaba un cuenco de vidrio soplado y rugoso de color naranja, con un trozo de pudín verde en medio. Llevaba un traje de hilo azul y un panamá en la cabeza. Estaba tan sereno como el agua de un estanque.

–¿Sabe tu madre que vas a salir?

–Volveré enseguida.

–Te has portado mucho mejor con ella últimamente, Camille, y te doy las gracias por ello. Parece estar mucho más tranquila. Hasta el trato con... Amma es mucho más suave.

Siempre parecía hacer una pausa antes de pronunciar el nombre de su propia hija, como si tuviera una connotación ligeramente sucia.

–Bien, Alan, bien.

–Espero que tú también te sientas mejor con respecto a ti misma, Camille. Eso es algo muy importante, gustarse a uno mismo. Una buena actitud se extiende tan fácilmente como una mala.

–Que disfrutes de los caballos.

–Siempre lo hago.

El trayecto a Woodberry estuvo marcado por numerosos bandazos hacia la cuneta, donde arrojé más bilis y un poco de sangre. Tres paradas en total, una en la que vomité sobre el coche, incapaz de abrir la puerta lo bastante rápido. Usé mi viejo vaso de refresco de fresa y vodka para limpiarlo.

El hospital de Saint Joseph en Woodberry era un recinto enorme de ladrillo dorado, recubierto por ventanas de cristales color ámbar. Marian lo llamaba «el gofre». En general era un lugar muy tranquilo: si vivías más hacia el oeste, cuando te ponías enfermo ibas a Poplar Bluff; si vivías más al norte, ibas a Hayti. Sólo ibas a Woodberry si estabas atrapado en el talón de la bota de Missouri.

Una mujer corpulenta, con un busto cómicamente redondo, emitía señales de «No molestar» desde detrás del mostrador de información. Me quedé allí de pie a esperar. La mujer fingió seguir enfrascada en su lectura. Me acerqué un poco más. Recorrió con el dedo índice cada línea de la revista que tenía en las manos y siguió leyendo.

–Perdone –dije, con un tono en el que la mezcla de superioridad y condescendencia me molestó incluso a mí.

Tenía bigote y las yemas de los dedos amarillentas por la nicotina, a juego con los caninos de color pardo que le asomaban por debajo del labio superior. «La imagen que ofreces a los demás les dice a los demás cómo deberían tratarte», solía decir mi madre cada vez que yo me resistía a que me arreglara. A aquella mujer no se la podía tratar bien.

–Necesito localizar unos historiales médicos.

–Tiene que solicitárselo a su médico.

–Son de mi hermana.

–Pues dígale a su hermana que se los solicite a su médico.

Pasó la página de su revista.

–Mi hermana está muerta.

Había maneras más suaves de decir aquello, pero quería que aquella mujer reaccionase. Aun así, me prestó su atención a regañadientes.

–Vaya, le doy mi más sentido pésame. ¿Murió aquí?

Asentí.

–Ingresó cadáver. Pasó por las emergencias de este hospital muchas veces y su médico estaba aquí.

–¿Fecha de la muerte?

–El 1 de mayo de 1988.

–Dios... De eso hace mucho tiempo. Espero que sea una mujer paciente.

Cuatro horas más tarde, después de dos peleas a gritos con sendas enfermeras abúlicas, un coqueteo desesperado con un administrador pálido y velludo, y tres visitas al baño para vomitar, me depositaron en el regazo todos los expedientes de Marian.

Había uno por cada año de su vida, cada vez más gruesos. No logré descifrar la mitad de los garabatos de los médicos, muchos relacionados con pruebas solicitadas y realizadas, que no habían servido para nada. Escáneres cerebrales y escáneres cardíacos. Un procedimiento por el que se introducía una cámara por la garganta de Marian para examinar su estómago mientras se le inyectaba un contraste. Monitores cardíacos para la apnea. Posibles diagnósticos: diabetes, soplo cardíaco, reflujo gastroesofágico, trastorno hepático, hipertensión pulmonar, depresión, enfermedad de Crohn, lupus. Entonces, un folio rosa femenino de papel de cartas, grapado a un informe en el que se documentaba la estancia hospitalaria de una semana para las pruebas de estómago. Muy correcto, con caligrafía perfecta, pero airado: el bolígrafo había dejado marcada cada una de las palabras muy profundamente en el papel. Decía así:

Soy una enfermera que ha estado al cuidado de Marian Crellin durante las pruebas que le han sido practicadas esta semana, así como durante sus anteriores ingresos hospitalarios. Tengo la firme convicción [la palabra «firme» había sido subrayada dos veces] de que esta niña no está enferma en absoluto. Creo sinceramente que si no fuera por su madre, estaría completamente sana. La niña muestra síntomas de enfermedad después de estar a solas con su madre, incluso los días en los que se encontraba bien hasta el momento de la visita de ésta. La madre no muestra ningún interés por Marian cuando ésta está bien y, de hecho, parece castigarla por ello. La madre sólo abraza a su hija cuando está enferma y llorando. Yo misma y otras enfermeras, que por razones políticas prefieren no firmar con sus nombres esta carta, estamos convencidas de que la niña, así como su hermana, deberían ser separadas de su madre para someterlas a observación.

BEVERLY VAN LUMM

Indignación justificada. Nos habrían venido muy bien más cartas como ésa. Me imaginé a Beverly van Lumm, pechugona y de labios prietos, con el pelo recogido en un moño firme, escribiendo la carta en la habitación de al lado después de ser obligada a dejar a una Marian sin fuerzas en los brazos de mi madre, sabiendo que era sólo cuestión de tiempo que Adora reclamara la atención de una enfermera.

Una hora más tarde localicé a la enfermera en el ala de pediatría, que en realidad era una sola habitación grande en la que había cuatro camas, dos de ellas vacías. Una niña pequeña leía plácidamente, mientras el crío que había a su lado dormía en posición erguida, con el cuello sujeto por un soporte metálico que parecía atornillado a su la columna vertebral.

Beverly van Lumm no se parecía en nada a como la había imaginado. Rondaba casi los sesenta y era menuda, con el pelo plateado muy corto. Llevaba unos pantalones de enfermera con estampado de flores y una chaqueta azul eléctrico, con un bolígrafo sujeto detrás de la oreja. Cuando me presenté, pareció acordarse de mí de inmediato, y no mostró sorpresa alguna por que hubiese aparecido al fin.

–Me alegro tanto de volver a verte después de todos estos años, a pesar de las circunstancias... –dijo con voz afectuosa y grave–. A veces sueño despierta que la propia Marian en persona viene aquí a verme, una mujer ya hecha y derecha, con un hijo o dos. Es peligroso soñar despierta.

–He leído su nota.

Soltó un resoplido y puso el tapón a su bolígrafo.

–Total, para lo que sirvió... Si no hubiese sido tan joven ni tan temerosa, ni me hubiese sentido tan intimidada por los grandes *docteurs* de por aquí, habría hecho algo más que escribir una nota. Porque en aquella época, acusar a una madre de una cosa así era algo insólito. Por poco me echan del hospital. Nunca quieres llegar a creer tal cosa, parece algo sacado de un cuento de los hermanos Grimm, el SMP.

–¿SMP?

–El Síndrome de Munchausen por Poderes. La cuidadora, por lo general la madre, casi siempre la madre, vamos, hace enfermar a su hijo para atraer la atención sobre sí misma. Si padeces el síndrome de Munchausen, te pones enferma para llamar la atención, mientras que si tienes SMP, haces caer enfermo a tu hijo para que todos vean lo buena, abnegada y solícita madre que eres. Los hermanos Grimm, ¿ves a lo que me refiero? Eso es algo que sería capaz de hacer la madrastra mala de un cuento. Me sorprende que no hayas oído hablar nunca de esa enfermedad.

–Me resulta familiar –dije.

–Se está convirtiendo en un trastorno muy conocido, y se ha hecho popular. A la gente le encanta todo lo nuevo y repulsivo. Como con la anorexia en los ochenta. Cuantas más películas emitían en la tele sobre el tema, más chicas se morían de hambre. Pero tú siempre parecías estar bien, me alegro.

–Estoy bien, básicamente. Tengo otra hermana, una niña que nació después de Marian, que me preocupa.

–Y debería preocuparte. Con una madre con SMP... no compensa ser la favorita. Tienes suerte de que tu madre no se interesara mucho por ti.

Un hombre con un mono verde brillante pasó a toda velocidad por el pasillo en una silla de ruedas, seguido de dos hombres gordos y sonrientes vestidos igual.

–Estudiantes de medicina –explicó Beverly, poniendo los ojos en blanco.

–¿Y hubo algún médico que hiciera un seguimiento de su informe?

–Yo lo llamé informe, pero ellos lo vieron como una nimiedad infantil propia de una enfermera celosa. Como ya he dicho antes, eran otros tiempos. A las enfermeras ahora se les tiene un poco más de respeto, pero sólo un poco. Y para ser del todo sincera, Camille, no insistí. Acababa de divorciarme, necesitaba conservar mi trabajo y, en el fondo, lo que quería era que alguien me dijera que me equivocaba. Con una cosa así, necesitas creer que estás equivocada. Cuando murió Marian, me pasé tres días bebiendo. La enterraron antes de que me pudiese poner a indagar de nuevo, de que le preguntase al jefe de pediatría si había visto mi nota. Me dijeron que me tomara la semana libre. Yo era una de esas mujeres histéricas.

De repente, los ojos me empezaron a escocer y se me humedecieron. Beverly me cogió la mano.

–Lo siento mucho, Camille.

–Dios, estoy tan enfadada... –Las lágrimas empezaron a resbalarme por las mejillas y me las limpié con el dorso de la mano, hasta que Beverly me dio un paquete de pañuelos de papel–. Por dejar que sucediese, por haber tardado todo este tiempo en atar cabos...

–Bueno, cielo, es tu madre. No puedo imaginarme lo que debe de ser para ti asimilar algo así. Al menos ahora parece que se va a hacer justicia. ¿Cuánto tiempo lleva ese agente investigando el caso?

–¿Agente? ¿Qué agente?

–Se llama Willis, ¿no? Un chico muy guapo, y muy listo. Fotocopió hasta la última página de los expedientes de Marian y me sometió a un auténtico interrogatorio. No me dijo que hubiese otra niña en peligro, pero sí me dijo que tú estabas bien. Creo que le gustas... se aturulló y se puso muy nervioso cuando te mencionó.

Dejé de llorar, hice una bola con los pañuelos de papel y los tiré a la basura que había junto a la niña que leía. La cría miró a la papelera con curiosidad, como si acabase de llegar el correo. Le di las gracias a Beverly y me dirigí afuera, sintiendo una rabia incontenible por dentro y una necesidad imperiosa de ver cielo azul.

Beverly me alcanzó en la puerta del ascensor y me tomó ambas manos entre las suyas.

–Saca a tu hermana de esa casa, Camille. No está segura allí.

Entre Woodberry y Wind Gap había un bar para motoristas, en la salida número cinco de la autopista, un lugar que vendía *packs* de seis cervezas sin pedir documentación. Había ido allí un montón de veces en los años de instituto. Junto a los dardos había un teléfono público. Cogí un puñado de monedas y llamé a Curry. Eileen respondió al teléfono, como de costumbre, con esa voz suave y sólida como una montaña de roca. Rompí a llorar antes de acertar a decir algo más que mi nombre.

–Camille, cariño, ¿qué es? ¿Qué pasa? ¿Estás bien? Pues claro que no estás bien. Oh, lo siento muchísimo. Le dije a Frank que te sacara de ahí después de tu última llamada. ¿Qué ha pasado?

Seguí llorando sin parar; ni siquiera se me ocurría qué decir. Un dardo se clavó en la diana con un ruido sordo.

–¿No estarás... no estarás lesionándote otra vez? ¿Camille? Cariño, me estás asustando...

–Mi madre... –dije, antes de que se me apagase la voz de nuevo.

Respiraba entrecortadamente entre sollozos que arrancaban de lo más hondo del estómago y me obligaban prácticamente a doblarme hacia delante.

–¿Tu madre? ¿Tu madre está bien?

–Nooo...

Un prolongado alarido como el de un niño. Una mano que tapaba el teléfono y el murmullo urgente de Eileen pronunciando el nombre de Frank, las palabras «ha pasado algo... horrible», un silencio de dos segundos y el estrépito de un cristal al romperse. Curry se había levantado demasiado aprisa de la mesa, y su vaso de whisky se había caído al suelo. Sólo era una mera suposición.

–Camille, háblame, ¿qué ha pasado?

La voz de Curry era brusca y apremiante, como si me estuviera agarrando los brazos con ambas manos y zarandeándome.

–Sé quién lo hizo, Curry –dije al fin con un hilo de voz–. Lo sé.

–Bueno, pero ése no es motivo para llorar, Cachorrilla. ¿La policía ha detenido ya a alguien?

–Todavía no. Yo sé quién lo hizo.

Un golpe sordo en la diana.

–¿Quién? Camille, habla conmigo.

Apreté el aparato contra mi boca y susurré:

–Mi madre.

–¿Quién? Camille, tienes que hablar más alto. ¿Estás en un bar?

–Mi madre lo hizo –grité al teléfono, y las palabras salieron azotando el aire una tras otra como una salpicadura.

Se produjo un silencio demasiado prolongado.

–Camille, has estado sometida a mucho estrés, y yo me equivoqué de todas todas al enviarte ahí abajo tan poco tiempo después de... Ahora quiero que vayas al aeropuerto más cercano y cojas el primer avión de vuelta a Chicago. No recojas tus cosas; deja tu coche y vuelve a casa, aquí. Ya nos encargaremos después de todo lo demás. Carga el billete en tu tarjeta de crédito; ya te daré el dinero cuando vuelvas a casa. Pero tienes que volver a casa ahora mismo.

«A casa, a casa, a casa...» Era como si estuviese intentando hipnotizarme.

–Nunca más tendré una casa a la que regresar –gimoteé, y luego me eché a llorar de nuevo–. Tengo que solucionar todo esto, Curry.

Colgué el teléfono justo cuando me ordenaba que no lo hiciese.

Localicé a Richard en Gritty's, comiendo una cena tardía. Estaba leyendo unos recortes de un periódico de Filadelfia sobre la agresión de Natalie con las tijeras. Me saludó de mala gana con la cabeza cuando me senté delante de él, bajó la vista hacia su plato de sémola de maíz con queso y luego volvió a levantarla para escrutar mi cara hinchada.

–¿Estás bien?

–Creo que mi madre mató a Marian, y creo que también mató a Ann y a Natalie. Y me consta que tú también lo crees. Acabo de volver de Woodberry, hijo de puta.

El dolor y la pena se habían transformado en indignación en algún punto entre la salida cinco y la dos.

–No me puedo creer que todo el tiempo que has estado conmigo, lo único que querías era tratar de sacarme información sobre mi madre. ¿Qué clase de retorcido hijo de puta eres?

Estaba temblando; las palabras me salían de la boca en una especie de tartamudeo.

Richard sacó un billete de diez dólares de la cartera, lo metió debajo del plato, se trasladó a mi lado de la mesa y me cogió del brazo.

–Ven fuera conmigo, Camille. Éste no es lugar para hablar.

Me guió a través de las puertas, hasta el asiento del acompañante, con el brazo aún sobre el mío, y me metió dentro del coche.

Condujo en silencio ladera arriba, levantando la mano cada vez que yo intentaba decir algo. Al final le di la espalda y me volví hacia la ventanilla, y vi pasar los bosques a toda velocidad en una ráfaga verde azulada.

Aparcamos en el mismo lugar donde habíamos estado contemplando el río semanas atrás. Las aguas fluían por debajo de nosotros en la oscuridad, mientras la corriente atrapaba a zarpazos la luz de la luna. Era como ver un escarabajo abriéndose paso entre la hojarasca del otoño.

–Ahora es mi momento de soltar tópicos –dijo Richard, ofreciéndome su perfil–. Sí, al principio me interesé por ti porque me interesaba tu madre. Pero luego me enamoré de ti de verdad, todo lo que puede uno enamorarse de alguien tan sumamente hermético como tú. Y por supuesto, entiendo por qué. Al principio pensé en someterte a un interrogatorio formal, pero no sabía qué tipo de relación tenías con Adora, no quería que la pusieras sobre aviso. Y además, tampoco estaba seguro de que fuera ella, Camille. Quería tiempo para estudiarla con un poco más de detenimiento. Al principio sólo era una corazonada; una mera corazonada. Todo eran chismes y habladurías por aquí y por allá, sobre ti, sobre Marian, sobre Amma y tu madre... Pero lo cierto es que las mujeres no encajan en el perfil de esta clase de asesinatos. No en los asesinatos en serie de niñas. Luego empecé a verlo todo desde un ángulo distinto.

–¿Cómo?

Mi voz inerte y apagada como un trozo de chatarra.

–Fue ese crío, James Capisi. Siempre acababa volviendo a él y a esa mujer, esa bruja mala del cuento de la que siempre hablaba. –Ecos de Beverly y los hermanos Grimm–. Todavía sigo sin creer que viera de verdad a tu madre, pero creo que recordó algo, un sentimiento o un temor inconsciente dirigido a esa persona. Luego empecé a pensar: ¿qué clase de mujer mataría a unas niñas y luego les quitaría los dientes? Una mujer que quisiese el control absoluto y definitivo, una mujer cuyo instinto maternal hubiese fracasado rotundamente. Tanto Ann como Natalie recibieron... cuidados maternales antes de ser asesinadas. Tanto los padres de una como de la otra advirtieron detalles muy raros en ellas: las uñas de Natalie estaban pintadas de un rosa brillante. A Ann le habían afeitado las piernas, y a las dos les aplicaron pintalabios en algún momento.

–¿Y qué pasa con los dientes?

–¿Acaso la mejor arma de una chica no es una sonrisa? –dijo Richard. Luego se volvió hacia mí al fin–. Y en el caso de ambas niñas, un arma también en el sentido literal de la palabra. Tu historia sobre las mordeduras me hizo verlo todo con mucha más claridad. La asesina era una mujer a la que molestaba que las mujeres fueran fuertes; lo veía como algo vulgar. Trató de hacerles de madre a esas niñas, de dominarlas, de convencerlas para que adoptasen su misma visión. Cuando las niñas la rechazaron, cuando se rebelaron contra eso, la asesina se sintió ultrajada y decidió que las niñas tenían que morir. El estrangulamiento es la máxima expresión de dominio, un asesinato a cámara lenta. Un día cerré los ojos estando en mi despacho después de escribir el perfil y vi la cara de tu madre. La violencia súbita, su cercanía a las niñas muertas... No tiene coartada para ninguna de las dos noches. La sospecha de Beverly van Lumm con respecto a Marian no es sino otro indicio. Aunque todavía tendremos que exhumar el cadáver de Marian para ver si podemos obtener pruebas más sólidas. Restos de veneno o algo así.

–Déjala tranquila.

–No puedo, Camille. Sabes que es lo correcto. Seremos muy respetuosos con ella.

Me puso la mano en el muslo, no en la mano ni en el hombro, sino en el muslo.

–¿Llegó a ser John realmente sospechoso en algún momento?

Mano retirada.

–Su nombre siempre aparecía revoloteando alrededor. Vickery estaba como obsesionado con él. Suponía que si Natalie era violenta o algo así, John también debía de serlo. Además, él no era de aquí, y ya sabes lo sospechosos que resultan los forasteros.

–¿Tienes alguna prueba real, Richard, sobre mi madre? ¿O son todo suposiciones?

–Mañana obtendremos la orden para registrar su casa. Seguro que ha guardado los dientes. Te digo esto por cortesía, porque te respeto y confío en ti.

–Ya –dije. «Amor» se encendió en mi rodilla izquierda–. Tengo que sacar a Amma de esa casa.

–Esta noche no ocurrirá nada. Tienes que ir allí y actuar como si no hubiera pasado nada. Compórtate con la máxima naturalidad posible. Puedo tomarte declaración mañana; será de gran ayuda para el caso.

–Me ha estado haciendo daño, a mí y a Amma. Nos ha estado drogando o envenenando. Algo.

Volví a sentir náuseas.

Richard me apartó la mano del muslo.

–Camille, ¿por qué no dijiste nada antes? Podríamos haberte hecho pruebas. Eso habría sido muy útil para el caso, maldita sea.

–Gracias por preocuparte tanto por mí, Richard.

–¿Te han dicho alguna vez que eres demasiado susceptible, Camille?

–Nunca jamás.

Gayla estaba de pie en la puerta, un fantasma vigilante en nuestra casa de lo alto de la colina. Desapareció en un abrir y cerrar de ojos, y cuando aparqué en el garaje descubierto, la luz del comedor se encendió.

Jamón. Lo olí antes de llegar a la puerta; además de hojas de col y maíz. Estaban todos sentados muy quietos como actores antes de que se abriera el telón. Escena: la hora de la cena. Mi madre sentada a la cabecera de la mesa, Alan y Amma cada uno a un lado, y me habían dejado un sitio en el extremo opuesto. Gayla me retiró la silla para que me sentara y se metió de nuevo en la cocina con un murmullo y su atuendo de enfermera. Yo estaba harta de ver enfermeras. Bajo los tablones del suelo, la lavadora retumbaba sin cesar, como siempre.

–Hola, querida, ¿has tenido un buen día? –exclamó mi madre en voz demasiado alta–. Siéntate, te hemos estado esperando para cenar. He pensado que podríamos cenar todos en familia ya que te marchas dentro de poco.

–¿Ah, sí?

–Parece ser que van a detener a tu amiguito, cariño. No me digas que estoy mejor informada que la reportera...

Se volvió hacia Alan y Amma y sonrió como una anfitriona simpática pasando los aperitivos. Hizo sonar su campanilla y Gayla sirvió el jamón, que temblaba como gelatina, en una bandeja de plata. Una rodaja de piña resbaló por el lado, dejando un reguero pegajoso.

–Córtalo tú, Adora –propuso Alan al ver las cejas arqueadas de mi madre.

Los mechones de pelo rubio revolotearon alrededor de la bandeja mientras mi madre cortaba rodajas de un dedo de grosor y las distribuía en nuestros platos. Negué con la cabeza cuando Amma me ofreció una ración y se lo pasé a Alan.

–No quiere jamón –masculló mi madre–. Todavía no has superado esa fase, Camille.

–¿La fase de que no me guste el jamón? No, no la he superado.

–¿Crees que ejecutarán a John? –me preguntó Amma–. ¿Tu John en el corredor de la muerte?

Mi madre la había ataviado con un vestido blanco con lacitos rosas y le había hecho unas trenzas muy apretadas a ambos lados. La ira emanaba de ella como si fuese hedor.

–En Missouri existe la pena de muerte, y desde luego ésta

es la clase de crímenes por los que se pide, si es que hay algo que merezca ese castigo –contesté.

–¿Todavía tenemos silla eléctrica? –quiso saber Amma.

–No –respondió Alan–. Y ahora cómete la carne.

–La inyección letal –murmuró mi madre–. Como cuando se pone a dormir a un gato.

Me imaginé a mi madre atada a una camilla, intercambiando las cortesías de rigor con el médico antes de que éste le clavara la aguja. Muy apropiado, la muerte de mi madre por una aguja envenenada.

–Camille, si pudieses ser cualquier personaje de cuento, ¿cuál te gustaría ser? –preguntó Amma.

–La Bella Durmiente.

Pasar una vida entera sumida en un sueño tras otro; sonaba demasiado maravilloso.

–Pues yo sería Perséfone.

–No sé quién es ésa –dije.

Gayla me sirvió unas hojas de col en el plato, y también maíz. Me obligué a comer, un grano cada vez, y el reflejo que me hacía sentir arcadas se me activaba cada vez que masticaba.

–Es la Reina de los Muertos –me explicó Amma sonriendo–. Era tan hermosa que Hades la raptó y se la llevó al inframundo para que fuera su esposa. Pero su madre era tan poderosa que obligó a Hades a devolverle a Perséfone, aunque sólo por seis meses cada año. Así que pasa la mitad de su vida con los muertos y la otra mitad, con los vivos.

–Amma, ¿por qué ibas a querer convertirte en semejante criatura? –exclamó Alan–. A veces eres realmente siniestra.

–Me da lástima Perséfone porque incluso cuando vuelve con los vivos, la gente le tiene miedo por el lugar donde ha estado –dijo Amma–. E incluso cuando está con su madre, no es verdaderamente feliz, porque sabe que tiene que volver al inframundo.

Sonrió a Adora, se metió un trozo enorme de jamón en la boca y luego soltó un gorgorito.

–¡Gayla, necesito azúcar! –gritó Amma a la puerta.

–Usa la campanilla, Amma –la regañó mi madre, que tampoco comía.

Gayla entró con un cuenco de azúcar y espolvoreó una cucharada grande por encima del jamón y las rodajas de tomate de Amma.

–Déjame a mí –protestó Amma.

–Deja que lo haga Gayla –dijo mi madre–. Tú te echas demasiado.

–¿Estarás triste cuando John se muera, Camille? –dijo Amma, chupando una rodaja de jamón–. ¿Qué te produciría más tristeza, que muriese John o que me muriese yo?

–Yo no quiero que muera nadie –repuse–. Creo que en Wind Gap ya ha muerto demasiada gente.

–Sí, señor. Muy bien dicho –dijo Alan, extrañamente festivo.

–Hay algunas personas que deberían morir. John debería morir –continuó Amma–. Aunque no las hubiera matado él, debería morir igualmente. Está destrozado ahora que su hermana está muerta.

–Siguiendo esa misma lógica, yo también debería morir, porque mi hermana está muerta y yo estoy destrozada –dije.

Mastiqué otro grano de maíz. Amma se me quedó mirando.

–Tal vez, pero tú me caes bien, así que espero que no. ¿Tú qué opinas? –preguntó, dirigiéndose a Adora.

En ese momento caí en la cuenta de que nunca se dirigía a ella directamente, no la llamaba mamá ni mami, ni siquiera Adora. Como si no supiese su nombre pero tratase de que no se notara.

–Marian murió hace mucho, mucho tiempo, y a veces creo que todos deberíamos habernos ido con ella –sentenció mi madre con cansancio. Luego, de repente, se animó y dijo–: Pero no nos fuimos, y seguimos adelante, ¿no es así?

Hizo sonar la campanilla para recoger los platos, y Gayla rodeó la mesa como un lobo decrépito.

Sorbete de naranja sanguina de postre. Mi madre desapareció discretamente en la despensa y reapareció con dos esbeltas ampollas de cristal y los ojos húmedos y rosados. Se me encogió el estómago.

–Camille y yo nos tomaremos unas copitas en mi dormitorio –les dijo a los otros, atusándose el pelo en el espejo del aparador.

Me di cuenta de que se había vestido para la ocasión: ya llevaba puesto el camisón. Igual que hacía de niña cuando me llamaba a su presencia, la seguí escalera arriba.

Y luego entré en su habitación, el lugar donde siempre había querido estar. Con aquella cama gigantesca, los almohadones que retoñaban de ella como percebes, el espejo de cuerpo entero empotrado en la pared y el célebre suelo de marfil que hacía que todo brillase como si estuviésemos en un paisaje nevado e iluminado por la luz de la luna. Arrojó los almohadones al suelo, retiró la colcha, me hizo señas para que me sentase en la cama y luego se puso a mi lado. Todos aquellos meses, después de la muerte de Marian, cuando se encerraba en su habitación y me rechazaba, no me habría atrevido a imaginarme a mí misma arrebujada entre las sábanas de la cama junto a mi madre. Y allí estaba ahora, más de quince años demasiado tarde.

Me pasó los dedos por el pelo y me dio mi vaso. Lo olfateé y noté que olía a manzanas madura. Lo sujeté en mis manos pero no lo probé.

–Cuando era niña, un día mi madre me llevó al bosque de North Woods y me dejó allí –me explicó Adora–. No parecía molesta ni enfadada. Sólo indiferente. Casi aburrida. No me explicó por qué. De hecho, no me dijo una sola palabra. Sólo que me subiera al coche. Yo iba descalza. Cuando llegamos allí, me tomó de la mano y con mucha eficiencia me llevó por el sendero del bosque, luego nos salimos del sendero, me soltó de la mano y me dijo que no la siguiera. Tenía ocho años, sólo era una chiquilla. Mis pies estaban deshechos y en carne viva para cuando volví a casa, y ella se limitó a levantar la vista del periódico de la tarde y a subir a su habitación. A esta habitación.

–¿Por qué me cuentas todo esto?

–Cuando una niña sabe ya desde tan pequeña que no le importa lo más mínimo a su madre, pasan cosas malas.

–Créeme, sé a lo que te refieres –dije.

Todavía me acariciaba el pelo con las manos, un dedo jugueteando con mi redondel de cuero cabelludo desnudo.

–Yo quería quererte, Camille, pero eras tan difícil... Marian, en cambio, era tan fácil...

284

–Ya basta, mamá –le espeté.

–No, no basta. Déjame que cuide de ti, Camille. Sólo por una vez, necesítame...

«Deja que acabe, deja que todo acabe...»

–Hagámoslo entonces –sentencié.

Me bebí el líquido de un trago, le arranqué las manos de mi cabeza y obligué a mi voz a mantenerse firme.

–Te necesitaba todo el tiempo, mamá. Pero te necesitaba de verdad, no como una necesidad creada por ti para poderla activar y desactivar a tu antojo. Y nunca podré perdonarte por lo de Marian. Sólo era una niña.

–Ella siempre será mi niña –dijo mi madre.

16

Me quedé dormida con el ventilador apagado y me desperté con las sábanas pegadas al cuerpo, bañada en mi propio sudor y en mi orina. Los dientes me castañeteaban y el pulso me latía desbocado por detrás de los globos oculares. Me agarré a la papelera que había junto a mi cama y vomité un líquido caliente, con cuatro granos de maíz cabeceando en la superficie.

Mi madre apareció en mi habitación antes de que lograse arrastrarme de nuevo a la cama. Me la imaginé sentada en la silla del pasillo, junto a la foto de Marian, zurciendo calcetines mientras esperaba a que me pusiera enferma.

–Venga, cariño. Ahora, a la bañera –murmuró.

Me quitó la camiseta por la cabeza y me bajó los pantalones del pijama. Vi sus ojos clavados en mi cuello, en mis pechos, en mis caderas y en mis piernas durante una triste fracción de segundo.

Vomité otra vez al meterme en la bañera, mientras mi madre me sujetaba la mano para que no perdiera el equilibrio. Más líquido caliente resbalando por la frente hasta la porcelana de la bañera. Adora cogió una toalla del estante, echó un poco de alcohol para friegas y me frotó todo el cuerpo con la frialdad de un limpiador de ventanas. Me senté en la bañera mientras ella me echaba vasos de agua fría por la cabeza para bajarme la fiebre. Me dio dos píldoras más y otro vaso de leche del color de un cielo tibio. Me lo tomé todo con la misma sensación de venganza amarga que me impulsaba en las borracheras de dos días. «No me has tumbado todavía, ¿qué más tienes, eh?» Quería que fuese algo cruel, algo verdaderamente despiadado; se lo debía a Marian.

Vuelta a vomitar en la bañera, vuelta a vaciar el agua de la bañera, vuelta a llenarla, vuelta a vaciarla... Paños con hielo en los hombros, entre las piernas; paños calientes en la frente, en las rodillas... Unas pinzas en la herida del tobillo, y luego friegas con alcohol. El agua que se tiñe de rosa. «Desaparecer, desaparecer, desaparecer» suplicando desde la nuca.

Adora se había arrancado todas las pestañas, y del ojo izquierdo le caían gruesos lagrimones; no dejaba de pasarse la lengua por el labio superior. Mientras perdía el conocimiento, pensé: «Me está cuidando. Mi madre se está desviviendo por hacerme al fin de madre. Es muy halagador. Nadie más haría esto por mí. Marian. Tengo celos de Marian».

Estaba flotando en una bañera semivacía de agua tibia cuando me desperté de nuevo, oyendo gritos. Débil y ardiendo, salí de la bañera, me eché por encima un fino albornoz de algodón, mientras los chillidos agudos de mi madre me perforaban los oídos, y abrí la puerta justo cuando Richard entraba en el baño.

–Camille, ¿estás bien?

Los alaridos de mi madre, salvajes y desgarrados, cortaban el aire a su espalda.

Luego, Richard enmudeció: me hizo inclinar la cabeza hacia un lado y me examinó los cortes del cuello. Me abrió el albornoz y se estremeció.

–Santo Dios...

Sintió una vacilación psicológica, a medio camino entre la risa y el miedo.

–¿Qué le pasa a mi madre?

–¿Qué te pasa a ti? ¿Te autolesionas?

–Sólo son palabras –murmuré, como si eso cambiase las cosas.

–Palabras, sí, ya lo veo.

–¿Por qué chilla mi madre?

Estaba como atontada y me caí en el suelo, que estaba duro.

–Camille, ¿estás enferma?

Asentí con la cabeza.

–¿Habéis encontrado algo?

Vickery y varios agentes más pasaron por delante de mi habitación. Mi madre apareció tambaleante detrás de ellos unos

288

segundos más tarde, agarrándose el pelo con las manos, gritándoles que se fueran, que tuviesen un poco de respeto, que supiesen que lo iban a lamentar.

–Todavía no. ¿Estás muy enferma?

Me palpó la frente, me ató el cinturón del albornoz con fuerza y se negó a mirarme de nuevo a la cara.

Me encogí de hombros, como una niña enfurruñada.

–Todo el mundo tiene que salir de la casa, Camille. Ponte algo de ropa y te llevaré a que te vea un médico.

–Sí, claro, necesitas tus pruebas. Espero que todavía me quede veneno suficiente en el cuerpo.

Por la tarde, sacaron del cajón de la ropa interior de mi madre los siguientes objetos:

Ocho frascos de pastillas contra la malaria con etiquetas extranjeras, unas píldoras enormes de color azul que habían sido retiradas del mercado por la frecuencia con que causaban fiebre y visión borrosa. Se hallaron restos del fármaco en mis análisis toxicológicos.

Setenta y dos comprimidos de laxante de uso industrial, utilizado principalmente para relajar los intestinos de los animales de granja. Se hallaron restos en mis análisis toxicológicos.

Tres docenas de pastillas antiepilépticas, que mal administradas pueden provocar mareos y náuseas. Se hallaron restos en mis análisis toxicológicos.

Tres botes de jarabe de ipecacuana, que se emplea para inducir el vómito en casos de intoxicación y envenenamiento. Se hallaron restos en mis análisis toxicológicos.

Ciento sesenta y un tranquilizantes para caballos. Se hallaron restos en mis análisis toxicológicos.

Un *kit* de enfermera que contenía píldoras, ampollas y jeringuillas que Adora no necesitaba para nada. Para nada bueno.

En la sombrerera de mi madre encontraron un diario estampado con flores, que sería clasificado como prueba para el juicio y que contenía fragmentos como los siguientes:

14 de septiembre de 1982

Hoy he decidido dejar de preocuparme por Camille y centrarme en Marian. Camille nunca ha llegado a ser una buena paciente, el hecho de estar enferma sólo hace que se ponga nerviosa y de mal humor. No me deja que la toque, nunca había visto nada parecido. Tiene la maldad de Joya. La odio. Marian, en cambio, es un encanto cuando está enferma; me adora y sólo quiere que esté a su lado todo el tiempo, que no me separe de ella. Me encanta enjugarle las lágrimas.

23 de marzo de 1985

Marian ha tenido que volver a ir a Woodberry, por «problemas para respirar desde la mañana y dolor de estómago». Me he puesto mi traje chaqueta amarillo, pero al final no me he acabado de sentir cómoda con él: me preocupa que, con el pelo rubio, me haga parecer demasiado pálida. ¡O una piña andante! El doctor Jameson es muy profesional y amable, se preocupa mucho por Marian, pero no es ningún entrometido. Parece estar muy impresionado conmigo. Ha dicho que soy un ángel, y que todos los niños deberían tener una madre como yo. Hemos estado coqueteando un poco, a pesar de nuestras respectivas alianzas. Las enfermeras son un poco conflictivas. Estarán celosas, supongo. En la próxima visita tendré que estar realmente adorable (es probable que haya cirugía). A lo mejor le digo a Gayla que prepare un poco de su carne picada. A las enfermeras les encanta recibir detallitos para su área de descanso. ¿Y si pongo un gran lazo verde alrededor del tarro? Tengo que ir a la peluquería antes de la próxima visita a urgencias... Espero que el doctor Jameson (Rick) esté de guardia...

10 de mayo de 1988

Marian ha muerto. No pude parar. He perdido cinco kilos y estoy en los huesos. Todo el mundo se ha portado fenomenalmente bien. La gente puede ser maravillosa.

Descubrieron la prueba más importante bajo el cojín de brocado amarillo del confidente del dormitorio de Adora: unas tenacillas manchadas, pequeñas y femeninas. Las pruebas de ADN dictaminaron que los restos de sangre hallados en el instrumento pertenecían a Ann Nash y Natalie Keene.

No encontraron los dientes en casa de mi madre. A lo largo de las semanas siguientes tuve visiones fugaces de adónde podrían haber ido a parar: vi un pequeño descapotable azul, con la capota subida como siempre, y una mano de mujer saliendo por la ventanilla y arrojando una ristra de dientes a los matorrales cerca del sendero que conducía a la espesura de North Woods. Un par de delicadas zapatillas enfangadas en la orilla de Falls Creek, y unos dientes que caían como guijarros en el agua. Un camisón rosa flotando entre los rosales de Adora, unas manos hundiéndose en la tierra, y unos dientes enterrados como huesos minúsculos.

No encontraron los dientes en ninguno de esos lugares. Hice que la policía lo comprobase.

17

El 28 de mayo, Adora Crellin fue arrestada por los asesinatos de Ann Nash, Natalie Keene y Marian Crellin. Alan pagó la fianza inmediatamente para que su esposa pudiera esperar el juicio en la comodidad de su propio hogar. Teniendo en cuenta las circunstancias, el tribunal consideró que lo mejor sería concederme la custodia de mi hermanastra. Dos días después salí en coche en dirección norte, de vuelta a Chicago, acompañada de Amma en el asiento de al lado.

Me dejaba agotada. Amma necesitaba atención continuamente y sufría fuertes crisis de ansiedad: le dio por pasearse arriba y abajo como un tigre enjaulado y por ametrallarme a preguntas: ¿por qué hay siempre tanto ruido?, ¿cómo podemos vivir en un piso tan pequeño?, ¿no es peligroso salir a la calle?); y exigía que le confirmase mi amor a cada momento. Estaba quemando toda la energía extra de que disponía por no estar postrada en cama varias veces al mes.

Hacia el mes de agosto se obsesionó con las mujeres asesinas: Lucrecia Borgia, Lizzie Borden y una mujer de Florida que había ahogado a sus tres hijas tras un ataque de nervios.

–A mí me parecen mujeres especiales –decía Amma con aire desafiante.

Su psicóloga dijo que estaba tratando de encontrar una manera de perdonar a su madre. Amma fue a ver a aquella mujer dos veces, y luego se tiró literalmente al suelo y se puso a chillar cuando intenté llevarla a la tercera visita. En su lugar, Amma trabajaba en su casa de muñecas la mayor parte del día. Era su forma de asimilar el horror de lo sucedido, dijo su psicóloga cuando le telefoneé. Entonces a lo mejor debería destrozar la casa en lugar de construirla, contesté yo. Amma me dio una bofetada en la cara cuando le traje el color erróneo de tela azul para la cama de Adora en la casa de muñecas. Escupió en el suelo cuando me negué a pagar los sesenta dólares que costaba un sofá de juguete hecho de madera de nogal auténtica. Probé con la terapia de abrazos, un ridículo programa que instaba a que abrazase a Amma con fuerza y repitiese «Te quiero, te quiero, te quiero» mientras ella intentaba zafarse de mi abrazo. Cuatro veces se soltó y me llamó hija de la gran puta antes de encerrarse en su habitación dando un portazo. A la quinta, las dos nos echamos a reír.

Alan aflojó algo de pasta para que matriculase a Amma en la Bell School, que costaba 22.000 dólares al año, sin contar libros ni material, y que estaba a sólo nueve manzanas de distancia. Hizo amigas rápidamente, un pequeño círculo de chicas guapas que enseguida se murieron por todo lo que incluyera la palabra Missouri. La única que me caía bien de verdad era una chica llamada Lily Burke, tan lista como Amma pero con un carácter mucho más alegre. Tenía la cara cubierta de pecas, unos dientes delanteros gigantes y el pelo de color chocolate; Amma comentó que era exactamente del mismo tono que la alfombra de mi antiguo dormitorio. Aun así, me caía bien.

Lily se convirtió en una presencia constante en el apartamento; me ayudaba a preparar la cena, me hacía preguntas sobre los deberes y me contaba historias sobre chicos. Amma se fue volviendo más taciturna con cada una de las visitas de Lily. Hacia el mes de octubre, cerraba su puerta de forma harto elocuente cada vez que Lily venía.

Una noche me desperté y descubrí a Amma de pie junto a mi cama.

–Quieres más a Lily que a mí –murmuró.

Tenía fiebre y el camisón adherido a su cuerpo sudoroso, y los dientes le castañeteaban. La llevé al cuarto de baño, la senté en el váter, humedecí un paño bajo el chorro frío y metálico del lavabo y le enjugué la frente. Luego nos miramos fijamente. Unos ojos azul pizarra como los de Adora. Mirada perdida. En blanco, como un estanque helado.

Me puse dos aspirinas en la palma de la mano, luego las devolví al bote y luego volví a ponérmelas en la palma. Era tan fácil darlas... ¿Querría luego darle otra, y otra? ¿Me gustaría cuidar de una niña enferma? Una señal de reconocimiento cuando levantó la vista para mirarme, temblorosa y enferma: «Mamá está aquí».

Di a Amma dos aspirinas. El olor hizo que se me humedeciera la boca. Tiré el resto por el desagüe.

–Ahora tienes que meterme en la bañera y lavarme –lloriqueó.

Le quité el camisón por la cabeza. Su desnudez era deslumbrante: piernecillas delgadas de niña, una cicatriz semirredonda e irregular en la cadera, como la mitad de un tapón, un vello finísimo en una sinuosa hendidura entre las piernas. Unos pechos turgentes y voluptuosos. Trece años.

Se metió en la bañera y se recogió las piernas a la altura de la barbilla.

–Tienes que darme friegas con alcohol –gimoteó.

–No, Amma. Sólo relájate.

El rostro de Amma se tiñó de rosa y se echó a llorar.

–Así es como lo hace ella –susurró.

Las lágrimas se transformaron en sollozos y luego en un aullido lastimero.

–Ya no lo vamos a hacer nunca más como ella –dije.

El 12 de octubre, Lily Burke desapareció en el camino de vuelta a casa de la escuela. Cuatro horas más tarde, encontraron su cuerpo semisentado junto a un contenedor a tres manzanas de nuestro apartamento. Sólo le habían arrancado seis de sus dientes, los dos delanteros, de gran tamaño, y cuatro muelas.

Telefoneé a Wind Gap y me mantuvieron en espera doce minutos hasta que la policía confirmó que mi madre estaba en su casa.

Yo lo averigüé primero. Dejé que la policía lo descubriera, pero yo lo averigüé primero. Mientras Amma me seguía como una perra furiosa, puse el apartamento patas arriba, aparté los cojines de los asientos, revolví los cajones. «¿Qué has hecho, Amma?» Cuando llegué a su habitación, me la encontré tranquila. Tenía una expresión de suficiencia dibujada en el rostro. Rebusqué entre sus bragas, volqué el contenido de su arcón y le di la vuelta al colchón.

Registré su cómoda y sólo encontré lápices, adhesivos y un vaso que apestaba a lejía.

Desmonté el contenido de la casa de muñecas habitación por habitación y destrocé mi pequeña cama con dosel, el sofá de Amma y el confidente amarillo limón. Una vez que hube destrozado el enorme dosel de bronce de mi madre y hecho añicos su tocador, o Amma o yo lanzamos un grito. Puede que las dos gritásemos a la vez. El suelo de la habitación de mi madre. Las hermosas baldosas de marfil... hechas de dientes humanos. Cincuenta y seis dientes diminutos, pulidos, blanqueados con lejía, relucían desde el suelo.

Hubo más personas implicadas en los asesinatos de las niñas de Wind Gap. A cambio de condenas más leves en un hospital psiquiátrico, las tres rubias admitieron haber ayudado a Amma a matar a Ann y a Natalie. Todas habían salido en el carrito de golf de Adora, fueron a merodear por la casa de Ann y luego convencieron a ésta para que accediera a dar una vuelta con ellas. «Anda, ven. Mi madre quiere saludarte.»

Las chicas se dirigieron a North Woods y fingieron que celebrarían una pequeña fiesta, una especie de merienda. Acicalaron a Ann, jugaron con ella un poco y luego, al cabo de unas horas, se aburrieron. Empezaron a llevar a Ann hacia el arroyo. La niña, presintiendo algo malo, intentó escapar, pero Amma la había perseguido y la había atrapado. La golpeó con una piedra. La otra le mordió. Había visto la marca en su cadera, pero no me di cuenta de lo que significaba aquella media luna irregular en la cadera.

Las tres rubias sujetaron a Ann en el suelo mientras Amma

la estrangulaba con una cuerda de tender que había robado del cobertizo de un vecino. Tardaron una hora en tranquilizar a Jodes, y necesitaron otra para que Amma arrancara los dientes, tiempo durante el cual Jodes no dejó de llorar. Luego las cuatro chicas llevaron el cuerpo hasta el arroyo y lo tiraron al agua, volvieron a toda prisa a casa de Kelsey, se lavaron en la cochera de la parte de atrás de la casa y vieron una película. No lograron ponerse de acuerdo en su declaración acerca de qué película habían visto. Todas se acordaban de que comieron melón y bebieron vino blanco en botellines de Sprite, por si la madre de Kelsey asomaba por allí.

James Capisi no mentía con respecto a la mujer fantasmagórica; Amma había robado una de nuestras inmaculadas sábanas blancas y se la había puesto a modo de túnica griega, se había recogido el pelo rubio claro y se había empolvado la cara hasta relucir. Era Artemis, la diosa sanguinaria de la caza. Al principio, Natalie se había vuelto loca de contento cuando Amma le había susurrado al oído: «Es un juego. Ven conmigo; jugaremos». Había desaparecido con Natalie en el bosque y la había llevado a la cochera de la casa de Kelsey, donde la habían retenido durante cuarenta y ocho horas: cuidaron de ella, le afeitaron las piernas, la acicalaron y le dieron de comer por turnos mientras disfrutaban de las protestas de la niña, cada vez más enérgicas. Justo después de la medianoche del día 14, las amigas la sujetaron mientras Amma la estrangulaba. Una vez más, le arrancó los dientes ella misma. Resulta que los dientes de niño no son muy difíciles de arrancar, si presionas con fuerza las tenacillas... y si no te importa el aspecto que tengan los dientes al final. (Una imagen del suelo de la casa de muñecas de Amma, con su mosaico de dientes rotos e irregulares, algunos meras esquirlas.)

Las chicas salieron en el carrito de golf de Adora en dirección a la parte de atrás de Main Street a las cuatro de la madrugada. El hueco entre la ferretería y el salón de belleza era justo lo suficientemente ancho para que Amma y Kelsey llevasen a Natalie cogida por los pies y por las manos, en fila india, hacia el otro lado, donde la sentaron correctamente y esperaron a que se produjera el hallazgo del cadáver. Una vez más,

Jodes volvió a llorar. Más adelante las chicas discutieron la posibilidad de matarla, ante el temor de que se derrumbase y acabase confesando. Estaban a punto de poner en práctica la idea cuando detuvieron a mi madre.

Amma mató a Lily ella solita: le dio un golpe por detrás en la cabeza con una piedra, luego la estranguló con sus propias manos, le arrancó los seis dientes y le cortó el pelo. Todo en un callejón, detrás del mismo contenedor donde luego abandonó el cuerpo. Se llevó la piedra, las tenacillas y las tijeras a la escuela en la mochila de color rosa chillón que yo misma le había comprado.

Amma entretejió el pelo color chocolate de Lily Burke para hacer una alfombra para mi habitación en su casa de muñecas.

Epílogo

Adora fue declarada culpable de asesinato en primer grado por lo que le hizo a Marian. Su abogado ya está trabajando en la apelación, cuyos avances son detallados con entusiasmo por el grupo que dirige la página web de mi madre, liberaradora.org. Alan cerró la casa de Wind Gap y buscó un apartamento cerca de la cárcel donde ella está presa, en Vandelia, Missouri. Los días en que no puede ir a visitarla le escribe cartas.

Se publicaron libros de bolsillo sobre la historia de nuestra familia asesina y me llovieron las ofertas para que yo misma escribiera uno. Curry me insistió para que aceptara alguna y rápidamente se echó atrás. Bien por él. John me escribió una carta muy amable y dolorosa. Había sospechado de Amma desde el principio, y se había trasladado a casa de Meredith en parte para «vigilarla», lo cual explicaba la conversación que había escuchado por casualidad entre él y Amma, quien había disfrutado jugando con su dolor. Hacer daño como forma de flirteo. El dolor como intimidad, igual que mi madre metiéndome las pinzas en mis heridas. En cuanto a mi otro romance de Wind Gap, nunca más volví a tener noticias de Richard. Después de cómo me miró el cuerpo lleno de cicatrices, supe que no las tendría.

Amma permanecerá encerrada hasta que cumpla los dieciocho años y probablemente por más tiempo. Puede recibir visitas dos veces al mes. Yo fui una vez y me senté con ella en una zona de recreo muy alegre rodeada de una alambrada. Había niñas vestidas con pantalones y camisetas de prisión, colgadas en columpios y estructuras de barras para niños, bajo la supervisión de guardias femeninas gordas y malhumoradas. Tres niñas se deslizaron a trompicones por un tobogán combado, treparon a la escalera y se deslizaron de nuevo. Y así una y otra vez, en completo silencio, durante el rato que duró mi visita.

Amma se había cortado el pelo casi al cero. Podía haber sido un intento para parecer más dura, pero en vez de eso el corte le daba un aura de otro mundo, como de elfa. Cuando la cogí de la mano, la tenía húmeda de sudor. Me la apartó.

Me había prometido a mí misma que no le haría preguntas sobre los asesinatos, para hacer la visita lo más liviana posible. Pero en su lugar, las preguntas afloraron casi inmediatamente. ¿Por qué los dientes, por qué esas niñas, que eran tan listas e interesantes? ¿Cómo podían haberla ofendido? ¿Cómo pudo hacerlo? La última pregunta me salió en tono de regañina, como si la estuviese reprendiendo por haber celebrado una fiesta aprovechando que yo no estaba en casa.

Amma observó con amargura a las tres niñas que había en el tobogán y dijo que odiaba a todo el mundo allí, que todas las niñas estaban locas o eran idiotas. Odiaba tener que hacer la colada y tocar las cosas de la gente. Luego se quedó callada un momento y pensé que simplemente iba a hacer caso omiso de mi pregunta.

–Fui amiga de ellas un tiempo –explicó al fin, hablándose al pecho–. Lo pasábamos bien, corríamos por el bosque. Éramos unas salvajes. Hacíamos daño juntas. Una vez matamos a un gato. Pero luego, un día, ella... –como siempre, el nombre de Adora no se pronunciaba–, ella empezó a interesarse mucho por ellas. Ya no podía guardarme nada para mí sola. Venían mucho a casa y empezaron a hacerme preguntas de por qué estaba siempre enferma. Iban a estropearlo todo. Ella ni siquiera se daba cuenta. –Amma se rascó con energía el pelo esquilado–. ¿Y por qué tuvo Ann que morderla, eh? No podía parar de pensar en eso. Por qué Ann podía morderla y yo no...

Se negó a seguir hablando, y sólo respondió con suspiros y carraspeos. En cuanto a los dientes, se los arrancó sólo porque los necesitaba; la casa de muñecas tenía que ser perfecta, como todo lo demás que Amma quería.

Creo que aún hay más: Ann y Natalie murieron porque Adora les prestaba atención. Amma lo veía como una injusticia. Amma, que había dejado que mi madre la hiciese enfermar durante tanto tiempo... «A veces, cuando dejas que la gente te haga cosas, en realidad tú se las haces a ellos.» Amma controlaba a Adora dejando que ésta la hiciese caer enferma, y a cambio exigía amor y lealtad absolutos. No se permitía la existencia de otras niñas. Asesinó a Lily Burke por la misma razón, porque sospechaba que yo la quería más que a ella.

También se pueden encontrar cuatro mil otras razones que expliquen por qué Amma hizo lo que hizo, por supuesto, pero al final, el hecho sigue siendo el mismo: Amma disfrutaba haciendo daño. «Me gusta la violencia», me había gritado. Yo le echo la culpa a mi madre: una niña criada en veneno cree que el dolor es un consuelo.

El día de la detención de Amma, el día en que se descubrió todo, definitiva y completamente, Curry y Eileen se instalaron en mi sofá, como dos guardianes con cara de preocupación. Me escondí un cuchillo en la manga y, una vez en el baño, me quité la camisa y hundí la hoja del cuchillo en el círculo perfecto de mi espalda. Estuve hurgando en el agujero hacia arriba y hacia abajo hasta que la piel se deshizo en cortes garabateados. Curry irrumpió en el lavabo justo antes de que fuese a por mi cara.

Curry y Eileen hicieron una maleta con mis cosas y me llevaron a su casa, donde dispongo de una cama y algo de espacio en lo que antiguamente había sido una sala de juegos en el sótano. Han guardado bajo llave todos los objetos cortantes, pero no he puesto demasiado empeño en intentar encontrarlos.

Estoy aprendiendo a dejar que me cuiden. Estoy aprendiendo a tener unos padres. He regresado a mi infancia, el escenario del crimen. Eileen y Curry me despiertan por las mañanas y me dan las buenas noches con un beso (o, en el caso de Curry, con una palmadita cariñosa en la barbilla). No bebo nada más fuerte que el refresco de uva favorito de Curry. Eileen me prepara la bañera y a veces me cepilla el pelo. No me da escalofríos, así que lo consideramos una buena señal.

Casi es 12 de mayo, un año exactamente desde mi regreso a Wind Gap. Da la casualidad de que este año la fecha también coincide con el día de la Madre. Qué ironía... A veces me acuerdo de la noche que cuidé de Amma, y de lo bien que se me daba relajarla y tranquilizarla.

Sueño que lavo a Amma y le seco la frente. Me despierto con el estómago revuelto y con el labio superior sudoroso. ¿Se me daba bien cuidar de Amma por mi generosidad? ¿O me gustaba cuidar de Amma porque tengo la misma enfermedad que Adora? Me debato entre las dos opciones, sobre todo de noche, cuando mi piel empieza a palpitar.

Últimamente me inclino más por la generosidad.

Agradecimientos

Muchísimas gracias a mi agente, Stephanie Kip Rostan, quien me ha acompañado con tanta habilidad y empeño en toda esta aventura del primer libro, y a mi editora, Sally Kim, por formularme las preguntas más agudas y proporcionarme las respuestas más acertadas al tiempo que me ayudaba a dar forma a esta historia. Inteligentes y alentadoras, se da la circunstancia de que también son excelentes compañeras para salir a cenar.

También estoy en deuda con el doctor D. P. Lyle, el doctor John R. Klein y el teniente Emmet Helrich, quienes me ayudaron a solventar las dudas relacionadas con la medicina, la odontología y el trabajo policial, así como con mis editores en *Entertainment Weekly*, en especial con Henry Goldblatt y con el redactor en jefe Rick Tetzeli (es todo un as, doy fe).

Debo mi gratitud también a mi maravilloso grupo de amigos, sobre todo a los que se ofrecieron repetidas veces a leer, a darme consejos y a animarme a lo largo del proceso de creación de *Heridas abiertas:* Dan Fierman, Krista Stroever, Matt Stearns, Katy Caldwell, Josh Wolk, Brian «¡Ives!» Raftery y mis cuatro ingeniosas primas hermanas (Sarah, Tessa, Kam y Jessie), quienes me obsequiaron con multitud de palabras amables en momentos cruciales, como cuando estuve a punto de quemar el manuscrito. Es posible que Dan Snierson sea el ser humano más optimista y decente, y más consecuente, de todo el planeta: gracias por tu confianza inquebrantable y dile a Jurgis que sea benévolo en su crítica. Emily Stone me ofreció consejos y comentarios llenos de humor desde Vermont, Chicago y la Antártida (recomiendo muy vivamente su servicio de lanzadera .azytown); gracias a Susan y Errol Stone por aquel refugio en la casa del lago. Brett Nolan, el mejor lector del mundo (un cumplido que no doy a la ligera), me mantuvo alejada de las referencias accidentales a los *Simpson* y es el autor del *e-mail* de dos palabras más tranquilizador del mundo. Scott Brown, «el Monstruo de mi Mick», ha leído innumerables versiones de *Heridas abiertas*, pobrecillo, y también se reunió conmigo en numerosas y necesarias ocasiones para alejarse de la realidad: Scott, yo y un unicornio con complejo de papá. Muchas gracias a todos.

Y por último, dedico todo mi amor y mi agradecimiento a la extensa familia de Missouri, de quienes me enorgullezco decir que no me sirvieron de inspiración en absoluto para los personajes de este libro. Mis incondicionales padres me han animado a escribir desde que iba a tercero de primaria, cuando dije que de mayor quería ser o bien escritora o bien granjera. Lo de la granja nunca llegó a cuajar del todo, así que espero que os guste el libro.